AMGUEDDFA
GENEDLAETHOL CYMRU
NATIONAL
MUSEUM OF WALES
KU-008-171
WITHDRAWN

usée des Beaux-Arts *Orléans*
usée d'Art Moderne *Toulouse*

HENRI GAUDIER-BRZESKA

Commissariat de l'exposition

Commissaire général
Eric Moinet,
conservateur des Musées d'Orléans

Commissaire scientifique
Dominique Forest,
conservateur chargé de mission au Musée des Beaux-Arts d'Orléans

Commissaire pour Toulouse
Alain Mousseigne,
conservateur
du Musée d'Art Moderne de Toulouse

Direction administrative
Chantal Furet

Assistante de conservation
Catherine Moindreau

Bibliothèque et documentation
Lucie Sinayoko, Nelly Matras-Cholet

Secrétariat
Marie-Claude Henry

Conception et programmation des activités pédagogiques
Véronique Galliot-Rateau, Isabelle Roulleau, Sophie Monville

Conception architecturale
Catherine Bizouard

Montage de l'exposition
Frédéric André, Philippe Langé, Michel Sablé, François Viguier

Conception graphique
Joëlle Carreau-Labiche

Remerciements

Nous tenons à exprimer notre profonde reconnaissance à tous les prêteurs français et étrangers :

.Le Musée National d'Art Moderne de Paris,
.La galerie Marwan Hoss de Paris,
.Le Lycée Gaudier-Brzeska de Saint-Jean-de-Braye,
.La Fondation Kettle's Yard de l'Université de Cambridge,
.La City Art Gallery de Leeds,
.Le Victoria and Albert Museum de Londres,
.L'Arts Council Collection de Londres,
.La Mercury Gallery de Londres,
.La d'Offay Gallery de Londres,
.L'Université de Hull,
.Le Musée de Doncaster,
.Le National Museum of Wales de Cardiff,
.La Kunsthalle de Bielefeld,
.La Fondation Cini de Venise,
.L'Art Institute de Chicago,
.L'Art Gallery de l'Université de Yale, New Haven,
.Monsieur Creusillet,
.Monsieur Moal,
.Madame Rachewiltz,
.Le Docteur Sherwin,
Ainsi que les prêteurs qui ont souhaité conserver l'anonymat.

Nos remerciements s'adressent particulièrement

à Monsieur Germain Viatte,
Directeur du Musée National d'Art Moderne et du Centre de Création Industrielle
et à Monsieur Michael Harrison,
Directeur de la fondation Kettle's Yard
pour l'attention et le soutien qu'ils nous ont apportés.

Cette exposition, réalisée à l'initiative du Musée des Beaux-Arts d'Orléans, a été rendue possible grâce au concours financier de :

La Ville d'Orléans,
La Région Centre,
Le Département du Loiret,
La Direction Régionale des Affaires Culturelles,
La Société des Amis des Musées d'Orléans.

Nous remercions tout particulièrement :

.Monsieur Sueur,
Maire de la Ville d'Orléans,
.Monsieur Dousset,
Président du Conseil Régional du Centre,
.Monsieur Malécot,
Président du Conseil Général du Loiret,
.Monsieur Lapaire,
Maire de Saint-Jean-de-Braye
.Monsieur Sallois,
Directeur des Musées de France,
.Monsieur Cuzin,
Chef de l'Inspection Générale des Musées,
.Mademoiselle Julia,
Conservateur en Chef du Patrimoine à l'Inspection Générale des Musées
.Madame De Franclieu,
Conservateur du Patrimoine à l'Inspection Générale des Musées
.Monsieur Fontes,
Directeur Régional des Affaires Culturelles de la Région Centre,
.Monsieur Cornu,
Adjoint au Maire de la Ville d'Orléans, Délégué à l'Action Culturelle,
.Madame Mouchard-Zay,
Conseiller Municipal, Délégué pour les relations culturelles internationales de la Ville d'Orléans,
.Monsieur Blareau,
Président de la Société des Amis des Musées d'Orléans, ainsi que les membres du Bureau et en particulier
.Monsieur Musson,
Secrétaire,

.Madame Galidie,
Directrice de l'action culturelle de la Ville d'Orléans
.Monsieur Migayrou,
Conseiller aux arts plastiques à la Direction Régionale des Affaires Culturelles de la Région Centre,
.Les services de la Ville d'Orléans et l'ensemble du personnel des musées.

Nous remercions tous ceux qui à des titres divers ont aidé à la réalisation de cette exposition :

Madame Bernadac, Madame Bouzy
Monsieur Bordes, Monsieur Carreau,
Madame Chevillot, Monsieur Cueco,
Monsieur Dastarac, Monsieur Deguilly,
Mademoiselle Dijoud, Madame Duff,
Madame Dumortier, Madame Elbaz,
Madame Ferbos, Monsieur Forsyth,
Monsieur Fouace, Monsieur Franck ,
Monsieur Gaillot, Monsieur Van Hasselt,
Madame Leleu, Madame Martin-Zay,
Madame Michael, Monsieur Murray,
Madame Otis, Madame Piniau,
Madame Pingeot, Monsieur Roger,
Monsieur Schulmann,
Madame Schneider-Maunoury,
Monsieur Secrétain, Madame Silber,
Madame Stedman, Madame Willer-Perrard.

Le Musée d'Art Moderne de Toulouse remercie :

.Monsieur Baudis,
Député-Maire de la ville de Toulouse,
.Monsieur Gachet,
Directeur des Affaires Culturelles de la région Midi-Pyrénées,
.Monsieur Andres,
Adjoint au Maire, Délégué aux Musées,
.Madame Le Digabel,
Conseiller Municipal de la ville de Toulouse,
.Madame Carreras,
Directeur des Affaires Culturelles de la Ville de Toulouse,
.Monsieur Pons,
Directeur de l'Ecole des Beaux-Arts de la ville de Toulouse

Assistant de conservation
Monsieur Saulle,

Secrétariat
Madame Lajugie, Madame Maurel,

Responsable de la librairie
Madame Perreira,

Régisseur
Monsieur Rodriguez,

Cette manifestation a bénéficié du mécénat
de la Caisse d'Epargne
du Val de France-Orléanais

Crédits photographiques

.Musée des Beaux-Arts d'Orléans
.Fondation Kettle's Yard de l'Université de Cambridge
.Musée National d'Art Moderne de Paris
.National Museum of Wales de Cardiff
.Mercury Gallery de Londres
.Christian Roger des Editions Tristram
.Art Institute de Chicago
.Art Gallery de l'Université de Yale à New-Haven
.Fondation Giorgio Cini de Venise
.Anthony d'Offay Gallery de Londres
.Arts Council collection, The South Bank Centre, Londres
.Galerie Marwan Hoss de Paris
.Museum and Art Gallery de Doncaster
.City Art Gallery de Leeds
.Kunsthalle de Bielefeld
.Tate Gallery de Londres
.University Art Collection de Hull
.Victoria and Albert Museum de Londres
.City Art Gallery de Southampton
.Museum of Fine Arts de Boston
.Walker Art Gallery de Liverpool
.British Museum de Londres
.Laurent Sully Jaulmes

En couverture:
.Benington,
Photographie de Gaudier devant la Tête hiératique d'Ezra Pound en cours d'achèvement, vers 1914

i.s.b.n.: 2 - 91 01 73 - 00 - 3
Musée des Beaux-Arts, Orléans.

Il revenait à la Ville d'Orléans de rendre enfin hommage au sculpteur Henri Gaudier-Brzeska né près de notre ville, à Saint-Jean-de-Braye, en 1891 et mort au champ d'honneur en 1915. Aucune exposition monographique ne lui avait, en effet, été consacrée en France depuis la première rétrospective organisée au Musée des Beaux-Arts d'Orléans en 1956. La carrière exceptionnelle de cet artiste mort jeune, à vingt-trois ans et demi, s'est presque entièrement déroulée en Angleterre où il a séjourné de 1911 à 1914. Gaudier a pratiqué avec une rare exigence la sculpture durant ces quelques années, réalisant un peu moins d'une centaine d'oeuvres dans des conditions matérielles souvent précaires. Ses dessins sont beaucoup plus nombreux - plusieurs milliers - au crayon, à l'encre ou au pastel; ils témoignent de la prodigalité de sa jeunesse et de son génie.

De 1911 à 1914 Gaudier-Brzeska participe aux mouvements de l'avant-garde britannique par les réflexions originales qu'il propose sur la forme et la ligne et par son engagement dans la vie artistique et intellectuelle. Influencé d'abord par Rodin, il s'est également intéressé, tout comme Picasso et Modigliani, à l'art primitif que l'on découvre alors. Il bénéficie aussi de l'expérience des expressionnistes allemands et des fauves ainsi que du nouveau langage plus géométrisé des cubistes ou des futuristes. Mais la grande ouverture de son esprit, sa curiosité, son génie créateur l'ont conduit à développer une expérience singulière et personnelle dont on discerne mieux l'importance aujourd'hui et que l'exposition et le catalogue qui l'accompagne permettront de mieux percevoir.

Cette exposition va permettre de découvrir, souvent pour la première fois en France, des oeuvres conservées dans des collections publiques ou privées anglaises, américaines, italiennes ou allemandes. Bien des dessins appartenant au Cabinet d'Art Graphique du Musée d'Orléans - riche de plus de 2 000 oeuvres de cet artiste - seront également présentés pour la première fois. Cette manifestation exceptionnelle n'aurait pu avoir lieu sans les prêts généreux consentis par la Fondation de Kettle's Yard de l'université de Cambridge, par le Musée National d'Art Moderne de Paris, par de nombreuses institutions publiques ou privées, des galeries et des collectionneurs. Qu'ils en soient sincèrement remerciés.

Je tiens à remercier la Caisse d'Epargne du Val de France-Orléanais pour le soutien financier apporté à cette exposition.

Notre reconnaissance s'adresse également à la direction des Musées de France, la direction régionale des affaires culturelles, le conseil régional de la Région Centre, le conseil général du Loiret pour l'aide financière qu'ils ont bien voulu apporter à ce projet.

Jean-Pierre Sueur
Maire d'Orléans

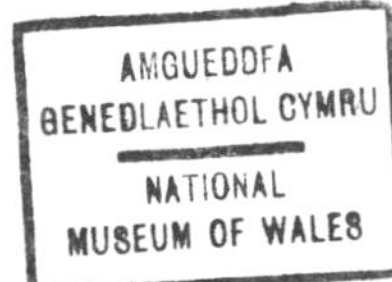

Sommaire

1
Eric Moinet, Alain Mousseigne,

Préface 15

2
Bernard Fauquembergue,

Henri Gaudier-Brzeska: vingt-trois ans et demi! 18

3
Mady Menier,

"...Un sculpteur." 32

4
Dominique Forest,

Gaudier-Brzeska dessinateur 44

5
Jacques Dubanton,

Gaudier-Brzeska et le primitivisme 62

6
Richard Cork,

Gaudier-Brzeska et le vorticisme 72

7
Gérard-Georges Lemaire,

Gaudier-Brzeska dans l'orbe du Bloomsbury 78

8
Fabienne Lacouture,

La réception critique de Gaudier-Brzeska
ou la fausse infortune 86

9
Dominique Forest,

Catalogue des sculptures 93
Catalogue des dessins 124
Annexes 174

10
Bernard Fauquembergue,

Les signatures de Gaudier-Brzeska 178
Bibliographie et liste des expositions 182

Henri Gaudier-Brzeska compte parmi les principaux sculpteurs du début du XXe siècle, à l'avant-garde, comme Jacob Epstein, de toute la sculpture anglaise de ce siècle. On peut s'étonner à juste titre que l'oeuvre de cet artiste soit resté cependant aussi confidentiel en France. Pourtant quelques-uns des plus grands musées, le Museum of Modern Art de New-York (MOMA), l'Art Institute de Chicago, la Tate Gallery de Londres ou le Musée National d'Art Moderne de Paris, présentent ses sculptures. Ces dernières années plusieurs expositions internationales ont remis en lumière son oeuvre, en 1984 *Le primitivisme dans l'art du XXe siècle*, au Musée d'Art Moderne de New-York, en 1986 *Qu'est-ce que la sculpure moderne?* au Centre Georges Pompidou et plus récemment en 1987 à la Royal Academy de Londres *L'art anglais au XXe siècle*. Mais aucune rétrospective n'avait été consacrée en France à l'oeuvre sculpté et dessiné de Gaudier depuis celle organisée en 1956 au Musée des Beaux-Arts d'Orléans.
C'est à son biographe britannique H.S. Ede, fondateur de Kettle's Yard, que l'on doit la découverte posthume de Gaudier-Brzeska. Il est vrai que la carrière exceptionnelle de cet artiste mort jeune, à vingt-trois ans et demi, s'est presque entièrement déroulée à Londres de 1911 à 1914. Il s'est lié avec toute l'avant-garde intellectuelle londonienne mais est resté méconnu des amateurs ou critiques d'art français. Il est encore presque ignoré hormis de cette élite lorsque éclate la première guerre mondiale et qu'il s'engage comme soldat au front. Il devait disparaître tragiquement au champ d'honneur laissant à son amie Sophie Brzeska le contenu de son atelier, quelques dizaines de sculptures et plusieurs milliers de dessins .
Malgré une première rétrospective aux Leicester Galleries de Londres en mai 1918 à l'initiative d'Ezra Pound il faut attendre la triste fin de Sophie Brzeska qui devait sombrer progressivement dans la folie et mourir en 1925 pour voir peu à peu le sens de cet oeuvre retrouvé. Morte intestat et presque indigente, dans un asile d'aliénés de Gloucester, le tribunal de Démence avait souhaité recouvrir les frais relatifs aux trois années de séjour de Sophie dans cet établissement. Les oeuvres de Gaudier en sa possession devaient représenter son seul patrimoine, revenir à l'Etat ou être vendues pour rembourser ses frais d'internement. H.S. Ede, qui était alors assistant à la Tate Gallery, put se porter acquéreur de la presque totalité du fonds de l'atelier et le sauver.
En 1930, il publiait une vie de Gaudier et, en 1931, le *Messie Sauvage* inspiré par une vision romantique de la vie du sculpteur très largement initiée par le roman autobiographique de Sophie Brzeska. Le destin et l'oeuvre de Gaudier s'affirmaient ainsi progressivement dans toute son étrangeté et sa modernité.
C'est après la seconde guerre mondiale que H.S. Ede a souhaité faire découvrir en France l'oeuvre de Gaudier. Par l'intermédiaire de Mme Bouchot-Saupique, Conservateur du Cabinet des dessins du Musée du Louvre, puis de René Varin, Conseiller Culturel à l'Ambassade de France à Londres, Jacqueline Auzas-Pruvost, Conservateur du Musée des Beaux-Arts d'Orléans, organisait de mars à avril 1956 une première exposition destinée à mieux faire connaître dans son pays natal cet artiste alors presque inconnu. Seule, une sculpture, oeuvre de jeunesse, le portrait de son père, vers 1910 (cat. n° 2), donnée par le modèle au Musée d'Orléans en 1922, évoquait modestement le génie du sculpteur dans les collections publiques françaises. Ede devait remédier à cette situation en offrant à la Ville d'Orléans plus d'un millier de dessins ou carnets en 1956 et 1957 et la statuette de *L'homme tombé* (cat. n° 4) ; son choix était de voir enfin le talent de Gaudier

plus justement considéré dans sa patrie. La Ville d'Orléans achetait également la même année au généreux donateur, *Caritas* (cat. n° 34) l'un des chefs-d'oeuvre de l'artiste et le Musée National d'Art Moderne par l'intermédiaire du Musée du Louvre déposait l'une des oeuvres majeures de Gaudier, *Torse II,* de 1913 (cat. n° 22), acquise à cet effet directement auprès de H.S Ede, alors domicilié une partie de l'année aux Charlottières à Chailles en Loir-et-Cher.
Par ailleurs, l'achat à des collectionneurs anglais de quelques autres dessins importants (cat. n°77 et n°122) et celui du portrait par Wolmark permettait l'ouverture au Musée des Beaux-Arts d'une salle entièrement consacrée à l'artiste peu après l'exposition de 1956.
Parallèlement, Jean Cassou, Conservateur en Chef du nouveau Musée National d'Art Moderne, découvrait également cet oeuvre grâce à la complicité de René Varin. En 1965, André Malraux inaugurait au Musée National d'Art Moderne, alors installé au Palais de Tokyo, une salle entièrement consacrée à Gaudier, mise en place par Mady Ménier, alors assistante au musée, grâce aux nouveaux dons consentis par Ede. Une nouvelle fortune semblait alors promise à l'oeuvre du sculpteur.
La sortie en France du *Messie Sauvage,* du cinéaste Ken Russell en 1972 devait également contribuer à affirmer la notoriété de Gaudier. Cependant, il faut attendre la publication en 1979 de l'ouvrage de Roger Secrétain, écrivain, amateur d'art et ancien Maire d'Orléans, *Gaudier-Brzeska un sculpteur maudit,* pour que l'artiste bénéficie d'un nouvel intêret en France et soit plus justement reconnu par les Orléanais. Parallèlement, à l'initiative de Bernard Fauquembergue, alors documentaliste au lycée technique de Saint-Jean-de-Braye, un long travail de sensibilisation se développait dans l'agglomération orléanaise.
La Ville d'Orléans encouragée par la Direction des Musées de France a développé le fonds initial du musée constitué en grande partie grâce à la générosité de H.S. Ede en 1956 et 1957, par l'achat en 1971 et 1992 de deux épreuves en bronze, *Masque ornemental* (cat. n° 6) et la *Madone* (cat. n° 5) mais surtout en 1981 par le plâtre original de *Deux hommes portant une jatte* (cat. n° 33) et en 1985 par celui de *Femme assise* (cat. n° 45), l'une des oeuvres majeures de l'artiste. L'ensemble ainsi réuni constitue l'un des axes principaux de la salle d'art moderne du nouveau Musée des Beaux-Arts d'Orléans inauguré en 1984. Hors le Musée National d'Art Moderne - Centre Georges Pompidou et le Musée d'Orléans, l'oeuvre de Gaudier ne peut être découverte en France qu'au Musée de Mont-de-Marsan où figure un tirage du *Masque ornemental* et au Musée de Calais où se trouve également une épreuve en bronze du *Torse II.*
Après les expositions internationales de New-York (1984), et de Paris (1986), surtout consacrées à la sculpture, en 1991, une exposition de dessins de Gaudier organisée à Paris par la Galerie Marwan Hoss soulignait en France l'importance de l'oeuvre dessiné de Gaudier. Après la grande exposition organisée en Grande-Bretagne à Kettle's Yard, Bristol et York en 1983 et 1984, il revenait à Orléans de lui consacrer enfin une rétrospective, la première organisée en France.
La présentation de cette manifestation au Musée d'Art Moderne de Toulouse revêt là encore la même importance symbolique, annoncée l'an dernier par le soutien actif du nouveau musée à la publication aux éditions TRISTRAM, du texte lumineux d'Ezra Pound, *"Henri Gaudier-Brzeska"* .

Eric Moinet,
Conservateur
des Musées
d'Orléans

Alain Mousseigne,
Conservateur
du Musée d'Art Moderne
de Toulouse

Anonyme
Photographie d'Henri
Gaudier-Brzeska
vers 1906.

Henri Gaudier-Brzeska, vingt-trois ans et demi !

Bernard Fauquembergue

1.EDE,
Savage Messiah,
Londres, Heinemann,1931

2.COLE,
Burning to speak,
The life and art of Henri Gaudier-Brzeska,
Oxford, Phaidon, 1978

3.SECRETAIN,
Un sculpteur maudit,
Gaudier-Brzeska,
Paris, Editions du Temps, 1979

4.PEIGNOT,
"Cinquante ans après sa mort, le tragique prophète de la sculpture moderne"
Connaissance des Arts,
Paris, n°159, mai 1965,
p. 65-72.

5.DAGEN,
"L'ange fusillé",
Le Monde, Paris,
20 novembre 1992.

Malgré l'objectivité des biographes, la vie d'Henri Gaudier-Brzeska, comme celle d'Arthur Rimbaud, a échappé à l'Histoire pour entrer dans le Mythe. Une aura de météore de la sculpture moderne s'est attachée à l'artiste, confortée par des titres baroques et superbes : *Le Messie sauvage* (1), *Burning to speak* (2), Un *Sculpteur maudit* (3), auxquels il faut ajouter ceux des journalistes : "Le tragique prophète de la sculpture moderne" (4), "L'ange fusillé" (5). Les inventions romanesques étaient inutiles, la réalité offrait déjà tout ce qu'on pouvait espérer : jeunesse et beauté, génie précoce, amour, aventure, misère, folie et mort.

Mais, comme si la vie extraordinaire de ce personnage hors du commun n'était pas suffisante, de multiples interprétations ou avatars d'après sa mort ont ajouté encore à la légende.
Odeur de soufre : Ezra Pound était son plus fidèle défenseur mais aussi celui qui lui a fait beaucoup de tort en prêtant sa voix aux batailles fascistes.
Méfiance : Jim Ede a diffusé généreusement l'oeuvre mais il est aussi celui qui l'a multiplié.
Exagération : il est faux de dire que Gaudier-Brzeska est méconnu, jamais un si jeune artiste n'a fait l'objet d'autant d'écrits, d'expositions, de films, de pièces de radio ou de théâtre.
Polémique : qui est-il exactement ? un patriote ou un déserteur ? un Français ou un Anglais ? un classique ou un moderne ? un imitateur ou un précurseur ?
Recherche du sensationnel : l'histoire d'Henri et de Sophie a été difficile et complexe mais elle a été abusivement transformée en "love story" populaire.

Fasciné, chacun tire à soi Gaudier-Brzeska : c'est le propre du mythe de se prêter ainsi aux récupérations sans rien jamais perdre de sa vérité.

Sur la petite maison vigneronne où Henri Gaudier a passé son enfance, au 8 avenue du Général Leclerc à Saint-Jean-de-Braye, dans le Loiret, le raccourci saisissant d'une plaque en façade nous ramène aux faits :

ICI NAQUIT
LE 4 OCTOBRE 1891
HENRI GAUDIER BRZESKA
PEINTRE ET SCULPTEUR FRANCAIS
MORT AU CHAMP D'HONNEUR
LE 5 JUIN 1915
A NEUVILLE ST WAAST P.d.C

HOMMAGE DES ANCIENS COMBATTANTS
A LEUR EMINENT CAMARADE

L'enfance (1891-1907)

Le père, Germain Gaudier, était un "bon bonhomme". Il travaillait comme menuisier-charpentier dans un appentis en bois appuyé à la maison. La mère, Marie, née Bourgoin, était plus dure. Elle faisait un peu d'épicerie, de dépannage et s'occupait des trois enfants: Henri l'aîné, Henriette de deux ans plus jeune, et Renée la plus petite, née en 1899 quand le garçon avait déjà huit ans.
Les conditions de vie étaient modestes et l'éducation à l'ancienne, avec ses rudesses.

Henri va à l'école du village à partir de 1897 dans la classe de Monsieur Pontoise son unique maître jusqu'en 1903. Enfance sans histoire à Vomimbert, gros quartier animé de Saint-Jean-de-Braye, presque un faubourg d'Orléans, moitié à la campagne, moitié à la ville. Henri profite de cette atmosphère particulière où les habitants partagent leur temps entre les activités du vignoble, des primeurs, des fruits, et celles du commerce et de l'artisanat (6). Son père lui apprend à reconnaître les plantes, les arbres, les animaux et les insectes. La forêt n'est pas loin, la Loire non plus: on imagine les gamins courant de l'une à l'autre. C'est peut-être ainsi que lui vient l'amour de la nature (7). Il est probable aussi que son père a joué un rôle important dans la vocation du garçon : l'atelier, les outils, l'odeur du bois et des vernis...

Mais il ne faudrait pas croire que l'enfant soit un petit paysan. Les trépidations de l'ère industrielle, même atténuées, sont perceptibles au village. Ainsi, depuis 1904, on peut prendre le tramway pour aller à la ville; le train à vapeur Orléans-Gien passe à 400 mètres derrière la maison des Gaudier. Les premières voitures font leur apparition. Le petit Henri a certainement connu Albert Guyot, le neveu du voisin qui venait bricoler dans l'atelier de serrurerie de son oncle et qui s'illustrera en 1909 dans un périple en aéroplane au-dessus de la Russie.

En juillet 1903, Henri Gaudier est reçu au Certificat d'Etudes. Son premier dessin connu est une vue du Hameau de Grasdoux qu'il voyait de sa fenêtre. Le crayon, daté de 1902, est conservé au Musée des Beaux Arts d'Orléans . A douze ans, il entre à l'Ecole Primaire Supérieure, école municipale professionnelle, qui s'appellera Benjamin Franklin en 1908. Il est inscrit en section commerciale: comptabilité et secrétariat. Pendant trois ans, il fait une scolarité exemplaire. On en trouve mention dans les comptes rendus des distributions de prix publiés dans le journal Le Républicain (8). Il est cité de nombreuses fois mais, curieusement, jamais en dessin. Son père raconte pourtant qu'il faisait de nombreux croquis et qu'il les jetait dès qu'il les avait terminés (9). A l'issue de sa 3ème commerciale et industrielle, en 1906, il est reçu au CEPS, Certificat d'Etudes Primaires Supérieures, l'équivalent aujourd'hui du brevet, avec un prix spécial en anglais. Cela lui vaut un premier séjour de vacances à Londres en juin et juillet.

ill.48.

En octobre 1906, il a quinze ans. Il passe avec succès le Brevet Elémentaire. Il est par ailleurs admissible au concours des bourses de séjour à l'étranger qu'il prépare pendant l'année scolaire 1906-1907 (10). Son professeur d'anglais, Monsieur Roux, avait remarqué les dons exceptionnels de son élève pour les langues vivantes et l'avait orienté dans cette voie.

Reçu au concours, Henri quitte la France en septembre 1907 avec une bourse de 3000 F destinée à poursuivre des études commerciales pendant deux ans.

6.MARCHAND, Saint-Jean-de-Braye par ses rues et ses lieux dits, Saint-Jean-de-Braye, Mairie, 1986, pp. 262-270.

7.SMITH, Emission de la BBC, Londres, 19 mai 1965.

8.Le Républicain orléanais et du Centre, 4 août 1904, Le Républicain du Dimanche, 30 juillet 1905, Le Républicain orléanais et du Centre, 4 août 1906.

9.Lettre du Père de Gaudier, 13 décembre 1928, collection privée, citée par COLE, Burning to Speak, Oxford, Phaidon, 1978, p. 9

10.Le Républicain orléanais et du Centre, 2 août 1907.

L'adolescence (septembre 1907- septembre 1909)

fig.1.

C'est une chance pour ce garçon de seize ans de partir ainsi sur les routes d'Europe. Mais il ne s'agit pas d'un voyage à l'aventure. Au contraire, il est soigneusement préparé par son professeur qui a organisé les différents séjours chez des amis personnels en Angleterre et en Allemagne.

Première étape, Bristol, où il reste un an. Inscrit au Merchant Venturers College de Bristol, il loge chez Monsieur George Smith, 24 Cotham Grove, un de ses professeurs. Elève sage et studieux, il impressionne surtout ses hôtes par sa passion pour la peinture et le dessin. Il a toujours un carnet qu'il remplit de croquis d'insectes, d'animaux, de plantes et de monuments. Kitty Smith, la fille de la maison, raconte leurs promenades à bicyclette : il s'intéresse à la campagne et déchire tous les dessins qu'il fait. Heureusement, il en reste quelques-uns, conservés à Cambridge (11). Ils témoignent d'un talent naïf mais réel, plus préoccupé de représentation exacte que de style. Tous les dessins de cette époque sont soigneusement datés et signés. On trouve des scènes de rue, des animaux, des façades de cathédrales, des copies d'antiques réalisées au musée de Bristol : la production est importante. Il semble apprécier la compagnie de Kitty avec laquelle il restera longtemps en correspondance comme en témoigne une lettre qu'il lui enverra des tranchées en 1915 (12).

Il quitte Bristol à la fin de septembre 1908. Seconde étape, Cardiff, il y reste 6 mois. La firme commerciale Fifoot and Ching qui exporte du charbon l'accueille en stage professionnel. C'est la première fois qu'il est livré à lui-même, il a dix-sept ans. Les témoignages concordants de son patron et de ses camarades signalent qu'il n'avait pas vraiment la tête à son travail. Il passait son temps libre à dessiner ou à lire (13) (14). Il prenait des croquis dans les parcs, les musées, le port et les églises. Il nous reste des dessins de cette époque qui témoignent toujours du même souci de vérité et de réalisme.
Le 10 avril 1909, lorsque son stage est terminé, il part pour l'Allemagne en passant par Londres, Paris, Anvers et Cologne.

Troisième et dernière étape, Nuremberg, il y demeure 6 mois.
Le 20 avril, il arrive au 9 Schliesselforstrasse chez le Docteur Uhlemayer. Le séjour est agréable, plutôt linguistique et culturel. Il passe son temps à lire, à étudier et à dessiner mais surtout à discuter avec Monsieur Uhlemayer en qui il trouve un ami et un confident. Ils parlent d'art, de philosophie, d'histoire : " Il est surprenant de voir avec quelle vitesse il étudia l'allemand. Il comprenait tout après une quinzaine de jours et pouvait parler assez bien pour converser sur n'importe quel sujet" (15). Il visite Munich qui l'éblouit par ses trésors artistiques mais il est peu probable qu'il ait eu connaissance de Kandinsky qui s'y trouvait à cette époque. Ce n'est que plus tard qu'il s'intéressera à l'expressionnisme allemand.

Cependant, il est de plus en plus clair qu'il ne souhaite plus faire carrière dans le commerce. C'est l'art qui lui plaît, le dessin, la peinture, la sculpture. Il se cherche, il hésite. Il écrit régulièrement à Kitty Smith et lui raconte avec enthousiasme ses découvertes, ses lectures, ses visites de musées. Il lui annonce aussi son intention de partir à Paris et d'y faire un travail d'illustrateur (16). En effet, sa bourse est terminée, il doit rentrer. Son séjour à Nuremberg l'a transformé : au risque de fâcher son père, il veut interrompre ses études.

11. Université de Cambridge, fondation Kettle's Yard.

12. Lettre de Gaudier à Kitty Smith, 6 avril 1915, collection privée, citée par COLE, op. cit., p. 43

13. Lettre de M. Ching à Jim Ede, 1930, EDE, A life of Gaudier-Brzeska, Londres, Heinemann, 1930, p. 21

14. Lettre d'Alfred Hazell, citée par COLE, op. cit., p. 10

15. Lettre du Dr Uhlemayer, 25 mars 1929, citée par COLE, op. cit., p. 12

16. Lettre à Kitty Smith, 31 août 1909, citée par COLE, op. cit., p. 12

fig 1
Photographie anonyme d'Henri Gaudier-Brzeska, à Saint-Jean-de-Braye vers 1907.

17. Lettre au Dr Uhlemayer, 10 octobre 1909 in SECRETAIN, op. cit., p. 33

18. Lettre à Kitty Smith, 2 avril 1910 in COLE, op. cit., p. 13

19. Lettres au Dr Uhlemayer, 1er janvier et 4 mars 1910 in SECRETAIN, op. cit. , pp. 34-38

20. Lettre à ses parents, non datée, in SECRETAIN, op. cit., p. 40

21. Lettre au Dr Uhlemayer, 24 mai 1910 in SECRETAIN, op. cit., p. 38

22. Lettre au Dr Uhlemayer, 18 juin 1910 in SECRETAIN, op. cit., pp. 45-46.

23. Manuscrits, Sophie Brzeska, Colchester, Bibliothèque de l'Université d'Essex

24. Lettre au Dr Uhlemayer, 10 novembre 1910 in SECRETAIN, op. cit., p. 60

L'indépendance (septembre 1909- décembre 1910)

Au lieu de rentrer à Saint-.Jean-de-Braye comme prévu, il s'arrête à Paris. Il a dix-huit ans, seul, sans argent, sans travail. " Maintenant, j'ai vraiment commencé à vivre..." écrit-il au docteur Uhlemayer en arrivant (17).

Mais les difficultés sont nombreuses. Il trouve des emplois transitoires : d'abord chez l'éditeur Armand Colin où il fait des travaux de secrétariat et des traductions dix heures par jour, puis chez un commerçant, dans une manufacture de papier peint, enfin dans une fabrique de lunettes et de miroirs (18). Il habite une chambre au 14 rue Bernard Palissy et se rend tous les soirs à la Bibliothèque Ste-Geneviève pour y travailler. Il est saisi d'une boulimie de culture. Sa corresponpondance avec le docteur Uhlemayer permet de le suivre dans ses enthousiasmes changeants : Rodin, Puvis de Chavannes, le Canada, Michel-Ange, Taine,l'ébénisterie, Bergson, la ville, la campagne, l'anarchisme (19). Il fréquente la jeunesse révolutionnaire et bohème du Quartier Latin, s'attardant au café Cujas pour des conversations sans fin où l'on refait le monde. Sa famille s'inquiète, il la rassure comme il peut pour lui annoncer finalement qu'il renonce à ses études(20).

C'est dans ce contexte chaotique que se produisent deux événements capitaux : sa rencontre avec Sophie Brzeska et sa décision d'être sculpteur. Les deux choses sont étroitement liées. Il les annonce d'ailleurs ensemble à son ami Uhlemayer : "J'ai pris une grande décision. Je ne vais plus faire de peinture mais me consacrer à la sculpture (21)" et " Le croiriez-vous, je suis tombé amoureux... Elle est polonaise... Son nom est Brzeska. Je l'ai rencontrée dans la bibliothèque où je vais travailler le soir (22)."

Cette émigrée de 39 ans est une "originale". Elle est profondément aigrie par la vie : enfance malheureuse, échecs sentimentaux, pauvreté, solitude. Elle vit de petits travaux de gouvernante. Elle est nerveuse et dépressive avec des velléités suicidaires. Ses principes moraux exacerbés ne l'empêchent pas de lancer des oeillades friponnes, elle a des coquetteries suspectes mais rabroue immédiatement les hommes qui l'approchent. Elle est vierge. Sans être vraiment belle, on la remarque. Henri lui trouve "une beauté à la Baudelaire, elle aurait pu sortir des Fleurs du Mal" (22).

Elle traîne l'ambition d'écrire un livre et noircit interminablement des carnets et des feuilles. Ses notes sont désordonnées, à la fois journal intime et brouillon de roman dont elle est, à la troisième personne, le personnage principal. Elle s'y montre agressive, incohérente, d'humeur changeante, mais indépendante et fière (23).

Sophie et Henri se voient tous les jours, visitent les musées, discutent d'art et de littérature. Curieusement, ils unissent leur solitude : tout devrait les séparer hormis leur idéalisme, leur orgueil et leur révolte contre la société. Il est jeune, son avenir, même incertain, est devant lui. Il est optimiste, confiant dans la puissance sauvage de création qu'il ressent. Au contraire, elle est blessée par un passé qui l'encombre et ne croit plus en rien. C'est quand elle voudrait se venger des hommes et de tous ceux qui l'ont bafouée en particulier, qu'elle est touchée par ce garçon timide et fougueux. Elle pourrait être sa mère, elle décide d'être sa soeur. C'est le début d'une histoire d'amour paradoxale qui restera toujours dans les limites de la chasteté absolue, quasi-mystique pour elle, frustrante pour lui. Il apprécie néanmoins ses attentions et trouve auprès d'elle l'affection et les encouragements dont il a besoin, elle le pousse dans la voie qu'il a choisie. Contre toute logique, leur liaison durera jusqu'à la fin.

En septembre, Henri est malade, les privations sont sans doute responsables de cette faiblesse passagère. Il retourne chez ses parents pour se reposer. Sur sa demande, Sophie le rejoint. Elle loge dans un village voisin, juste en face de la Loire, à Combleux. C'est très beau, Henri vient la voir tous les jours, elle lui apprend le polonais, il réalise plusieurs modelages dont la tête de sa mère et celle de son père. Cette ill. 3 , 2.
période de bonheur sera interrompue par une dénonciation anonyme accusant Sophie de prostitution. L'enquête des gendarmes provoque le drame, la pauvre Sophie est effondrée, Gaudier est furieux. Il en veut à la terre entière et à la France surtout. Il écrit sa rage et sa haine au docteur Uhlemayer et décide de quitter le pays pour Londres (24).
L'affaire de Combleux n'est pas l'unique raison de cette décision. Il garde de l'Angleterre des souvenirs heureux et espère y trouver des conditions plus favorables à son projet. Il vient aussi d'avoir dix-neuf ans, la conscription approche et il ne veut pas faire son service militaire, d'autant que les menaces de guerre se font de plus en

25.Lettre à Sophie, 27 novembre 1912 in SECRETAIN, op. cit., p. 151

26.1956, Orléans, Musée des Beaux-Arts, Henri Gaudier, artiste orléanais.

plus précises. Il part en janvier 1911. Sophie s'est laissée convaincre, elle le rejoint dix jours plus tard.

L'indigence (janvier 1911- décembre 1911)

Mais leur déception est terrible et leur enthousiasme anéanti. L'année 1911 est marquée par la misère. Toute leur énergie est consacrée aux problèmes de survie matérielle. Ils ont loué deux chambres dans un garni d'Edith Road à Fulham mais déménageront quatre fois au cours de l'année.

Ils se font passer pour frère et soeur. C'est à nouveau la bohême, mais cette vie semi-commune rend les choses plus difficiles encore. Ils se découvrent: il est impulsif et entier, elle est instable et acariâtre. Leurs chamailleries sont quotidiennes, ils se réconcilent dans les larmes.

Henri cherche du travail dans les ateliers de sculpture, chez les artistes, mais on se méfie de ce jeune étranger qui n'a reçu aucune formation dans ces domaines. En mars, il est contraint d'accepter un emploi de secrétaire chez le négociant en bois, Wulfsberg dans la City. Sophie quitte Londres au mois de mai pour une place de surveillante au pair dans un pensionnat de jeunes filles à Felixstowe.

Il est à la fois soulagé et triste de cette séparation qui dure jusqu'en octobre. Sophie le gêne, elle brime sa fantaisie et empêche tout véritable travail de création par excès de prudence et de conformisme. Mais elle lui manque, sa tendresse est réelle, il a besoin de ses encouragements et de son attention. C'est à ce moment-là qu'il décide de signer ses oeuvres "Gaudier-Brzeska", l'unissant ainsi pour toujours à son destin.Il a délibérement choisi l'ambiguïté de cette signature incorrecte, la terminaison masculine en polonais aurait voulu "Gaudier-Brzesky". Cela lui vaudra d'ailleurs de nombreux ennuis plus tard. Il sera souvent pris pour un étranger, même dans son pays natal. Il s'en amuse avec beaucoup d'humour: "Les Américains m'appellent Brzeska, et les Français, quand ils apprirent que j'étais polonais, me dirent que je parlais français et anglais comme un Russe, et plusieurs autres qui avaient pensé que j'étais italien virent très clairement d'après mon type et ma façon de marcher que j'étais slave (25)." L'exposition orléanaise de 1956 voudra rétablir la vérité mais d'une façon un tant soit peu abusive en trahissant la signature de l'artiste (26).

Henri et Sophie s'écrivent presque tous les jours. Il faut souligner le volume et la

27. Gaudier-Brzeska, List of works, manuscrit, 1914, Kettle's Yard, reproduit par EDE, 1930, op. cit., pp. 191-206

28. Lettre à sa soeur Renée, 28 décembre 1911, EDE, 1930, op. cit., p. 80

29. Lettre à Mac Fall, 5 janvier 1912, Victoria and Albert Museum, citée par COLE, op. cit., p. 19

qualité de cette correspondance. Ils n'arrêteront pas d'écrire jusqu'à la fin de leur vie, en français, en anglais, en polonais. On est surpris par la perfection de la grammaire, de l'orthographe et du style, particulièrement de sa part à lui dont le niveau scolaire correspond à la classe de troisième.
On est frappé aussi par le ton parfois enfantin. Ils s'adressent l'un à l'autre en utilisant des diminutifs affectueux qu'ils déclinent à profusion. Il l'appelle adorable maman, moman bien-aimée, mamus, mamusi, mamusin, little mamus, matuska, mamusienk, Sophie, Zosik, Zozia, Zisik chérie, Zosisik... Pour lui c'est Pik, Pikus, Pikusienko, Pikusurinia... petits noms qu'il reprend lui-même au bas de ses lettres. Ils parlent d'eux à la troisième personne et se mettent en scène comme s'ils étaient les personnages du roman que Sophie ne perd pas espoir de terminer un jour.
Sur le fond, enfin, les lettres d'Henri Gaudier sont ambitieuses. Ce sont des réflexions sur les grands artistes, Michel-Ange, Goya, Rodin son maître, des considérations générales sur l'évolution des arts à travers les siècles, ébauche de son premier Vortex, des jugements, des impressions. Il théorise beaucoup, commente ses visites de musées ou ses lectures. En fait, cela lui permet de clarifier ce qu'il pense.
Sophie revient à Londres en octobre, ils s'installent au 45 Paulton's Square : c'est leur premier véritable logement, deux pièces, chacun la sienne puisqu'elle se refuse toujours à lui malgré ses sollicitations. Ils ont acheté de pauvres meubles d'occasion. Mais très vite leurs querelles reprennent : elle souffre de son insouciance. Gaudier a vingt ans et n'a pratiquement rien fait au cours de cette année, quelques dessins, des projets d'affiches invendus, des couvertures de livres ou de magazines, une seule sculpture, le masque de Sophie en argile, disparue depuis (27).

Cette triste fin d'année est éclairée par une charmante lettre à sa petite soeur Renée. Il lui envoie un peu d'argent pour Noël afin qu'elle s'achète une boîte de couleurs et du papier, "il y en a du très bon dans la boutique qui fait le coin de la Rue Jeanne d'Arc et de la Place de la Cathédrale à Orléans."(28)

L'impatience (janvier 1912- décembre 1912)

Au cours de l'année 1912 Gaudier-Brzeska prend pied dans la société artistique londonienne.
Le 5 janvier, il manifeste une impatience audacieuse en écrivant, sans le connaître, au journaliste Haldane Macfall. Il lui explique sa situation personnelle et ses ambitions (29). Macfall est un historien et biographe connu pour un ouvrage sur Whistler et des activités de critique d'art. Il reçoit Gaudier avec chaleur et l'introduit dans un cercle d'amis où se retrouvent artistes et écrivains.

C'est là qu'Henri reçoit sa première commande. Un des membres du groupe, Leman Hare, voudrait une statue de Maria Carmi, une artiste lyrique qui se produit en ce moment à l'Olympia de Londres. Enthousiasmé, Gaudier se met immédiatement au travail. Il transforme le nouvel appartement qu'ils viennent de louer au 15 Redburn Street en atelier provisoire. Sophie est en rage à cause du plâtre et de l'argile qui recouvrent tout. Le modelage de *La Madone* est terminé le 26 février avec deux moulages en plâtre. C'est la fin de son isolement et le début de sa carrière. Il est alors régulièrement reçu chez Macfall qui lui procure d'autres commandes : le *Masque ornemental* de Lovat Fraser inspiré des statues primitives du British Museum et annonçant ses préoccupations futures, les bustes à la manière de Rodin, sans originalité, mais lui permettant de progresser.

ill.5.

ill.6.

fig 2. p 33.

Au mois d'août, Gaudier fait la connaissance de Middleton Murry qui dirige la revue *Rhythm* avec sa compagne la romancière Katherine Mansfield. Une relation amicale mais de brève durée s'établit entre les deux couples. Elle est vite rompue à cause du mauvais caractère de Sophie, Henri prend violemment sa défense et poursuivra injustement Murry de sa vindicte jusqu'en 1913.

Contrariée par cette bataille, fatiguée par la chaleur d'été à Londres, Sophie part se reposer dans une pension de famille à Frolesworth. C'est la seconde séparation. Mais cette fois, l'absence de sa compagne donne des ailes à Henri. Il obtient d'autres commandes et 25 livres pour *L'Oiseau de feu,* jamais un travail ne lui a rapporté autant d'argent. Il cherche son style, il explore d'autres pistes : par exemple le très curieux autoportrait en terre qu'il appelle

fig.1.p 33.

avec ironie *Tête d'idiot*. Il va toujours au zoo où il peut faire, en une visite, jusqu'à 150 dessins d'animaux. A cette vitesse, il n'est pas étonnant que son style devienne plus fluide. Il travaille à la plume, d'un trait, sans retouche.

En octobre, il reçoit de France son ordre de conscription et refuse de s'y soumettre. Il a vingt et un ans. Le maire de Saint-Jean-de-Braye lui demande de rentrer faire son devoir. Il lui répond par une lettre de 8 pages "d'engueulades froides, en petites phrases à la Verhaeren, brèves et percutantes". Il se place ainsi en situation de déserteur.(30)

En juin, il avait déjà rencontré Epstein. Piqué au vif quand le sculpteur lui avait demandé s'il taillait la pierre, Henri s'était immédiatement essayé à cette technique qu'il ne connaissait pas (31). Mais ce n'est qu'en novembre qu'il a visité son atelier (32). Ce fut un choc et une stimulation. L'Américain avait ramené de Paris des sculptures africaines. Il avait parlé à Modigliani, à Picasso, à Brancusi. Il racontait la révolution cubiste. Henri était impressionné, de nouvelles perspectives s'offraient à lui. Pour la première fois son admiration pour Rodin bascula : "Je me suis demandé si les formes primitives ne révèlent pas une compréhension plus étroite de la nature, plus grande et plus intelligente que les sculptures de Pisani, Donatello et Rodin."(33)

Il écrit beaucoup à Sophie, des lettres de trois à quatre pages, tous les deux jours. Il lui raconte tout: ses idées sur l'art, ses soucis quotidiens, ses tourments sexuels. Les lettres sont volontiers agrémentées de dessins, amusants ou provocateurs comme celle du 3 novembre ou carrément grivois, comme celle du 19 novembre qui le montre dansant une gigue obscène devant une prostituée qui attend son argent. Il a une très forte vitalité : il mène de front son travail artistique, son emploi chez Wulfsberg, ses nouvelles relations, sa correspondance avec la France, le Docteur Uhlemayer et Sophie. Il lit beaucoup : *L'Art* de Rodin en 5 heures d'affilée, *La Divine Comédie* de Dante dont il commence la traduction des 5 premiers chants de *l'Enfer*. Il fait des illustrations pour *Le Voyage Splendide* de Macfall. Il va au concert, raconte qu'il a écouté la *Cinquième Symphonie* de Beethoven les yeux fermés. Il s'inscrit à la St Bride's School pour pouvoir dessiner des modèles vivants : "Les gens qui y vont font deux ou trois dessins en deux heures et me croient fou parce que je travaille sans arrêt, plus encore pendant les repos du modèle... Je fais de 150 à 200 dessins par séance et ça les intrigue (34)".

fig.1.p 45.

ill. 92-104,106-114.

Il est allé voir Sophie à Noël mais au retour il ne tient aucun compte de ses recommandations de prudence et loue avec l'aide de Hare un atelier au 454a Fulham Road. Il s'y installe le 4 janvier 1913.

30. Lettres à M. Gallouédec, Maire de Saint-Jean de Braye, et à Sophie, 16 octobre 1912, in SECRETAIN, op. cit., pp. 129-131

31. EPSTEIN, Autobiographie, Hulton Press, 1935

32. Lettre à Sophie, 25 novembre 1912, Colchester, Bibliothèque de l'Université d'Essex

33. Lettre à Sophie, 28 novembre1912 Bibliothèque de l'Université d'Essex

34. Lettre à Sophie, 17 novembre 1912, Bibliothèque de l'Université d'Essex
Le Musée d'Orléans possède plusieurs séries de ces dessins successifs d'un même modèle, réalisés d'un trait à l'encre.

fig 2
Horace Brodzky,
Vue de l'atelier de Gaudier-Brzeska à Putney,
crayon,
Juin 1915,
Tate Gallery, Londres

La chance
(janvier 1913- décembre 1913)

35. Lettre à Sophie, 4 janvier 1913 in EDE, 1930, op. cit., p.154

36. Lettre au Dr Uhlemayer, 6 janvier 1913, Cambridge, Kettle's Yard, citée par COLE, op. cit., p. 28

37. BRODZKY, Henri Gaudier-Brzeska, Londres, Faber and Faber, 1933, pp. 55 et suivantes.

38. KONODY, The Observer, Londres, 13 juillet 1913.

39.POUND, Gaudier-Brzeska, a memoir, Londres,John Lane, 1916, pp. 45-47

40. Lettre à Sophie, 8 octobre 1913, citée par SECRETAIN, op. cit., pp. 179-180

Une nouvelle vie commence. L'atelier est le moyen et le symbole de son émancipation. Il est enthousiaste : "Les idées me viennent en torrent, j'ai l'esprit rempli de mille projets de statues, je suis au milieu d'elles, je viens d'en terminer une : *Le Lutteur*, je crois qu'elle est très bien (35)".

Le Lutteur est en effet la première sculpture importante de Gaudier-Brzeska. Elle impressionne par la force qui s'en dégage. "Jusqu'à l'année dernière j'ai dû me contenter de faire de petites statues et des portraits qui n'ont en aucune façon satisfait mes ambitions et mes aptitudes (36)".

Il demande à Sophie de revenir. Ils sont séparés depuis quatre mois. Il veut lui faire partager son plaisir. Sisik arrive en février. Quand elle découvre l'atelier de Fulham Road, elle est effondrée et tombe malade : l'endroit est délabré et sale, il est en désordre, avec des courants d'air et du bruit. Elle ne peut pas vivre là, il faut trouver un logement, ils en changeront six fois au cours de l'année.

Gaudier-Brzeska fréquente régulièrement Epstein qui l'aide et le conseille. Il l'appelle respectueusement "Cher Maître" en français. Ses relations s'élargissent. Frank Harris est un dandy riche et influent dans les milieux littéraires et journalistiques, il commande un buste et promet d'aider Gaudier pour une exposition. Horace Brodzky, Alfred Wolmark et John Cournos sont des artistes ou écrivains bohèmes à l'affût de la moindre occasion de placer des dessins, des peintures ou des essais. Ils forment avec Gaudier-Brzeska une petite bande agitée qui fréquente les pubs et les cercles.

Brodzky devient l'ami intime du couple. Il vient souvent déjeuner, il lui arrive même de passer la nuit à l'atelier. Selon son témoignage "Henri Gaudier-Brzeska était un faune, un clown et un bourreau de travail. Il sculptait toute la nuit d'une manière inquiétante, sans méthode, en racontant des histoires" (37), il aimait blaguer, il était provocateur, gamin, criait dans la rue et chantait en sautant les barrières, il faisait enrager Sophie en lui faisant croire qu'il allait tout de suite se percer le nez ou l'oreille avec un poinçon pour y suspendre une cloche, et il se mettait à danser comme un sauvage autour de l'atelier. Sophie courait après en lui criant "abominable!". Il s'habillait de façon excentrique avec un grand chapeau, une cape noire et une chemise rouge. Il avait un immense appétit de reconnaissance mais savait être généreux : il pouvait donner une sculpture sans rien demander en échange, au grand dam de Sophie, beaucoup plus attentive à l'argent. Il fit plusieurs portraits de Brodzky, au crayon, à la plume, au pastel, en pierre, en argile. ill.19,20. ill.105,125.
La première chance d'Henri Gaudier-Brzeska fut le grand salon annuel de l'Allied Artists' Association en juin-juillet à l'Albert Hall. Ses nouveaux amis étaient intervenus pour obtenir sa participation. C'était un événement extraordinaire pour lui qui voyait son nom cité dans la presse à côté de ceux d'Epstein et de Brancusi, même si l'article ne lui était pas vraiment favorable (38).

Sa seconde chance fut qu'Ezra Pound visita l'exposition et tomba en arrêt devant *Le Lutteur*: il voulut connaître son auteur (39). Pound était un personnage! Il n'avait que vingt-huit ans mais il était déjà connu. Ce poète américain éclectique avait une culture exigeante. Erudit marginal, il s'était engagé sur les voies de l'innovation et de l'expérience poétiques. Son complice Wyndham Lewis l'appela The Demon Pantechnicon Driver, le démon qui entraînera le monde vers des espaces nouveaux. Pound ne fréquentait pas les mêmes milieux que Gaudier-Brzeska mais la rencontre fit étincelle : les deux hommes éprouvèrent l'un pour l'autre une fascination qui se transforma en profonde amitié. Pound joua le rôle de révélateur et donna au jeune homme le soutien matériel et l'analyse intellectuelle qui lui manquaient ainsi que la caution de sa renommée naissante. Gaudier-Brzeska lui apporta l'énergie primitive d'un grand sculpteur.

Mais Sophie est jalouse des succès d'Henri et de ses nouvelles relations. Elle se sent écartée. Elle n'arrive plus à le suivre dans sa rapide évolution. Elle ne comprend pas ses "dessins de sauvage avec des nez à la manière de Brancusi".(40)
Elle tombe malade en septembre. Il l'emmène en vacances à Littlehampton, au bord de la mer. Cela se passe mal : elle est irritable et Gaudier s'ennuie. Il rentre seul, impatient de retrouver sa sculpture. Il lui écrit pour lui annoncer son intention de changer d'atelier. Il en a trouvé un autre plus commode à Putney, 25 Winthorpe Road, sous l'arche d'un pont de chemin de fer. Elle lui répond une lettre désagréable dont il prend fig.2.

prétexte pour marquer ses distances (41). Cette troisième séparation prend une telle allure de rupture qu'elle rentre à l'improviste à la fin du mois d'octobre, elle est très alarmée par une lettre d'Henri qui lui raconte avoir réalisé le buste d'une jeune artiste qui a posé pour lui dans son atelier. Il s'agit de Nina Hamnett, 24 ans, jolie et intelligente avec laquelle il a établi une amitié privilégiée. Nina raconte qu'elle passait les après-midis de samedi avec Henri, sous son arche, qu'elle faisait cuire des chataîgnes, qu'ils sortaient dans des meetings anarchistes et que le soir, ils allaient voler des pierres sur les chantiers(42). S'il est vraisemblable que Nina fut la première et unique maîtresse de Gaudier, il est certain, cependant, que Sophie fut préservée.

En cette fin d'année 1913, Gaudier-Brzeska a vingt-deux ans et de l'énergie à revendre. Sophie le gêne dans son développement. Il est attiré par le climat artistique survolté du Londres de ces années-là.
Des expositions importantes ont remué les conceptions traditionnelles. *Manet et les post-impressionnistes* préparée par Roger Fry en automne 1910 fit scandale, puis ce fut l'exposition d'oeuvres des peintres italiens futuristes à la Galerie Sackeville en mars 1912, relayée par les conférences provocantes de Marinetti qui faisaient l'objet d'une grande publicité. La participation régulière de Kandinsky au salon de l'AAA (43) ainsi que celle de Brancusi en juillet de cette année, alimentaient encore les controverses. Cette atmosphère électrique stimulait Gaudier-Brzeska qui aurait bien aimé abandonner son emploi chez Wulfsberg pour se consacrer entièrement à son travail d'artiste.

C'est Nina qui trouve la solution de son indépendance. Elle lui présente Roger Fry, critique et historien d'art connu, lié au cercle à la mode du Bloomsbury et qui avait organisé, l'année dernière encore, une seconde exposition post-impressionniste retentissante. Fry venait de fonder les Omega Workshops en juillet 1913, sorte d'officine d'arts appliqués, installés au 33 Fitzeroy Street. Ces ateliers, inspirés par l'idée qu'il n'y a pas de différence entre les arts mineurs et les arts majeurs, devaient permettre aux artistes d'avant-garde de travailler sans préoccupations financières ou matérielles. On y fabriquait des objets décoratifs : meubles, tapis, tissus, bibelots, sculptures... Gaudier-Brzeska trouva là une solution qui résolvait en partie ses problèmes d'argent. Les ateliers fournissaient les matériaux et s'occupaient des ventes. Une commission était prélevée. Il plaça ainsi plusieurs objets sous le logo anonyme
OMEGA (Ω): *Chat* en céramique, *Faon*, *Vases* ill.26.,30
de jardin, *Plateaux* de marqueterie. ill.25.

C'est aux Ateliers Omega que Gaudier-Brzeska rencontra Wyndham Lewis, personnage capital, qui deviendra bientôt le leader des Vorticistes. Lewis avait rassemblé autour de lui des artistes intéressés par le Cubisme français et le Futurisme italien. Un conflit violent éclata entre lui et Fry à propos d'un travail de décoration qui devait lui revenir et que Fry avait confié à quelqu'un d'autre. Ce n'était qu'un prétexte, les deux hommes ne s'aimaient pas et leurs conceptions artistiques étaient opposées. Lewis et ses amis, Etchells, Hamilton et Wadsworth, quittèrent avec fracas les Ateliers le 5 octobre 1913 en envoyant à la presse un pamphlet féroce contre Fry. En novembre, pour marquer sa volonté de rompre définitivement avec la "joliesse" du Bloomsbury, le groupe sécessionniste organisa un dîner au Florence Restaurant en l'honneur de Marinetti. Le chef des Futuristes symbolisait le renouveau agressif et viril dont il avait besoin. Gaudier-Brzeska, très intéressé par ces combats, restait pourtant en marge du groupe,soucieux sans doute de préserver les intérêts qu'il trouvait aux Ateliers Omega.Une intense période de turbulence s'annonçait.

L'année 1913 marque un seuil dans la vie et l'oeuvre de Gaudier-Brzeska. Son activité artistique a été d'une extraordinaire intensité. Il a réalisé une quarantaine de
sculptures dont des pièces splendides, ill.27,24
La Sirène, La Danseuse, Maternité, fig.7.p 3
*La Chanteuse triste, Samson et Dalila,*aux- fig.4.p 3
quelles il faut ajouter des dessins par centaines et des pastels influencés par ill.105.
les Fauves et son ami Wolmark. Mais surtout, une mutation capitale s'est opérée : un monde sépare les oeuvres du début de l'année de celles de la fin. A huit mois d'intervalle, par exemple, le thème de
La Danseuse,statuette élégante du début de ill.24.
l'année, est repris d'une façon radicalement
nouvelle dans *La Danseuse en pierre rouge.* ill.43.
"Gaudier s'est libéré de toute influence. Cette oeuvre est totalement de lui. Je ne peux qu'inviter le spectateur à considérer ce que représente le fait d'avoir, à vingt-deux ans, travaillé libre de toute influence et conquis un style personnel. On ne peut mésestimer une telle victoire (44)."

41. Lettre à Sophie, 10 octobre 1913 in SECRETAIN, op. cit.,p. 180

42. HAMNETT, The Laughing Torso, (Le Torse rieur), New-York, Long and Smith, 1932.

43. Allied Artists' Association.

44. POUND, Préface au catalogue del'exposition commémorative, Londres, Leicester Galleries, 1918.

La turbulence (janvier 1914- septembre 1914)

ill.43. *La Danseuse en pierre rouge* fut terminée en janvier 1914 (45). Cette pièce magistrale fit sensation, elle marque l'entrée de Gaudier-Brzeska dans la modernité. Elle était tellement différente de ce qu'avait fait Gaudier jusqu'alors qu'elle a pu paraître anachronique dans l'exposition que Fry organisa à l'Alpine Gallery en janvier avec le Grafton Group.

Elle était, au contraire, parfaitement à sa place, deux mois plus tard, à la Goupil Gallery avec les travaux du London Group et des "Rebelles". C'était le nom que l'on donnait à Wyndham Lewis et à ses amis depuis qu'ils avaient fondé le Rebel Art Center au 38 Ormond Street, bruyant rival des Omega Workshops. Il ne s'agissait pas d'un groupe formel mais d'un lieu de travail, de rencontre et de discussion. Il devint rapidement un outil de propagande pour tous ces jeunes artistes ambitieux, soucieux de mener leur propre combat pour un art nouveau, démarqué du Cubisme et du Futurisme. Pound et Epstein, sans faire partie du groupe, le fréquentaient régulièrement. Gaudier-Brzeska en devint peu à peu le sculpteur attitré. Il avait concrétisé ses idées sur la forme pure dans *La Danseuse en pierre rouge* (ill.43.) et se trouvait en accord avec les thèses développées par Hulme, philosophe et poète, lors d'une conférence sur l'Art moderne et sa philosophie donnée le 22 janvier 1914 à Kensington : le nouvel art moderne est mécaniste, géométrique et primitif (46).

Pound publia à cette époque plusieurs articles. Il comparait *La Danseuse en pierre rouge* (ill.43.) de Gaudier-Brzeska et les *Femmes* en flénite d'Epstein parce qu'elles avaient la même force magique que les fétiches africains : "Nous autres artistes, nous revenons aux puissances des airs, aux djiins, aux esprits des ancêtres" (47). Sur sa recommandation Gaudier-Brzeska publia à son tour une *"Lettre Ouverte"* incendiaire le 16 mars 1914. Sous le prétexte d'une réponse à un article faisant l'apologie de la sculpture grecque, Gaudier présentait ses propres conceptions : "Le sculpteur moderne est inspiré par l'instinct. Son oeuvre est émotionnelle. Il n'a que faire de la beauté d'une jambe ou de la courbe gracieuse d'un sourcil. Pour lui, la recherche esthétique est insipide. Il ressent les choses avec une telle intensité que son oeuvre est l'abstraction de ses sensations profondes. Cette sculpture n'a aucun rapport avec celle de la Grèce classique, c'est un prolongement des traditions des peuples barbares avec lesquels je me sens en accord. J'espère que cela est clair." (48)

Texte étonnant de la part d'un jeune homme de vingt-deux ans et demi d'autant qu'il appliquait effectivement ses théories : les pièces de cette époque sont marquées par une recherche de simplification géométrique et par l'influence de l'art primitif: *Canard et chien, Lutin et Homme portant* fig.5.p 35.
une jatte. La plus remarquable est le buste ill.33.,39.
monumental d'Ezra Pound. Les études préliminaires datent probablement de janvier ou février 1914. Gaudier exécuta une série de dessins à l'encre de chine ill.135.
brossés à grands traits rapides que le poète utilisa ensuite comme en-tête de lettre. Pound avait acheté la pierre car il ne voulait pas de plâtre. Jamais Gaudier n'avait travaillé une pièce aussi importante, le bloc mesurait un mètre vingt de haut et pesait une demi-tonne. Il s'est inspiré d'*Hoa-Haka-Nana-La*, une sculpture géante en provenance d'Océanie qui se trouvait au British Museum, mais il avait ajouté une connotation sexuelle forte, l'ensemble de la sculpture évoquant un pénis circoncis.

Ce "phallus de marbre", comme l'appela Wyndham Lewis (49), fut la vedette de l'importante exposition consacrée à l'Art du 20e Siècle, qui se tint à la Whitechapel Art Gallery du 8 mai au 20 juin 1914. Il trônait au milieu de la galerie et dominait toutes les autres pièces. C'était la marque d'une adhésion définitive de Gaudier-Brzeska aux thèses de Pound et de Lewis : il était devenu un "rebelle".

Une guerre impitoyable se déclara alors quand Marinetti et ses supporters publièrent un manifeste futuriste anglais qui donnait comme adresse celle du Rebel Art Centre (50). Cette tentative de récupération fut immédiatement déjouée par Lewis, Pound, Gaudier-Brzeska et les autres qui ripostèrent par une protestation collective parue le 13 juin dans le *Spectator*. Les signataires se déclaraient libres de toute influence continentale et annonçaient la parution imminente d'un manifeste qui sera l'acte de naissance du Vorticisme. Lewis, principal acteur de ce contre-putsch futuriste raconte qu' il a rassemblé une bande résolue à semer le désordre dans une conférence de Marinetti : "Après un repas arrosé, nous sommes allés jusqu'à la Galerie Doré. Marinetti, du haut de son estrade,

45. Journal de Sophie, Colchester, Bibliothèque de l'Université d'Essex.

46. Conférence publiée dans Spéculations, "Essai sur l'humanisme et la philosophie de l'art", Londres 1924, Herbert Read.

47. "L'artiste sérieux", The New Free Woman, Londres, 15 octobre 1913 et "La nouvelle sculpture" The Egoist, Londres, 16 février 1914.

48. "Lettre ouverte", The Egoist, Londres, 16 mars 1914.

49. ELIOT, "Lewis, early London environment",, A Symposium, Londres, Richard March et Tambimuttu, 1948.

50. "The vital English Art Futurist Manifesto", The Observer, Londres, juin 1914

51. LEWIS, Blasting and Bombardiering, Londres, 1937. Traduction française de Gérard-Georges Lemaire, Mémoires de feu et de cendre, Paris, Christian Bourgois, 1992, p. 172

52. Le numéro est daté du 20 juin mais n'a pas pu sortir que le 2 juillet.

53. CORK, Introduction et notes pour le catalogue de l'exposition Vorticism and its Allies, Londres 1974 et Blast n°1 pp. 30-32

54. Gaudier-Brzeska et Ezra Pound, Paris, Tristram, 1992, p. 172

55. Gaudier-Brzeska et Ezra Pound, Tristram, pp. 137 et 146

56. BRODZKY, "The Lewis-Brzeska-Pound Troupe", The Egoïst, Londres, 15 juillet 1914.

57. Gaudier-Brzeska, " The Allied Artists' Association, Holland Park Hall", The Egoïst, Londres, 15 juin 1914. Reproduit dans Gaudier-Brzeska et Ezra Pound, Tristram, pp. 42-48

58. EDE, A life of Gaudier-Brzeska, Londres, 1930, pp. 203-206

fig 3
Horace Brodsky,
The Lewis-Brzeska - Pound Troupe,
1914,
paru dans l'Egoist du 15 Juillet 1914

nous apostropha en français pour nous barrer la route. Gaudier entra en action. Il le canardait sans répit, debout sur une chaise au milieu de l'auditoire. Le reste de notre groupe entretenait un tapage confus. L'intrus italien fut vaincu"(51). Cette turbulence était le fait de très jeunes artistes qui avaient entre dix-huit et vingt trois ans si l'on excepte Pound et Lewis qui en avaient vingt-huit.

La sortie de *Blast n°1* se fit le 2 juillet 1914 dans une atmosphère d'euphorie et d'excitation (52). Le titre explosif, barrant en diagonale la couverture rose, annonçait un contenu de bataille. La typographie était tapageuse avec un excès de lettres capitales. C'étaient des manifestes, des poèmes, des récits, des déclarations qui attaquaient l'Angleterre et le conformisme bourgeois dans un mélange d'humour et de sérieux. Les vorticistes se présentaient eux-mêmes comme "les mercenaires primitifs dans le monde moderne"(53). On célébra l'événement au cours d'une fête mémorable qui eut lieu au restaurant Dieudonné le 15 juillet 1914. Gaudier qui n'avait pas d'argent paya sa part avec une sculpture qu'il posa dans l'assiette de Pound. Il passa une partie du repas à faire des caricatures et à dessiner une de ses voisines qu'il imaginait toute nue.

Sa contribution à *Blast* est un très original poème lyrique intitulé *Vortex* qui retrace l'histoire de la sculpture depuis les débuts de l'humanité. Pound le reproduit intégralement dans son *Memoir* et raconte qu'il a lu le texte deux ou trois fois en éprouvant d'abord une immense joie qui provenait de la force des mots. Ce n'est qu'ensuite qu'il se trouva en accord total avec leur sens (54).

De même qu'Apollinaire soutenait les Cubistes avec ses poèmes et ses articles, Pound était devenu l'avocat passionné des Vorticistes. C'est lui qui avait inventé le mot : "Je définissais le Vortex comme un point d'énergie maximale et disais que le vorticisme tient au pigment de base... C'est un art de l'intensité (55)". Mais le chef de file incontesté était Wyndham Lewis qui exerçait sur le mouvement une autorité dictatoriale.

fig. 3. Brodzky, le fidèle ami, n'approuvait pas l'engagement d'Henri dans cette effervescence intellectuelle. Il publia un dessin satirique intitulé *"La bande Lewis-Brzeska-Pound"* qui les montrait tous les trois soufflant dans leur trompette pour faire s'écrouler les murailles de l'ère victorienne représentée par un lecteur du Times (56).

A cette époque, la pauvre Sophie était très négligée. Henri réussit à la convaincre de retourner se reposer à Littlehampton. Mais elle revint très vite : il n'écrivait que pour lui réclamer de l'argent et ne lui consacrait plus de temps. Il était si absorbé par ses multiples occupations qu'il dormait de plus en plus souvent à l'atelier, sous l'arche du métro. Sophie était amère et pensait à la séparation, à un retour en France ou en Pologne.

L'exposition annuelle des AAA devait se tenir en juin et juillet. Il en avait été élu président de l'année ce qui prouve l'intérêt qu'on lui portait déjà, malgré sa jeunesse et ses excentricités. Cette exposition fut l'occasion de montrer *L'Oiseau avalant un poisson*. Cette étrange sculpture dans laquelle des sujets vivants sont métamorphosés en image rigide, agressive et presque abstraite est une illustration parfaite de ce que le Vorticisme pouvait souhaiter. En tant que président, il rédigea un compte rendu sous la forme d'un article critique publié par *The Egoist* le 15 juin 1914. Sa position était délicate, il avait de nombreux amis parmi les exposants : Lewis, Nina Hamnett, Brodzky, Wolmark et il exposait lui-même. Il parvint à éviter la complaisance en s'intéressant surtout à trois sculpteurs qu'il admirait : Brancusi, Epstein et Zadkine (57). **ill.35.**

Cependant, le 26 juin 1914, le Duc Ferdinand d'Autriche est assassiné à Sarajevo, de graves inquiétudes pèsent sur l'Europe. Le 9 juillet, Henri Gaudier-Brzeska établit de façon prémonitoire la liste des oeuvres qu'il a réalisées : noms, dimensions, matériaux, acheteurs. Ce manuscrit, conservé à Kettle's Yard, Cambridge, constitue un document exceptionnel. Ainsi sont cités les nombreux objets en métal ciselé réalisés en 1914 et que Gaudier donnait à ses amis comme des jouets, c'était encore une nouvelle technique qui l'avait tenté . On trouve aussi *La Femme assise*, marbre d'une exceptionnelle sérénité. Mais la liste n'est pas complète et Ede apportera un supplément en 1930 (58). **ill.46.**

Le 3 août, l'Allemagne déclare la guerre à la France et le 4 août, c'est l'Angleterre qui entre en guerre contre l'Allemagne. Gaudier ne travaille plus, très perturbé par les événements. Oubliant ses rébellions anar-

59.Lettre à Ezra Pound, en français, lundi 28 septembre 1914 in POUND, 1916, op. cit., pp. 59-60

60. Gaudier-Brzeska, "Second Vortex", Blast n°2, Londres, juillet 1915.

chistes, refusant d'écouter Sophie qui le retient, il veut s'enrôler et il part pour la France, accompagné par tous ses amis jusqu'à la gare de Charing Cross.

Mais il n'avait pas pris suffisamment de précautions auprès de l'ambassade de France ce qui lui vaut une aventure rocambolesque. Arrivé à Boulogne, il est immédiatement arrêté comme insoumis et enfermé dans une chambre mal gardée. Au cours de la nuit, il parvient à s'échapper, trompe la sentinelle d'un bateau en partance et débarque à Douvres au matin. Le bonheur de Sophie ne dure que trois semaines pendant lesquelles Gaudier-Brzeska termine vraisemblablement *Les Oiseaux dressés*, la plus abstraite de ses sculptures. Le bombardement de la cathédrale de Reims le met en fureur et les supplications de Sophie n'y font rien : il repart le 3 septembre, cette fois définitivement, après avoir préparé son incorporation plus sérieusement.

Le silence (septembre 1914- juin 1915)

Après 15 jours d'exercice au Havre, il est enrôlé au 129e Régiment d'Infanterie et part aussitôt pour la Champagne puis pour la Picardie. En uniforme bleu et rouge, il fait le baptême du feu. C'est un soldat exemplaire, sans aucun rapport avec le libertaire parisien de 1910 ou l'artiste vorticiste turbulent. Caporal le 1er janvier 1915, sergent le 25 mars, il espère devenir sous-lieutenant. Son capitaine ne tarit pas d'éloges, il est brave, sérieux et patriote.

Grâce à une correspondance importante de plus de quatre-vingts lettres, nous connaissons bien la vie d'Henri Gaudier dans les tranchées. Il renoue avec sa famille et ses amitiés anciennes comme Kitty Smith ou le Docteur Uhlemayer. Il reste en étroit contact avec ses relations londoniennes : Pound et son épouse Dorothy Shakespear, Brodzky, Wadsworth à qui il envoie deux dessins de guerre... Les lettres à Sophie sont rares, il nous reste peu de témoignages de ces échanges qui ont peut-être été détruits ou perdus par Sophie elle-même.

Gaudier parle des conditions terribles de vie, sans insister pourtant, presque avec légèreté : "Je reviens d'un enfer d'où peu échappent. Avant-hier, dans la nuit, ma compagnie a opéré une attaque contre la route où des Prussiens étaient installés, nous y sommes allés à la baïonnette puis nous nous sommes fusillés, d'abord à 50 mètres, ensuite du bord du talus de la route à l'autre où les alboches se tenaient, j'en ai vu deux montrer leur tête et je les ai envoyés au paradis."(59)

En décembre 1914, Gaudier-Brzeska écrit pour *Blast n°2* un nouveau *Vortex*. Très différent du premier, c'est plutôt une lettre qu'un manifeste. Il réaffirme ses vues sur la sculpture qui n'ont pas changé, parle toujours de l'importance des masses et des plans. Dans les situations les plus dangereuses, son regard d'artiste ne le quitte pas comme en témoigne cette très belle phrase: " Obus qui éclatent, mitrailles, barbelés, projecteurs, engins, le chaos de la bataille ne modifie en rien le profil de la colline que nous assiégeons. Une compagnie de perdrix détale juste devant notre tranchée (60)."

Le 5 juin à 15h 30, Henri Gaudier est tué d'une balle en plein front au cours de la bataille d'Artois, à l'attaque de Neuville Saint-Vaast, il avait vingt-trois ans et demi.

61.POUND
Gaudier-Brzeska, a memoir, Londres et New York, John Lane, The Bodley Head, 1916. Couverture toilée verte avec l'empreinte en relief de l'Amulette.

Au même moment se tenait à Londres, aux Galeries Doré, la première exposition vorticiste avec huit sculptures de Gaudier-Brzeska. Sa mort fut annoncée dans *Blast n°2, war number*, qui publiait aussi son second *Vortex.*

Ezra Pound, bouleversé, rédige en urgence un *Memoir* qui est à la fois un hommage à son ami et un essai sur le Vorticisme (61). Infatigable, il travaille à la défense du mouvement et réussit à convaincre un riche collectionneur américain, John Quinn, d'acheter les oeuvres des Rebelles. Une exposition est organisée à New-York en janvier 1917. Mais la critique est morose, les préoccupations sont ailleurs.
Ce fut la dernière manifestation du Vorticisme, tué en pleine jeunesse par la guerre comme Gaudier-Brzeska. Ni l'un ni l'autre n'eurent le temps de confirmer leurs extraordinaires potentialités.Eza Pound organise néanmoins une très importante exposition commémorative de l'oeuvre de Gaudier-Brzeska en mai-juin 1918, et restera toujours fidèle à son ami. fig.4.

fig 4
Photographie anonyme d'Ezra Pound à Rappallo entouré de *Chat*, *Les amants*, *Le porteur d'eau* d'Henri.Gaudier.Brzeska et *Red Duet* de Wyndham Lewis .

Sophie fut désespérée. Elle se crut responsable de cette mort et s'enfonça peu à peu dans une dépression profonde. Elle était devenue la gardienne de l'oeuvre, du moins de ce qui n'avait pas été vendu ou donné. L'exposition de 1918 lui donna l'occasion de renouer avec la mémoire d'Henri, mais ce ne fut qu'une trêve : elle sombra peu aprés dans le désespoir puis dans la folie violente. Internée en 1922 à l'asile duGloucestershire, elle mourut le 17 mars 1925 en laissant un journal extravagant et quelques oeuvres d'Henri Gaudier-Brzeska.

Benington, Photographie de Gaudier sculptant la tête hiératique d'Ezra Pound, vers 1914

"...Un sculpteur "

Mady Menier

" Gaudier, Hulme, partis pendant l'autre"
Ezra Pound (1)

" Et comme j'ai souvent eu l'occasion de le dire, je ne suis pas un peintre mais un sculpteur" (2). Cet homme à la vocation si arrêtée et qui est manifestement un peu las d'avoir à se répéter.... a dix-neuf ans. C'est Gaudier écrivant à un des rares intellectuels qu'il connaisse - à cette date depuis moins d'un an - un Allemand, le Dr.Uhlmayr beaucoup plus âgé que lui, bienveillant, cultivé, qui est devenu son interlocuteur privilégié (3). Tout Gaudier est là, jeune homme aux semelles de vent, cosmopolite bouillonnant d'idées, de décisions, semblant savoir qu'il n'a pas de temps à perdre. Ainsi vient-il de rencontrer celle qui sera vraiment la femme de sa vie (une vie qui ne durera pas tout à fait cinq ans encore) Sophie Brzeska dont il accolera le nom au sien, de vingt ans son aînée, personnalité troublée, qui n'en finit pas de devenir romancière mais qui lui est un incomparable stimulant intellectuel (4). Il serait bien de Gaudier d'informer son ami d'une décision aussi définitive (et qu'il ne tiendra pas tout à fait) que récente. Combien de dessins a t-il derrière lui ? Dominique Forest nous apporte ici beaucoup mieux que des éléments de réponse. Mais désormais, il se sait sculpteur, peut-être depuis qu'il connaît Sophie : une quinzaine de jours.

Un peu moins d'un an plus tard, alors qu'il a commencé son oeuvre sculptée depuis quelques mois, il fait un tri sévère parmi ses tout nouveaux confrères : "Je hais...tous les sculpteurs à l'exception de Dalou, Carpeaux, Rodin, Bourdelle et quelques autres " (5), soit énumérés sans aucun souci de la chronologie, deux sculpteurs d'une génération ses aînés (Dalou, Bourdelle), ou de plusieurs (Rodin, qui a plus de soixante-dix ans, et Carpeaux mort bien avant sa naissance en 1875). Qui sont les "quelques autres " ? Il ne le saura lui même qu'un peu plus tard et nous le fera savoir au fur et à mesure de ses prises de positions :Brancusi, Zadkine, Modigliani...

Il n'en est pas encore aux modernes dans la première oeuvre conservée *Portrait de mon père* (6), exécuté à l'extrême fin de l'année 1910. Ce n'est pourtant nullement un buste académique. On pense à Rodin, son admiration majeure, et lui même parlant de ses premiers portraits, dont tous ne nous sont pas parvenus, les dira " plus ou moins " inspirés de Rodin. On pense aussi à Dalou. On pense même au *Dalou* de Rodin, avec toute la différence qu'il y a entre le bon et honnête visage d'un artisan campagnard et le buste à l'antique du sculpteur quasi-officiel de la République des Jules. Pourtant le Rodin que Gaudier regardera le mieux n'est pas celui qui a fait une trentaine d'années auparavant, ce beau portrait sage et flatteur d'un ami mais, bientôt, le vieillard son contemporain, celui de la série des bustes de *Clémenceau* portraituré sans complaisance, dont le très jeune sculpteur n'ose pas alors le modelé diffracté, cahoteux. ill.2.

Deux ans plus tard dans l'autoportrait qu'est probablement la *Tête d'idiot* (7), il se souvient du grand Rodin, celui des *Bourgeois de Calais* qu'il connaît si exactement que, de face, le pathos tragique en moins, le masque rappelle très précisément celui de *Pierre de Wissant*. Mais, c'est, se ressentant plus encore sur le profil, que le modelé qui fait fi de tout psychologisme, établi à grands coups d'un pouce déjà fig.1.

1. Brouillon non publié du Canto 84, traduction J.P. Auxéméry in Je rassemble les membres d'Osiris, ed. Tristram, 1989, p. 302.

2. Lettre au Dr Uhlmayr, Paris, 24 mai 1910. Citée par H. Ede, A life of Gaudier-Brzeska, 1930, p. 28.

3. En 1907, Gaudier a bénéficié d'une bourse pour mener des études commerciales au Merchant Venturer's College à Bristol logeant chez un de ses professeurs, George Smith. Il ne les poursuit guère, occupe, pour gagner son pain, de mornes emplois commerciaux tout en déployant une intense activité de dessinateur. Il saisit l'occasion d'une autre bourse pour passer six mois en Allemagne

où George Smith l'adresse à un de ses amis, le Dr. Uhlmayr. Sans que l'on puisse retracer complètement son itinéraire en Allemagne, on sait que Gaudier séjourne à Nuremberg et surtout à Munich. C'est assez pour nouer cette amitié profonde,apprendre l'allemand,gagner un temps sa vie en travaillant de ses mains, exécuter bien sûr d'innombrables dessins et voir tout ce qu'il y a à voir dont sans aucun doute ce qui se passe de décisif à Munich en 1909 où Jawlensky et Kandinsky fondent la N.M.K.V. Son art portera,ponctuellement mais clairement, trace de sa connaissance, qu'il accroîtra par la suite, de la peinture et de la gravure allemande, plus que de la sculpture.

4. La correspondance de Gaudier à Sophie (ses réponses sont perdues) est importante en nombre car ils ont été souvent séparés. Ils n'ont vécu ensemble qu'à partir de 1911, en Angleterre et là, la nécessité obligera plusieurs fois Sophie à accepter divers emplois qui les éloignent l'un de l'autre. Ces lettres sont surtout d'une importance capitale pour connaître la pensée de Gaudier, à l'esprit sans cesse en mouvement. A cette femme intelligente et cultivée, il parle de ses lectures de ses très nom- breux sujets d'intérêt, de ses idées sur l'art dont il lui écrit (dans une lettrenon datée, probablement de fin novembre 1913) qu'"elles changent continuellement" et qu'il est "content qu'il en soit ainsi". Cette correspondance commencée dès leur rencontre en 1910 durera jusqu'à ce que Gaudier soit tué en 1915.

5. Note datée du 20 avril 1911, dans un carnet commencé le 5 du même mois cité par Ezra Pound, Gaudier-Brzeska, a memoir, Londres 1916. Traduction française in Gaudier-Brzeska par Ezra Pound, ed. Tristram, Auch, 1992, p. 56

Fig 1
Tête d'idiot, plâtre, 1912, Tate Gallery, Londres

Fig 2
Buste du Major Smythies, bronze, 1912, Tate Gallery, Londres

infaillible, extrêmement hardi et puissant, fait écho à Rodin, au tout-dernier Rodin, dont les prodigieux *Nijinsky* provoquent l'émoi horrifié du critique du *Figaro*. Et qui dans la jeune avant-garde parisienne tout occupée à répudier dédaigneusement le rodinisme songe encore à voir ce que fait alors Rodin ?

Il faut peut-être pour cela avoir quitté Paris comme l'a fait Gaudier. Et peut-être le climat londonien où l'on ne songe encore qu'à admirer Rodin contribue-t-il à ce qu'il continue à voir en lui, comme il l'écrit "notre Michel-Ange". La fidélité qu'il lui garde peut se suivre aisément jusqu'en 1914 (8) - la dernière année qu'il ait vécue entièrement - alors même qu'il puise à de bien d'autres sources. On sait que Gaudier
ill.24. lisait aussi Rodin. *La Danseuse* (9) de 1913 applique avec exactitude le principe rodinien que celui-ci admirait déjà dans le *Ney* de Rude, de la représentation d'un mouvement par la fusion dans l'oeuvre de plusieurs de ses phases. En 1914 alors, ce que Jacques Dubanton analyse ici qu' il trouve directement inspiration dans ce que Pound appelait "l'archaïsme" et Gaudier "l'art des jaunes, des rouges et des noirs" (si visible-
ill.33. ment ces derniers dans les *Porteurs de jatte* ou l'esquisse qu'il laisse inachevée de
ill.31,27. *l'Ornement de jardin*). La *Sirène* (10) reprend de la façon la plus claire *L' Ange déchu* de Rodin, en lui mettant une tête "nègre" que l'on retrouve plusieurs fois, ici juste assez peu caractérisée pour qu'elle ne crée pas de hiatus.

En revanche sont, comme il l'écrit, les évoquant de mémoire, "plus ou moins" rodiniens, les premiers bustes que lui procure, au début de 1912, la protection du critique de *The English Review*, Haldane Macfall, comme celui du *Major Smythies*(11). **fig.2.**
Son modelé net, ses plans amples, franchement arrêtés, incitent à prendre très au sérieux la courte liste des sculpteurs que Gaudier consent à admirer et à se souvenir qu'il y fait figurer Bourdelle. Plus que de Rodin, on a ici un écho de l'ambition si souvent proclamée par celui-ci à la fois de synthèse plastique et de grands sentiments. Quoique se gardant de l'emphase bourdellienne, le buste du *Major Smythies* n'en reflète pas moins dans un métier énergique, les sobres et viriles convictions existentielles d'un officier de Sa Majesté, fut-il ami des arts.

Le buste, genre si rebattu qu'il est bien difficile, même pour faire neuf, de ne pas s'appuyer sur quelque précédent, peut servir à essayer de discerner qui inspire Gaudier et montrer qu'aucun des noms de sculpteurs énumérés par lui ne l'a été au hasard. Ainsi ne faut-il pas penser à Carpeaux (qu'il ne "hait" pas) devant le
Portrait d'Alfred Wolmark (12). Ce peintre **ill.18.**
ne voulait certainement pas être portraituré comme un militaire au garde-à-vous (encore que Pound ait montré peu de considération pour lui) (13). Wolmark détourne son visage, non sans quelque ostentation pensif et douloureux, en faisant pivoter complètement sur l'épaule gauche, une tête très grande par rapport au tronc. Ce parti assez fréquent en peinture, est en revanche rare en sculpture mais on le trouve souvent, fut-ce dans un tout autre registre, dans maints bustes de Carpeaux. Il lui sert à exprimer des sentiments voisins de fierté, de souffrance, de révolte dans une oeuvre que Gaudier a pu (et même a dû) connaître, la figure en buste de l'*Afrique* (14). De même

6. Terre crue, H. 27 L. 21 P. 23, Musée des Beaux-Arts, Orléans. Gaudier avant de partir se fixer en Angleterre en janvier 1911 vient se reposer quelquestemps et revoir ses parents à Saint-Jean-de-Braye à la fin de 1910.

7. Plâtre, H.18 L.14 P.16,5, 1912, Tate Gallery, Londres.

8. La sévérité des jugements postérieurs de Pound sur Rodin soit lui est personnelle soit plus vraisemblablement, tant est grande aux yeux de Pound l'autorité de Gaudier en matière de sculpture, fait écho à un changement perceptible d'attitude de celui-ci à la fin de sa vie où il se montre quelque peu restrictif, par exemple en commentant Celle qui fut la belle heaulmière.

9. Marbre de Seravezza, H. 11 L. 28 P. 19, 1913, coll. Kettle's Yard, Cambridge. Tirage en bronze au Musée National d'Art Moderne, Paris.

10. Plâtre, H. 19 L. 18 P. 18, donné par Sophie Brzeska en 1918 au Victoria and Albert Museum, aujourd'hui à la Tate Gallery. Un bronze, ayant appartenu à Sir Edouard Berrington-Behrens, fondu du vivant de Gaudier, l'aurait été par lui-même. Il a assuré la fonte de plusieurs de ses oeuvres.

11. "Grandeur nature" note Gaudier. "Vendu au prix du coulage en bronze, le plâtre chez moi" (aujourd'hui à la Tate Gallery). H. 44,5 L.23 P. 23,5. La fonte a été faite par Gaudier.

12. Plâtre patiné, H. 67,3, daté 1913 et monogrammé, Walker Art Center, Liverpool. Six tirages en bronze post mortem dont un au Musée National d'Art Moderne de Paris, acquis par l'Etat avant le don Ede d'un ensemble d'oeuvres de Gaudier-Brzeska en 1965.

Fig 3
Statuette funéraire (Sepulchral Figure), pierre de Bath, 1913, Tate Gallery, Londres

bien des artistes, que Carpeaux a portraiturés si nombreux, ont aimé qu'il leur donne l'air frémissant qu'a ici Wolmark.Mais outre que Gaudier ne cite jamais *texto* ses sources, il y en a ici plusieurs dont une expressement indiquée par lui qui, dans le répertoire qu'il a dressé rapidement de ses oeuvres en juillet 1914, mentionne qu'il a donné son buste à Wolmark et y ajoute ce petit-aide mémoire personnel "1 1/2 fois nature, cubique". Ce qu'a d'anguleux ce visage fait donc référence, fut-ce de façon distanciée - ce qu' indique la formulation - au cubisme, comme

ill.19. le fait plus nettement le *Portrait de Horace Brodzky* (15) pour lequel il porte les mêmes mentions (16). Il est bien probable que Gaudier, qui avait de prodigieuses facultés d'assimilation, n'ignorait pas, peut-être même dès avant son départ de France fin 1910 le cubisme. Le traitement du buste de Brodzky, aux traits marqués, par masses franches et assez fragmentées, coupées par des arêtes vives, les méplats creusés, viennent sans doute pour partie des "quelques autres" non cités précédemment. On pense au Picasso de la *Tête* de 1909 , au Boccioni le plus contemporain, à Zadkine dont Gaudier connaissait et admirait le travail. Car "Gaudier connaissait tout" disait, en 1965, Ossip Zadkine à la signataire de ces lignes, pour qui il avait bien voulu évoquer sa stupeur en recevant en 1913, une aimable lettre de Gaudier dont il ignorait jusqu'à l'existence et qui semblait tout savoir de lui (17).Gaudier était certainement loin d'ignorer le cubisme mais sans aucunement y adhérer, aussi ne parle-t-il que d'oeuvres "cubiques" pour ces deux bustes. La presse ne se perdit pas dans ces subtilités sémantiques et stigmatisa les oeuvres comme "outrageusement cubistes" sans s'arrêter au fait qu'il n'y a guère alors de têtes cubistes (18).

Y'aurait-il une direction univoque qui aurait mené Gaudier de la modernité telle qu'incarnée par Carpeaux à celle qu'incarne en 1912 le cubisme ? Evidemment non et la série des bustes pour éclairante qu'elle soit ne permet pas de suivre tous les maillons de la chaîne. La dédaigneuse mention, pour s'en bien démarquer, de "la mixture Rodin-Maillol" est une des indications, de ce que dans l'extrême brièveté de sa vie, Gaudier a vu et assimilé des formes d'art diverses et même divergentes, de façon synchrone. 1912 apparaît comme l'année charnière où il expérimente tout avant qu'il n'y ait plus peut-être, comme le pense Pound, que "l'archaïsme" qui l'inspire, et lui même.

Auparavant, qui se mesurait à Rodin, s'il ne voulait pas être écrasé inévitablement allait voir un jour ou l'autre du côté de Maillol. Mais dans la mesure où Gaudier a été si réceptif au tumultueux tout dernier Rodin, il lui a fallu une rare perspicacité pour être capable de voir aussi Maillol. Malgré la hauteur avec laquelle il en parle (le mentionne...) il semble bien qu'il en ait reçu une leçon de simplification des masses, très nette dans sa *Maternité*, répudiée ensuite **fig.7.**
au profit d'un jeu complexe, reprise dans certaines de ses toutes dernières oeuvres (19), et une autre leçon appliquée plus constamment, de raréfaction des profils. L'idée qu'il fera sienne et qui le guidera dans des réalisations sans équivalent chez quiconque, que la sculpture est affaire "d'appréciation de masses en relation", idée dont Pound a souligné à plusieurs reprises l'importance primordiale dans son esthétique, doit sans doute quelque chose à la connaissance de Maillol.

13. Pound lui reproche, à juste titre, de ne pas avoir, même après la mort de celui-ci, pris la mesure du génie de Gaudier (op. cit., 1992, p. 117). Celui-ci semblait en revanche avoir de la considération pour le peintre dont il commente élogieusement dans The Egoist du 26 mars 1914, l'envoi à l'exposition des A.A.A. (Allied Artists' Association) au Holland Park Hall, Ibid. pp. 44-45.

14. Plâtre patiné, 1868, inscription sur le socle en capitales : "POURQUOI NAITRE ESCLAVE", Paris, Petit Palais. Oeuvre en relation avec la figuration de l'Afrique dans les quatre parties du monde de la Fontaine de l'Observatoire.

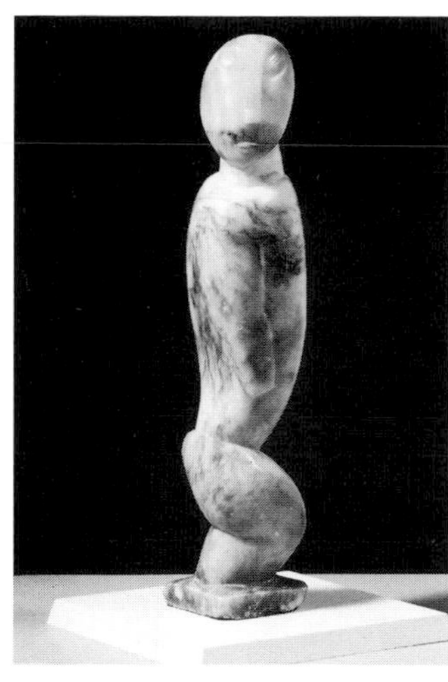

Fig 4
Chanteuse, pierre de Derby, 1913, Tate Gallery, Londres

Fig 5
Lutin, albâtre veiné, 1914, Tate Gallery, Londres

Sans doute et plus encore doit-elle à Brancusi. Si Gaudier mentionne du bout de la plume Maillol il se range plusieurs fois avec fierté dans une toute petite phalange de sculpteurs où il se fait voisiner avec Brancusi qu'il semble avoir quelque peu connu (20).Il y a une parenté entre la *Prière*
fig.3. de 1907 (21) de Brancusi et la *Statuette funéraire* (22) de Gaudier. Des deux on pourrait dire ce que Sidney Geist dans son beau livre sur Brancusi (New-York 1968) dit de la *Prière* qu' elle parle de *"the calm quiet language of forms"* avec chez Gaudier une certaine complexité d'attitude gouvernant tout un jeu de réponses plastiques qui la différencie de l'oeuvre de Brancusi et place sa statuette non loin chronologique-
fig.7. ment et esthétiquement de sa *Maternité.*

Tout n'est pas dit pour autant, fort loin de là, de ce que Gaudier a certainement su voir et percevoir. Rien ne s'oppose à ce qu'on lui attribue (et sinon à qui d'autre ?) la *Figure* (23) de 1913 qu'il faut rapprocher de tout ce qu'il a pu connaître de l'ambiance parisienne de sa première jeunesse, Medardo Rosso, les oeuvres que Bourdelle montrait encore de son époque symboliste, cependant que le blocage des formes n'est pas très éloigné de celui qu' aime Zadkine pour qui on a vu la considération de Gaudier.

Faut-il ensuite, à une date qui serait à situer en 1913, vers la fin de l'année, ne plus voir Gaudier tributaire que de lui-même et pour la sculpture animalière de "l'archaïsme" comme le fait Pound ? Peut-être mais celui-ci peut bien avoir été vu aussi au travers de Gauguin, les grès, les bois. Comment ne pas
ill. 38. penser à lui devant *Les Lutteurs* (24) où,dans le relief où il s'interdit presque tout modelé à l'intérieur des plans, Gaudier triomphe du même motif, poursuivi dans le dessin, obéré par Rodin dans la ronde-bosse qu'il a tentée (25). Ne faut-il pas penser aussi à Gauguin devant l'oeuvre à qui (il est vrai qu'elle lui appartenait) Pound réserve l'honneur d'ouvrir son "catalogue partiel" de l'oeuvre
de Gaudier en ces termes *"Samson et Dalila,* ill.28.
homme et femme, Tahitiens (?)" y voyant "une des expressions les plus personnelles de Gaudier"(26).

Et quand on le croit parti vers les Tropiques et la nuit des temps, Gaudier donne trois bustes de son amie Nina Hamnet, beaux comme des antiques que Pound évoquera dans un des ultimes cantos, le *Canto CVII :* " Gaudier nous a laissé trois Ninas (...) / Trois Ninas de Gaudier./ C'est le lointain qui les enfièvre...". Car, l'amitié avec Nina Hamnet en est une des preuves, Gaudier depuis la fin de 1912 est complètement sorti de l'isolement où il avait vécu un an et demi environ à Londres. Il en connaît maintenant les sculpteurs.On ne voit guère ce qui peut le rapprocher du pieux et natio-naliste Eric Gill sinon le goût qui restera si répandu en Angleterre, et dont Gill s'est fait le thuriféraire, de la taille directe. Mais de
Gaudier la *Chanteuse* (27), que Pound titrera fig.4.
Chanteuse triste, ne détonne pas près de Gill - qu'elle annonce plutôt.... Et chez Gaudier, qui songe à devenir anglais, fleurissent des petits *"non- senses"* sculptés comme le
Garçon (28) de 1913 dont la virilité exhibée ill.17.
doit peut-être quelque chose aux instincts lubriques d'un certain Kinnear. L'étrange *Aiguière* (29) semi-anthropomorphe de 1913-1914, portant sur son "corps" de marbre un
vase qui est un réemploi, le *Lutin* (30), peut- fig.5.
être une des dernières oeuvres exécutées par Gaudier avant qu'il ne quitte Londres et une des plus énigmatiques.

15. Plâtre patiné en vert, H. 68 L. 53 P. 37, Signé et daté 1913, Harvard University Fogg Museum, Cambridge, Massachussets, USA. Sur la poitrine, dessinés à la pointe par Gaudier, un nu masculin et une tête de jeune homme. Dans le compte-rendu cité supra de l'exposition de l'A.A.A., Gaudier ne qualifie l'envoi de Brodzky que d'"honnête" et il ne lui inspire que trois lignes.

16. "1 fois 1/2 nature, cubique, donné à Brodzky".

17. L' explication (outre le génie de Gaudier...) tient en grande partie à son habitude connue de fréquenter assidûment la librairie ouverte assez tard le soir du British Museum où étaient librement en lecture pratiquement toutes les revues d'art existantes. Gaudier non seulement voyait les reproductions mais, polyglotte et doté d'un prodigieux don des langues, lisait ou du moins comprenait le sens général des articles. Ainsi en effet pouvait-il "tout connaître". Pound ne raconte-t-il pas combien Gaudier s'irritait de ce que les autres ne soient pas capables comme lui de deviner les idéogrammes archaïques.

18. Outre Picasso et Zadkine déjà évoqués, on ne voit guère à cette date que le Buste cubiste de Gutfreund (1912-1913) et la Tête par plans de 1913 d'Archipenko. Ni le Baudelaire, ni la Maggy de Duchamp-Villon ne sont cubistes et moins encore l'est a fortiori Boccioni. Le genre ne sera vraiment florissant qu'au moment de la mort de Gaudier avec la série des têtes d'Henri Laurens qu'il n'a pas pu connaître.

19. Ainsi dans la Femme assise de 1914-1915.

20. L'exploitation méthodique par Eric Moinet et Dominique Forest du richissime fonds de dessins de Gaudier a ramené l'attention sur un portrait de Brancusi de la fondation Kettle's Yard de l'Université de Cambridge.

ill.35.

21. Brancusi en montre le plâtre aux Indépendants en mars 1910. Il est impensable que Gaudier, en cette dernière année de son séjour parisien, n'aille pas voir la sculpture dans les Salons.

22. Appelée par Gaudier Sepulchral Figure ou Sepulchral Monument, par Pound Femme assise. Il s'agit bien de la même oeuvre reproduite dans The Egoist, numéro du 16 février 1914, pierre de Bath, H. 40,5 L. 37 P. 20, aujourd'hui à la Tate Gallery. Recensée par Gaudier dans sa liste avec la mention "fini au ciseau, échangée Al. Wolmark".

Fig 6
L'enfant au lapin, albâtre veiné de rouge, 1914, collection Brunnenburg, Tirolo di Merano

C'est Epstein qui domine alors la scène artistique anglaise dont parle ici Richard Cork. Si Gaudier laisse entendre qu'il en fallait plus pour l'impressionner, il écrit pourtant en 1914 qu'il le "considère comme le maître le plus éminent d'un groupe restreint d'artistes" dans lequel il se tient implicitement. Epstein a bien plus que lui fréquenté le *nec plus ultra* de l'avant-garde parisienne et sa première exposition à Londres en 1913 fait évènement (31) Gaudier est trop intelligent pour s'essayer à faire - et au même moment- son propre *Rock-Drill,* mais ne faut-il pas voir dans l'oeuvre isolée et singulière qu'est l'*Oiseau avalant un poisson* (32) une volonté à l'instar d'Epstein, de mécaniser les formes organiques ? C'est une inspiration fréquente dans les dessins de Gaudier mais qui acquiert dans les volumes, simplifiés à l'extrême et parfaitement symétriques entre eux (jusqu'à une fugace nuance de cocasserie) une étrangeté qui certes vient de Gaudier mais peut-être ne tient pas qu'à lui.

Peut-être y a-t-il un demi-aveu dans le commentaire un peu embarrassé de Pound (33) écrivant de cette oeuvre-ci elle n'appartient que "plus ou moins..." à un petit ensemble d'oeuvres dont il vient de dire qu'"elles sont totalement de l'invention de Gaudier sans rien devoir à quelque "influence" extérieure" (34).N'est-il pas anglicisant ou anglophile le goût de Gaudier pour l'albâtre au sujet duquel Pound note combien justement :" ces pièces en albâtre veiné de brun toutes importantes" .Certes à cet homme pressé l'albâtre offre l'avantage d'être docile à l'outil, permettant un travail rapide des effets de matière tout trouvés, comme, aussi rendant aisées les formes découpées, les surplombs qu'il aimera tellement dans ses ultimes oeuvres et qui sont déjà plus que présents dans l'*Enfant au lapin* (35). Gaudier y mène un jeu subtil évitant par de forts accents (ainsi les mains en peigne fréquentes chez les Allemands mais qu'on trouve auparavant dans la sculpture de Gauguin), que le matériau ne soit trop séduisant de même que la dissonance des veinures très apparentes, zébrant même le visage, équilibre la suavité des formes, l'ensemble étant ainsi pur de toute mièvrerie. Pour achevées qu'elles soient, des pièces comme celles-ci que Pound mentionne en les regroupant, semblent bien être des étapes vers les grandes oeuvres finales. Parti déjà esquissé dans la *Maternité*, l'*Enfant au lapin* s'évase du bas à droite au haut à gauche et les formes qui fusionnaient de la mère et de l'enfant, ici sont moins charnellement unies entre l'enfant et son petit animal, avant que cet équilibre se tendant plus encore devienne beaucoup plus audacieusement le jet,le surplomb du bras de la *Femme assise.*

fig.6. fig.7,6. ill.45,46.

Il n'est nul besoin - tout au contraire - de se laisser gagner par la sentimentalité pour voir l'oeuvre de Gaudier comme une marche ininterrompue, et de plus en plus rapide, vers de toujours plus hauts sommets.Ezra Pound a longuement commenté l'entreprise que fut l'exécution de ce que lui-même a titré *Tête hiératique d'Ezra Pound* (36) omettant discrètement de dire ce que fut la joie de Gaudier de travailler le bloc de marbre pentélique qu'il lui avait fourni et qu'il n'aurait jamais pu s'offrir. Une autre joie intense pour lui fut de pouvoir enfin réaliser son rêve de toujours, de s'attaquer au grand format. En revanche Pound ne semble pas avoir exactement mesuré le tour de force qu'était d'avoir mené à bien pareille oeuvre en taille directe en deux mois "sans repère ni mise au point" a écrit Gaudier (et, de surcroît, en fabriquant lui-même ses outils sur une petite forge qu'il avait achetée à bas prix !). D'assez nombreuses photos ont été prises de Gaudier auprès du bloc juste épannelé, les plans principaux simplement marqués au crayon rouge (37). Il est difficile de concevoir qu'il y a moins de quatre années entre le buste par Gaudier de son père et cette *Tête*. Pound qui voulait

ill.39. ill. 2, 39.

être enterré sous cette statue, chez lui dans l'Idaho, a mis - et ce n'est pas illégitime - un peu et même beaucoup de lui-même dans ses commentaires et jusque dans le titre. Gaudier la voyait-il ainsi que l'aurait dit (mais non écrit) Pound comme "une colonne phallique", lui qui était certes exempt de toute pudibonderie mais qui s'emportait, en une autre occasion, contre l'emploi du terme "ichtyphallique" dont il écrivait avec rage, qu'en sus, il ne savait pas ce qu'il signifiait ? Le terme de "hiératique" n'est pas non plus de lui mais de Pound qui ne l'a d'ailleurs employé qu'à partir de 1934"(38).

D'où vient pareille sculpture ? Bien sûr, on ne peut qu'évoquer, comme on ne manque jamais de la faire les têtes monumentales de l'Ile de Pâques dont Gaudier connaissait l'exemplaire appartenant au British Museum (39) qu'il a continuellement hanté. Mais force est de constater que s'il a emprunté le principe général de la figure, il n'en a pas gardé les traits les plus frappants. La face a ici beaucoup plus de présence que les profils au contraire extrêmement peu saillants du bloc et on ne peut imaginer pierres plus dissemblables. Sans prétendre parler à la place de ceux qui ont autorité pour traiter de Gaudier et du primitivisme, peut-on simplement rappeler que lui-même nous montre la voie en se mettant "dans la tradition des peuples barbares" à qui il dit sa "sympathie et admiration" (40). Les emprunts qu'il y a à l'évidence ici sont comme toujours chez Gaudier diversifiés et totalement refondus .

Les autres têtes monumentales de l'histoire de l'art qui viennent immédiatement à l'esprit sont celles, dont nous savons par les écrits de Gaudier qu'il les admirait, des "colosses de granit" égyptiens comme celles-ci sobrement taillées, polies et si la courte barbe de Pound n'est pas très pharaonique ne semble-t-il pas porter une sorte de *kheprech*. Par ailleurs les traits de Pound s'ils ne sont pas égyptiens, ne sont pas sans référence dans l'art africain, mais là bien sûr à dimension réduite, ce qui n'en rend pas la reconnaissance immédiate. Pourtant on y trouve maintes fois outre l'extrême simplification des traits (mais avec chez Gaudier une radicale dissymétrie qui les métamorphose) des signes clairement identifiables comme la réduction de l'oeil, de la bouche à une large entaille quadrangulaire (41) et, quoique non dentée, la bouche en saillie de Pound a un aspect imposant, comme il en va si communément dans maints masques africains. On peut très certainement, dans ce qu'on n'appelait pas encore le primitivisme, trouver d'autres sources ne serait-ce qu'au fait que cette tête est un bloc avec une face avant qui est un masque.

Mais ces sources n'ont en rien contraint Gaudier et l'essentiel n'est qu'à lui. A qui aurait-il emprunté la hardiesse, à quoi on ne voit guère d'exemple, de la fondamentale dissymétrie de ce visage, pourtant si parfaitement noble "hiératique" : l'axe incliné du nez souligné par le tranchant de l'arête, les significations complètement différentes de chacun des yeux, le déport marqué vers la gauche de l'axe du visage ? Faisant écho à cette dissymétrie, et encore plus dépourvu de précédent repérable est le saisissant contraste entre le sentiment de très haut relief que donne la face et la découverte par les vues latérales que les profils n'ont au contraire qu'une très faible enlevure, qui fixe l'intérêt sur le très fort volume de la boîte crânienne (comme était celle dePound) et celui, à double ressaut qui signifie à la fois cou/cage thoracique/épaule. Le visage altier (*Altaforte*) de Pound vu de face, apparaît de profil tout juste identifiable, sorte d'idéogramme de la pensée qui s'élève, s'absente, du génie créateur et peut-être plus précisément du génie poétique dont les moyens ne sont pas matériels.

Quoique Pound prennne bien soin de dire qu'il n'est pas sûr de la chronologie de son "catalogue partiel" et que le répertoire rapidement dressé par Gaudier ne présente pas une entière certitude, sans doute faut-il mettre un peu plus tard que cette tête le triomphal trio que représentent au sein d'une production alors plus nombreuse que jamais les trois pierres représentant des
femmes : *La Danseuse de pierre rouge*, la ill. 43.
Caritas, la Femme assise. ill. 34, 45, 46.

De la *Danseuse en pierre rouge*,(42) les spécialistes des arts qu'on ne dit plus primitifs sont certainement tout désignés pour parler et elle ne devrait pas être étudiée indépendamment des prodigieux dessins qui la préparent tels ceux où la tête ou les jambes sont représentées plusieurs fois sur le même corps, (Gaudier savait-il que Degas superposait les calques sur lesquels il avait croqué les diverses phases d'un mouvement ?). Sans solliciter des ressemblances peut-être fortuites mais en se souvenant que Gaudier stupéfiait ses amis les plus érudits, comme Pound qui l'atteste, par l'étendue et la variété de ce

23. Granit , H. 41,9, Mercury Gallery, Londres. Dans le répertoire, non signé, qui clôt l'ouvrage déjà souvent cité paru en 1992 aux éditions Tristram, l'oeuvre est dite "attribuée à Gaudier" et aussi "probablement inachevée" sans argument avancé pour justifier l'une ou l'autre assertion.

24. Bas-relief, plâtre modelé frais sur un support de toile, 1914, H. 72 L. 92 P. 6, Museum of Fine Arts, Boston.

25. Lutteur, 1912, bronze, H. 0,66, signé et daté 1912. Mentionné par Gaudier à l'année 1913. Exposé en juin-juillet 1913 à la A.A.A. Exhibition.

fig 5 p.68.

26. Dit aussi Embracers ou L'Etreinte 1913 (?) , Marbre de Seravezza H. 55 L. 19 P. 14, Musée National d'Art Moderne,Paris ,don Ezra Pound. Lui-même parle du "côté ancestral" de l'oeuvre de Gaudier, propose plusieurs sources "quelque tradition océanienne....l'Isis du British Museum". Venant d'un homme comme Pound connaissant si bien la France, il est difficile de croire que les mots de tahitien et d'océanien ne renvoient pas, fut-ce implicitement, à Gauguin.

27. Singer, 1913, pierre dure de Derby, H. 85 L. 21,5 P. 16, Tate Gallery, Londres

28. Il en existe deux versions, une statuette en pied, albâtre, H. 45 L. 11,5 P. 10, Dartington Hall Trust, Cotnes et un bas-relief (tous deux de 1913), marbre de Seravezza, H. 45 L. 20 environ, qui est celui pour lequel Gaudier dans son répertoire vitupère M. Kinnear, qualifié de "old cow" et mélangeant le français et l'anglais parle de la "cochonnerie" d'un libraire qualifié par lui de "swindler". Le bas-relief est titré par Pound Seated Figure.

29. Water Carrier, 1914, marbre de Seravezza et pot, a appartenu à Pound, coll. part.

30. Albâtre veiné, 1914, H. 10,5 L. 9 P. 8,3, Tate Gallery, Londres . Désigné par Pound comme oeuvre tardive ce que corrobore le fait que Gaudier ne le mentionne pas dans son répertoire dressé le 9 juillet 1914.

31. Les propos de Gaudier sur Epstein sont très ambigus, mêlant la louange la plus forte aux réticences. Ainsi lui fait-il gloire, sans être très sûr de son fait, d'avoir été le premier "à parler de forme, non de la forme de quelque chose". Gaudier affirme "l'honorer sur le plan des principes" tout en disant que c'est "sans entretenir aucune sympathie ou antipathie pour ses oeuvres". Il n'aime pas son si célèbre tombeau d' Oscar Wilde.

32. Plâtre teinté en vert. H. 32 L. 61,5 P. 9,29 ,Kettles' Yard.

33. Op. cit. p. 207

34. bid.

35. 1914 (du tout début de l'année puisqu'exposé en mars), albâtre veiné de rouge, H. 34, acheté à Gaudier par Pound qui l'a conservé jusqu'à sa mort.

36. 1914, marbre pentélique poli, H. 0,90, coll. Raymond D. Nasher, Dallas, Texas

37. L'oeuvre, écrit Pound, a été précédée "d'une centaine de dessins dont la plupart peuvent être qualifiés de portraits", op. cit. p. 236

38. On peut le regretter sinon du point de vue littéraire, du moins de celui de la fidélité à l'esprit de Gaudier. Admirant l'art égyptien et ses "colosses de granit" Gaudier notait de façon restrictive : "Mysticisme nuit à la vraie sensation d'art"

39. Hoka, Haka, Nana Lia (La briseuse de vagues). Entrée au British Museum en 1869.

40. Traitant de la sculpture à venir dont il se considère comme un des éclaireurs, Gaudier conclut ainsi une lettre ouverte à The Egoïst datée du 16 mars 1914 : "Cette sculpture n'est pas liée à l'art grec classique, elle continue la tradition des peuples barbares (pour lesquels nous avons sympathie et admiration). J'espère que c'est clair."

41. Pensons par exemple à une pièce prestigieuse (que Gaudier ne connaissait pas) et très représentative, un masque sans doute ancien ayant appartenu à la collection Raton, attribué aux Akyés. Reproduit dans le catalogue de l'exposition Corps sculptés, corps parés, corps masqués, Paris, Grand Palais, 1989.

qu'il connaissait, ne peut-on penser, une fois encore, à l'art africain ? La dichotomie entre le haut de la figure aux signes nets, nombreux, pressés et les jambes, qui semblent être surtout une arcature portante, évoque des objets usuels, en particulier les poulies de métier à tisser de la Côte d'Ivoire où le petit outil arqué, fonctionnel est surmonté de la figuration raffinée d'une tête ou d'un buste (43).

Sur l'appui des deux courtes fortes jambes pliant le genou, au traitement large, lisse, qui offre à l'oeil des formes géométriques simples aux arêtes nettes, ressenties comme d'ordre "cubique" (pour reprendre un terme de Gaudier) la *Danseuse* élève en porte-à-faux sur la gauche une ample masse curviligne. S'y pressent les significations puissantes et simplifiées des deux seins où semblent s'ouvrir des bouches que séparent et accompagnent des mains peignes. Plusieurs de ces signes sont usuels chez Gaudier ainsi les mains à quatre doigts, (établi auparavant dans de nombreux dessins), le visage ramené à un triangle inscrit dans un ovale. Dans le relief c'est un bourrelet triangulaire qui, limitant une zone qui semble s'enfoncer, donne le sentiment intense d'une vie présente mais discrète, d'un regard comme intérieur, d'une intimité, enclose, couronnée par l'ample mouvement, si visiblement repris des Maîtres, du bras qui enveloppe toute cette partie haute.

Le seul commentaire qu'on puisse oser devant pareille oeuvre est celui que l'on peut faire au plus près de Gaudier,écrivant, quatre ans auparavant sur Michel-Ange, sans savoir encore qu'il s'annonçait lui-même: "Dessiner dans les plans majeurs les masses principales" avait-il en premier énoncé. Les deux "masses principales" celle du haut où se pressent les significations, celle du bas, des jambes porteuses, simplifiées pour éviter toute surcharge, sont "dessinées dans les plans majeurs", triples, la face avant et les deux faces latérales, nettement marquées par des profils très ressentis. Pour autant les trois "plans majeurs " diffèrent totalement entre eux. La face gauche offre une composition calme et simple imageant le repli sur soi d'un corps qui achève son mouvement, se tournant vers le sol. La face droite au contraire, dressée sur une jambe qui prend un solide appui pour se déplier, hausse des éléments nombreux, se jouxtant et où la représentation est fort éloignée du référent naturel. Ainsi le bras se termine-t-il dans un sein que presse une main comme surgie du thorax. Et pourtant dans le plan avant où sont présents tous ces signes, figurés tous ces éléments anatomiques aux mouvements contraires, les masses se distribuent souverainement, les mouvements se conjuguent, en établissant un équilibre perçu à la fois comme dynamique et comme déjà suspendu.

Le second principe déduit par Gaudier de la contemplation de Michel-Ange est : " dessiner dans les masses majeures les plans mineurs". Les "masses majeures" des jambes sont dessinées par plans. Le grand massif sommital inclut, en autant de "plans mineurs", les faces des mains, des seins, des bras, du visage. La même analyse se vérifierait pour les trois faces, avant et latérales. Plus encore, dans le dos, figuré de façon drastiquement réduite et quasi-abstraite, quelques "plans mineurs" animent, diversifient et donnent sens aux masses, elles majeures. Enfin on pourrait pareillement suivre le troisième axiome de Gaudier devant Michel-Ange : " dessiner dans les plans mineurs les masses mineures" et le voir ici, de même appliqué par lui. Ainsi sur le plan mineur du sein se dessine la masse réduite de l'étonnante aréole rectangulaire en saillie, elle-même délimitant un plan étroit d'un mamelon figuré par un retrait etc.

Pour cette prodigieuse pièce, où tiennent à miracle les formes les plus accusées et complexes, Gaudier a fait un double choix d'ordre matériel. Le premier est celui, qui semble volontaire cette fois, du petit format (à échelle monumentale le surplomb deviendrait menaçant) et les dimensions réduites font accepter le nombre et la force des signes. Le second choix dont on peut dire que littéralement il le contrebutte, est celui, répondant à leur richesse, du rutilant matériau qu'est le grès rouge, en sus poli et ciré, s'imposant par lui-même autant qu'il sert les formes, fait miroiter les plans, accuse les chemins de lumière.

Plus d'un trait rapproche de la *Danseuse*, et souvent en s'y opposant l'oeuvre que Pound estime un peu antérieure, qui est connue sous le nom qu'il lui a donné de *Caritas* (44) et que Gaudier avait mentionnée de façon plus descriptive sous celui de *Maternité, trois figures*. La double assise des jambes, la cambrure, ici beaucoup plus accentuée du dos ont des répondants directs dans la *Danseuse* que l'on est tenté de voir comme des précédents, la *Caritas*, si belle soit-elle,

ill. 43.

ill.34.

42. Danseuse en pierre rouge, grès rouge de Mansfield, H. 43 L. 23 P. 23.,Tate Gallery, Londres.

43. Ainsi dans des objets Bêtés, Baoulés, Sénoufos, Gouros. Combien Gaudier se serait senti conforté dans la "sympathie et admiration" pour ces peuples par la réponse que fit - bien après sa mort- à un ethnologue allemand qui lui demandait pourquoi il utilisait ces ornements sans aucune utilité pratique et même gênants pour le travail, un tisserand gouro : "Parce qu'on ne peut pas vivre sans d'aussi belles choses" .Cité dans le catalogue de l'exposition Corps sculptés, corps parés, corps masqués, op. cit.

44. Pierre de Portland, H. 0,47 L. 26 P. 22,5, musée des Beaux-Arts, Orléans.

45. Femme assise, 1914, marbre pentélique strié, poli et ciré, H. 0,48, Paris, Musée National d'Art Moderne

n'étant pas un aussi éclatant chef-d'oeuvre. Les signes repris sont simplifiés, peut-être un peu appauvris aussi du visage semblablement indiqué par l'inscription dans un ovale d'un triangle mais ici simplement incisé dans la pierre à la pointe du burin et se retrouvant très proche de ce qu'il est dans les dessins au trait. Mais les signes se sont aussi autonomisés et personnifiés. Les seins ronds, si vivants de la *Danseuse*, disparaissent, ou plutôt sont transmutés en deux petits êtres avides, à peine humains, se dressant pour presser, épuiser, "le trésor toujours prêt des mamelles pendantes" (Gaudier aimait Baudelaire) . La pièce avec l'évident accent préhistorique de cette Vénus-mère fait moins appel au primitivisme qu' elle n'est elle-même empreinte d'un sentiment primitif vital, brutal, que sert le grain assez grossier de la pierre de Portland, au polissage très peu poussé pour laisser bien sentir ce grain.

Fig 7 Maternité, marbre de Seravezza poli, 1912-1913 (?), Musée National d'Art Moderne, Paris

Qu'il l'ait fait volontairement ou non, Gaudier en cette fin de vie, si extraordinairement féconde et inventive, inverse de pièce en pièce sa problématique. Après la masse compacte et en équilibre quoi qu'en fort surplomb de la *Danseuse*, l'ajourage complexe de la *Caritas*, l'oeuvre fut-elle moins étonnante, montre Gaudier explorant des voies où il est à peu près seul alors à s'aventurer avec Brancusi. Osons le dire les recherches contemporaines de celui-ci sont plus simples et moins difficilement menées dans le bois le *Premier pas* (oeuvre disparue, de 1913 ?), *L'Enfant prodigue* un peu postérieur peut-être. La figure de mère projetée vers des enfants n'est pas sans quelques parenté (on n'ose dire écho qui serait pourtant plus exact) avec le *Narcisse* de Brancusi (1914)

Le problème que se pose Gaudier est plus complexe que ceux soulevés par Brancusi dans les oeuvres citées. Le mouvement de la *Caritas* (comme dans un tout autre registre celui de la *Danseuse*) est double : celui de l'amour de la mère se livrant littéralement à la dévoration de ses petits et celui, renforcé par la symétrie, de leur voracité qui les dresse, bras levés, plaqués contre ses seins qu'ils engloutissent de leurs mains rudes, leurs têtes à peine humaines, alors que l'est celle à peine indiquée de la mère, désignée pourtant par Pound comme "le haut, presque abstrait".
Rien n'est moins abstrait que l'autre oeuvre dont il écrit : "Je pense que c'est là sa dernière oeuvre ou presque" qu'il appelle
ill.46. *Figure assise* et *Femme assise* (45) qui est connue sous ce dernier nom et l'on ne peut que souscrire à ce qu'il en dit qu'elle est "totalement de l'invention de Gaudier sans rien devoir à quelque "influence"extérieure". On n'en peut parler sans rappeler que c'est la dernière oeuvre que Gaudier mentionne dans son répertoire, deux mois avant son départ pour le front et qu'il s'est fait photographier à côté de sa sellette où est posée la *Femme assise*, l'air d'un adolescent, un adolescent auteur de ce chef-d'oeuvre, riche de combien d'autres qu'il n'a pas eu le temps de faire et l'on comprend que Pound ait écrit que cette mort était quelque chose qui ne pouvait pas être "pardonné" à quiconque. Deux clichés qui sont si semblables qu'ils semblent avoir été faits le même jour, montrent après celui-ci,Gaudier ayant, sur l'autre, mis sur la sellette
l'*Oiseau avalant un poisson.* Sans doute ill. 35.
cette proximité nous en indique-t-elle beaucoup, proximité chronologique, proximité aussi dans la démarche. Les deux oeuvres procèdent du même jeu d'amples volumes simples mais sans doute Gaudier a-t-il attaché plus de prix à sa *Femme.* A elle non point le plâtre simplement teinté du *Poisson* mais l'un des si rares blocs de marbre pentélique, que comme les Anciens Gaudier a ciré. Peut-être dans cette oeuvre presque ultime réconcilie-t-il en son coeur et par ses mains l'art de ses chers "peuples barbares" et celui des Grecs dont il s'était hautement démarqué. La perfection des formes, sobres et amples, des masses sans modelé aucun, y ont un accent classique mais au creux du beau bras rond vient se poser le visage "nègre" aux lèvres épaisses,

fig.7. aux grands yeux à fleur de tête dont on peut suivre la genèse depuis la *Maternité* et la
ill. 27. *Sirène* de 1912. Il atteint ici à une expression de sublime sérénité par des moyens d'une extrême simplicité qui lui font rejoindre le mystérieux "sourire archaïque".
Le bloc n'a été entamé qu'avec la plus extrême économie pour dessiner à peine la suavité des replis de l'aine, de la taille, mais Gaudier n'a pas entaillé son beau marbre pour figurer, avec un inutile mimétisme, l'évidement du bras plié. Ce n'est plus en rien la vérité anatomique qui compte maintenant.

Comment commenter Gaudier et précisément le Gaudier "allant vers sa mort" comme l'écrivit Pound si ce n'est en le citant, déclarant si peu avant, en mars 1914 (46) : "Le sculpteur moderne est un homme qui a l'instinct pour inspiration, son oeuvre est émotionnelle ..... ce qu'il sent, il le sent profondément et ses productions ne sont ni plus ni moins qu'une abstraction de cette sensibilité intense". Juvénile et profonde parole tout près de se taire. Il lui restait le temps d'un dernier chef-d'oeuvre, exécuté après Juillet 1914 puisqu'il n'eut pas celui de le mentionner les *Oiseaux dressés* (47) que l'on vit pour la première fois à l'hommage posthume que lui rendirent en 1918 les Leicester Galleries. Si Pound voyait pour source de l'oeuvre animalière de Gaudier l'archaïsme on pense pourtant ici plutôt à un cubisme quintessencié dont Gaudier serait l'inventeur et le seul représentant, cette oeuvre le premier et le seul exemple. Comme dans le cubisme le plus élaboré les signes maintiennent l'oeuvre sur la ligne de crête au-delà de laquelle il n'y a que l'abstraction, ne réservant qu'une lecture presque indécidable et pourtant, dès que perçue, irréfutable.
Les hautes formes érigées semblent fuser d'un jet alors où, en fait, un ressaut en hauteur, quelques accents qui soulignent leur verticalité, précisent, rendent plus aïgu leur élan, presque leur envol. Ces masses presque prismatiques ont des profils aigus où se lisent signifiés par un jeu délié aussi efficace qu'économe, là un bec aigu, ici de larges yeux à fleur de tête, féroces, de rapaces. Il n'y a guère, à cette époque, de sculpture cubiste animalière. Quant aux oiseaux de Brancusi, ses premières *Maïastra* n'ont encore à cette date de 1914 ni cette audace formelle, ni cette décision dans le choix des signes. " Cette oeuvre est un aboutissement" c'est Pound qui nous le dit "d'une recherche menée sur une série de formes entamées avec le *Jouet* de M. Hulme".

La vivacité des liens entre Gaudier et Hulme, leurs gamineries de très jeunes gens que conte avec indulgence Pound, ne suffisent pas à rendre compte de ce Jouet et de tout ce qui l'a suivi. Gaudier a eu un goût très vif pour l'invention débridée quant à l'emploi des matériaux qui lui fait sculpter un manche de brosse à dents, exécuter en marqueterie une nième version des lutteurs, peindre et dorer l'albâtre etc .....
Il ne pouvait se contenter d'user comme tout le monde du métal. On a vu qu'il possédait une petite forge et qu'en divers lieux, semble-t-il, il a exécuté lui-même les fontes de ses oeuvres, faisant donc son alliage. Est-ce sa pauvreté qui lui faisant mettre beaucoup de cuivre peu cher l'a amené à produire un bronze un peu mou, plus près du laiton et lui a donné l'idée de travailler le bloc de métal non par fusion mais comme on travaille un bloc de pierre en le taillant, l'ajourant, le ciselant?

Pareil travail ne devait pourtant pas être simple et n'a été mené que dans de petits formats mais c'est ainsi que Gaudier a débouché sur l'abstraction. N'a-t-il pas là aussi été le premier ? On fait gloire à juste titre à Lipchitz d'être passé de la sculpture cubiste à la sculpture abstraite en 1915-1916 mais à cette date Gaudier était mort. Dans certains de ces bronzes taillés comme
le *Marteau de porte* (48) passent, outre peut- ill. 41.
être une signification sexuelle, comme une réminiscence de certaines grandes oeuvres
ici, quelque peu la *Caritas*. Mais Gaudier ill. 34.
s'en est expliqué se réjouissant de rompre tout à la fois ce qu'il jugeait la banalité des motifs habituels à ce genre d'objet et d'y apporter plastiquement par l'abstraction.
Le *Marteau de porte* est un exemple de ce qu'un motif abstrait peut augmenter la valeur d'un tel objet elle-même servie par la technique inhabituelle, l'objet n'est pas fondu mais taillé directement dans le bronze massif. Les formes en acquièrent "netteté et fermeté". Tout est dit ici de ce qui lui fait pratiquer l'abstraction. Sa lassitude de modèles patentés des "cupidons chevauchant les sirènes" (49), la recherche des seules "netteté et fermeté des formes" au-delà de toute représentation. Et cet avènement de l'abstraction s'est fait dans l'ordre tout matériel d'une innovation technique, de l'usage inventé par Gaudier d'un travail neuf d'un matériau que l'on croyait inséparable d'un faire multimillénaire.

La guerre allait lui fournir en abondance des métaux qui n'étaient pas le noble

46. Lettre déjà citée à la rédactrice en chef de The Egoist en date du 16 mars 1914

47. 1914, calcaire, H. 0,67, Museum of Modern Art, New-York.

48. 1914, bronze taillé et poli, H. 18 L. 8 P. 2,8, monogrammé à l'arrière de la pièce. Exposé en juin 1914 à l'A.A.A. Exhibition, Kettle's Yard, Cambridge. Des fontes post mortem ont été faites dont une donnée par J. Ede au Musée National d'Art Moderne de Paris

49. Commentaire par Gaudier de son propre envoi à l'A.A.A. Exhibition de 1914 dans The Egoist, op. cit.

50. Juin 1915, taillé dans une crosse de mauser.

bronze artistique mais des alliages dont la vulgarité ne les empêchait pas de détruire des vies humaines et les rendait aussi accessibles au travail avec les outils sommaires qui devaient être les siens dans les tranchées. Comment ne pas se souvenir que dans son dernier texte Gaudier proclame la constance de ses choix esthétiques et que la dernière oeuvre qu'il exécute est totalement abstraite, le *Jouet* (50) qu'il envoie à la femme de son ami Robert Bevan, le peintre Karlowska qui venait d'avoir un bébé. Cette oeuvre ultime n'est en rien isolée c'est, par force, la plus tardive d'une série interrompue par la mort.

Dans son second manifeste vorticiste publié dans le second aussi - et dernier - numéro de *Blast* paru après sa mort, Gaudier évoquant une de ses oeuvres taillées comme le *Jouet* dans une crosse de mauser et aussi inspirée par là concluait ainsi son commentaire : " Je dois souligner que mon dessin tirait son efficacité (tout comme l'arme l'avait fait) d'une très simple composition de courbes et de plans". Et dans ce même texte-testament il annonçait ce que serait son oeuvre à venir et ce qu'il écrit ainsi est un manifeste de sculpture abstraite :
" Je tirerai mes émotions uniquement de l'arrangement de surfaces. J'exprimerai mes émotions par un arrangement des surfaces, les plans et les lignes qui les définissent".

Benington,
Photographie de
Gaudier vers 1913

Gaudier-Brzeska dessinateur

Dominique Forest

1. Lettre de Gaudier à Sophie du 17 novembre 1912, citée dans SECRETAIN, Un sculpteur "maudit" Gaudier-Brzeska, Paris, Le Temps, 1979, p. 147.

2. POUND, Gaudier-Brzeska a memoir, Londres, John Lane, 1916, p. 165. Ezra Pound consacre d'ailleurs un chapitre entier (Ch. XVIII) à ses seuls dessins.

3. Les galeries londoniennes en particulier ont consacré de très nombreuses expositions aux seuls dessins : 1962, Leicester Gallery ; 1966, Waddington Gallery ; 1968, 1970, 1975 Mercury Gallery ; 1974, Maltzahn Gallery. Plus récemment le Chrysler Museum de Norfolk en 1979 et la galerie parisienne Marwan Hoss en 1992 leur ont réservé leurs cimaises.

4. Traduction de FRY, "Gaudier Brzeska" in Burlington Magazine, 1916, p. 210

"Les gens qui assistent à la classe sont si bêtes ! Ils font deux ou trois dessins en deux heures et ils me croient fou parce que je travaille sans arrêt, plus encore pendant les repos du modèle, car c'est bien plus intéressant que pendant les poses. Je fais de 150 à 200 dessins par séance et ça les intrigue" s'exclame avec emportement Gaudier en 1912 après avoir suivi un cours de dessin d'après modèle vivant (1).
Le ton traduit assez la vélocité de Gaudier dessinateur pour qu'il soit nécessaire d'ajouter un commentaire. Car si d'Henri Gaudier-Brzeska l'histoire a retenu le sculpteur, cette activité ne constitue que ce qu'on pourrait appeler la partie visible de l'iceberg. La partie cachée, mais non la moindre, étant faite de milliers de dessins face à une centaine de sculptures. Alors l'arbre aurait-il jusque-là caché la forêt ? Certes non, car ses dessins, bien connus des proches de Gaudier puis des collectionneurs et biographes, ont fait l'objet de publications spécifiques. Sans vouloir les citer toutes, il convient toutefois de rappeler ici un des premiers ouvrages de référence sur ce sujet, celui de son ami dessinateur Horace Brodzky, *Drawings*, publié en 1946 suivi de celui de Mervyn Levy, *Drawings and Sculpture*, en 1965. La plupart des grands biographes de Gaudier (Ezra Pound, Jim Ede, Roger Cole et Roger Secrétain) ont de même consacré dans leurs ouvrages respectifs sur l'artiste une place importante à ses dessins. Pound a été le premier, dès 1916, à insister, d'une part, sur le caractère indissociable de l'oeuvre dessiné et sculpté d'autre part sur l'intérêt de les étudier pour "comprendre certains développements de la pensée de Gaudier quant à la forme" (2). D'assez nombreuses expositions ont de même été consacrées électivement à ses seuls dessins (3).

Diversement apprécié de son vivant, l'oeuvre dessiné d'Henri Gaudier-Brzeska ne remporte pas les suffrages de tous. Le peintre et critique Roger Fry dans l'article nécrologique qu'il consacre à l'artiste en 1916 dans le *Burlington Magazine* ne les goûte pas outre mesure : "Dans ses dessins, dont une bonne partie est reproduite par M. Pound, Brzeska ne s'est pas trouvé lui-même aussi totalement que dans sa sculpture. Ils montrent, comme tout ce qu'il faisait, une habileté technique très frappante, mais ils sont trop superficiellement brillants, saisissant trop volontiers les caractéristiques mineures. Ils sont trop dans l'esprit de certains dessinateurs japonais pour produire ces qualités de sérieux et de rigueur auxquelles sans aucun doute il aspirait et qui apparaissent déjà dans le meilleur de sa sculpture..." (4). Pourtant ce jugement n'est ni celui de connaisseurs comme Katherine Mansfield et Middleton Murry qui choississent d'éditer plusieurs de ses dessins dans leur revue *Rhythm* de septembre 1912, ni celui de l'écrivain et critique d'art Haldane MacFall qui inclut dans son livre de 1913 *The Splendid Wayfaring* trois études animalières réalisées au zoo de Londres, fig.1.
encore moins celui d'Ezra Pound constamment laudatif pour l'oeuvre dessiné de Gaudier ou celui de Paul Morand, secrétaire de l'ambassade française à Londres au moment où Gaudier s'y trouve, et qui en fera acheter une douzaine à la Rani de Sarawak.

Etudier l'oeuvre dessiné de Gaudier-Brzeska est instructif à plus d'un titre. D'une part elle éclaire le reste de ses activités (sculpture mais aussi art décoratif et caricature) d'autre part elle nous révèle

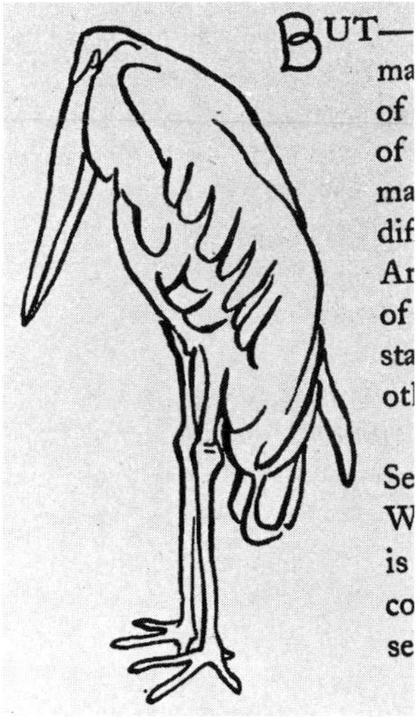
BUT—
ma
of
of
ma
dif
Ar
of
sta
otl
Se
W
is
co
se

fig 1
. Illustration pour
The splendid Wayfaring
d'Haldane Mac Fall
Simpkin, Marshall
Hamilton, Kent & co,
1913

un vrai talent de dessinateur dont la variété et la fécondité nous stupéfient si l'on songe que ces dessins, exceptés ceux d'extrême jeunesse, s'étalent sur cinq années seulement, de 1910 à 1915. De plus ils situent en quelques coups de crayon l'environnement géographique et artistique dans lequel Gaudier évolue, enfin ils nous enseignent sur l'engagement de Gaudier-Brzeska dans les deux principaux "ismes" auxquels on rattache habituellement son oeuvre, à savoir le primitivisme et le vorticisme, auxquels nous voudrions pour notre part ajouter le fauvisme anglais, mouvement peu connu en France mais avec lequel Gaudier a, de toute évidence, des affinités. Pour tenter de lever -partiellement- le voile sur ces points, il convient de regarder de quoi est faite l'oeuvre de ce dessinateur impénitent.

Cet oeuvre échappe, par sa diversité et sa prolixité, à toute classification. Horace Brodzky en 1946 renonce à une classification chronologique, vu l'extrême briéveté de sa carrière, pour suggérer une classification thématique autour des scènes de rues, des animaux et du zoo, de la figure humaine et de l'atelier. Cette classification a le mérite de la clarté tout en esquivant l'écueil redoutable - mais pourtant nécessaire - d'une mise en relation avec la chronologie des événements, les rencontres et les travaux concomitants. Dans son livre de 1916, *Gaudier-Brzeska a memoir*, Ezra Pound s'est lui aussi efforcé d'y voir clair. Toutefois, l'approche toute sensible de Pound alliée à la difficulté réelle de classer ces oeuvres aboutit à une certaine confusion. Pound tente d'abord de dégager une chronologie dans laquelle s'intercalent ses remarques sur quelques dessins particuliers pour finir par proposer un classement thématique pour les dessins au trait : nus, animaux, figures de l'"Ordre Social", dessins satiriques de cavaliers sur le "Row". La compilation un peu touffue que fait Pound traduit en fait parfaitement ce qu'est l'oeuvre dessiné de Gaudier : enchevêtrement de styles et de sujets.
De fait très peu de dessins de Gaudier sont datés, et il n'est pas sûr du tout que l'évolution de Gaudier se fasse, idéalement et sans faille, du style réaliste au style linéaire pour aboutir enfin au vorticisme. Il reste difficile d'établir des regroupements totalement chronologiques, thématiques ou stylistiques tant est complexe leur imbrication. Pourtant, au-delà des thèmes, le regroupement stylistique surtout permet de mieux cerner la cohérence des styles (dans son cas le pluriel s'impose), de suggérer une certaine chronologie, et de mieux replacer l'oeuvre dans son époque.

"Dessine très très fort"

5. Lettre de Gaudier au docteur Uhlmayr du 24 mai 1910, citée dans EDE, Savage Messiah, Londres, William Heinemenn, 1931, p. 24

Ce conseil donné à sa jeune soeur Renée en 1911, Gaudier s'est appliqué à le suivre sa vie durant. Dessinateur très précoce, Gaudier a d'abord reproduit scrupuleusement des paysages : son village natal de
ill.48. Saint-Jean-de-Braye en 1902 alors qu'il a onze ans, les bâtiments de Bristol en 1908 observés lors de son voyage d'étude dans cette ville ainsi que des animaux saisis avec un parti pris naturaliste très marqué : *Tête*
fig.2. *de lion* de 1907 par exemple.

Pas de virtuosité particulière dans ces premiers dessins mais déjà une aptitude très sûre pour cette discipline et un désir insatiable de dessiner. Lorsqu'en septembre 1908 Gaudier s'installe à Cardiff pour travailler chez un importateur de charbon, Fifoot and Ching, son employeur, M. Ching, est frappé de sa passion qui conduit invariablement Gaudier sur le port, d'où il ramène quantité de croquis de navires, d'oiseaux... Lorsque Gaudier ne dessine pas sur le vif, il le fait dans les musées : dans celui de Cardiff en 1908 où il dessine des aigles, au British Museum de Londres en avril 1909 les marbres du Parthénon ... Il puise de même dans les livres de nombreux modèles : architecture
fig.3. de Cracovie, dessins d'Hokusaï, planches
fig.4. d'anatomie du corps humain, *Source* d'Ingres (vue au Louvre ?). D'autant que Gaudier, de retour à Paris en octobre 1909, devient à cette époque un lecteur assidu de la bibliothèque Sainte-Geneviève où en 1910, il rencontre Sophie puis des bibliothèques londoniennes lorsqu'en janvier 1911 le couple s'installe à Londres.

Les dessins d'imitation sont dans un premier temps la seule "école" des années 1908-1910 puisque Gaudier est un autodidacte, les quelques cours d'après modèle vivant ne venant que beaucoup plus tard en Angleterre, en 1912, lorsque lui-même, déjà formé "sur le tas", s'emportera contre la lenteur poussive de ses camarades. Gaudier donc n'aurait pas eu de maître en peinture et dessin bien qu'une lettre de Gaudier au docteur Uhlmayr du 24 mai 1910 puisse nous amener à réviser cette affirmation : "J'ai pris une grande décision. Je ne vais plus faire de la peinture mais me restreindre uniquement à la plastique. Je n'ai jamais été capable de concevoir la peinture détachée de la forme, et cette année, *après avoir fait quelques études de peinture,* j'ai compris que ce qui m'intéresse c'est le dessin et le modelage" (5).

fig 2
. *Tête de lion*, mine de plomb,1907, Musée des Beaux-Arts, Orléans

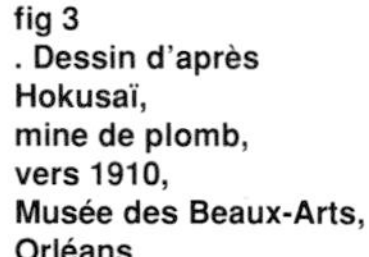

fig 3
. Dessin d'après Hokusaï, mine de plomb, vers 1910, Musée des Beaux-Arts, Orléans

fig 4
. *La source* d'après Ingres, mine de plomb, vers 1910, Musée des Beaux-Arts, Orléans

A ces toutes premières oeuvres fait suite une série de sanguines qui attestent d'une maîtrise beaucoup plus parfaite de la technique et de son nouveau "modèle" la sculpture dont plusieurs dessins de 1910 dérivent. *La Porte de l'Enfer* de Rodin - son dieu à l'époque - lui inspire directement une
ill.53. interprétation de cette oeuvre, et, indirectement, toute une série d'études sur le
ill.51,52. mythe de Prométhée où passe un souffle michelangelesque. Gaudier sera du reste un grand admirateur des *Esclaves* de Michel-Ange dont il trouvera à Londres des moulages d'études qu'il dessinera huit heures durant en avril 1911. La statue de Zacharie Astruc du jardin du Luxembourg, *Le marchand de masques*, lui inspire de
ill.55. même un croquis sorte de "mixture Rodin/Astruc" pour le paraphraser puisque si on retrouve la sculpture d'Astruc dans la base des masques c'est incontestablement *L'homme qui marche* de Rodin qui sert de modèle au mouvement du corps . Ainsi Gaudier, suiveur de Rodin en sculpture
ill.4. avec par exemple *l'Homme tombé* de 1912
fig.1 p.33. ou la *Tête d'idiot* de la même année, a longuement médité par le dessin sur la sculpture de Rodin. Les dessins de
ill.51,52. *Prométhée* sont-ils préparatoires à un projet de sculpture ? On ne saurait l'affirmer. De toute façon, ce type de dessin à la sanguine, très puissant mais classique dans la technique et la conception, n'est qu'une courte parenthèse dans l'oeuvre de Gaudier, voire, rétrospectivement, une anomalie dans l'ensemble de l' oeuvre tout comme le sont les aquarelles peu connues réalisées vers 1908 et illustrant un poème d'Omar
fig.5. Khayyâm : *le Rubayat* .

En 1910 Gaudier a eu l' occasion de vivre de son art en travaillant quelque temps comme dessinateur dans une manufacture de tapis et de papiers peints.A cette époque encore, Gaudier espère trouver dans le dessin, d'illustration cette fois, un moyen de subsistance. En 1910 il s'en ouvre au docteur Uhlmayr, médecin qui l'a accueilli à Nuremberg l'année précédente, "J'ai essayé de placer des caricatures dans les journaux parisiens : *Le Rire* et *Le Charivari* en ont accepté quelques-unes. Je ne sais pas s'ils les ont publiées, mais ils paient bien. Mes idées deviennent plus nettes et plus vives, mais à dix-neuf ans, on est considéré à peine plus qu'un enfant et la bataille est rude. On manque de séduction et de vigueur, la perspective des choses est étroite, sans cohérence. Il y a des parties de mes dessins qui me semblent libres et originales, d'autres qui trahissent des

fig 5
. Illustration du Rubayat d'Omar Khayyâm, aquarelle
vers 1908, Musée des Beaux-Arts, Orléans

fig 6
. Illustration pour un journal satirique, encre et aquarelle, 1910, Mercury Gallery, Londres

influences extérieures et de l'enfantillage. Les éditeurs de journaux voient cela clairement et de telles pensées me font désespérer. Cependant il faut se résigner. On a seulement à faire trois voeux : pauvreté, chasteté, abstinence. On mène la vie d'un ascète, l'art devient la seule inspiration, et c'est la seule manière de progresser." (6). Dans les quelques rares dessins destinés aux journaux parvenus jusqu'à nous, Gaudier se plie à la loi du genre : comique de situation allié à une observation incisive de la réalité. Dans une caricature fig.6.
de 1910 - Gaudier signe alors Gérald - il se gausse gentiment de la gourmandise sur le thème "des petits gâteaux qui font les grosses dames". Dans un autre non daté mais vraisemblablement de la même période conservé à Norfolk, Gaudier s'amuse des conventions sociales de la bourgeoisie. Une encre du Musée d'Orléans de 1910 est de ill.50.
même à rapprocher de ces illustrations pour journaux. Suiveur en cela de Daumier qu'il admire tant, il ne fait cependant pas montre du même talent satirique que son grand

6. Lettre de Gaudier au docteur Uhlmayr du 10 novembre 1910, citée dans SECRETAIN, op. cit., p. 60.

aîné. Fort peu connus, ces dessins sont en fait de la même veine que quelques très rares sculptures d'alors. Ainsi sa *Tête de*
ill.3. *femme avec foulard*, sculpture tout à fait méconnue de 1910 environ, ressort bien, au même moment, du même sens de la caricature.

7. Lettre de Gaudier à Sophie du 23 avril 1911, citée dans EDE, Gaudier-Brzeska, Londres, Heinemann, 1930, p. 37

8. Lettre de Gaudier à Sophie du 5 novembre 1912, manuscrit de l'Université d'Essex.

De la même façon lorsqu'en janvier 1911 Gaudier et Sophie débarquent à Londres, Gaudier va d'abord essayer de vivre de ses dessins, affiches et couvertures de livres. Plusieurs projets conservés à la fondation Kettle's Yard en témoignent : affiches pour la marque de whisky Black and White de 1911, pour une comédie de Georges Bernard Shaw la même année ou pour la pièce de
fig.7. théâtre *Lady Macbeth* en 1912.
Le Musée des Beaux-Arts d'Orléans possède
ill.81,83. également deux projets d' affiches pour le même whisky Black and White mais très différents par leurs sujets avec celle, finale, de Kettle's Yard. Hélàs, ses projets d'affiches n'ont pas l'heur de plaire! Haldane MacFall qui l'a beaucoup aidé dans ses démarches lui donne l'adresse d'un certain Martin prêt à lui en acheter certaines. Toutes sont refusées. Ainsi *Le*
ill.81. *joueur de cornemuse*, projet d'affiche pour la même marque de whisky, lui est refusé car jugé trop grossier. D'autres sont de même rejetées car trop originales ou trop expressives pour un public qui, aux dires de Gaudier, préfère la médiocre mignardise. A cette époque Gaudier ne se réclame plus de Michel-Ange mais de Goya, Daumier, Gavarni, Toulouse-Lautrec, Phil May, Keene, Forain, Belche, tous grands observateurs de la condition humaine. Ainsi qu'il l'écrit à Sophie en avril 1911, il apprécie chez eux le style mais aussi la profondeur de leur pensée (7).

Au tout début de l'année 1912 Gaudier a choisi : il renonce aux affiches pour se consacrer tout entier à la sculpture. Nous verrons par la suite que ce n'est qu'à la fin de l'année 1912 qu'il envisagera une nouvelle fois le dessin de façon "alimentaire" lorsqu'il entreprendra des dessins en couleurs pour des "tuiles" et des frises de papiers peints (8).

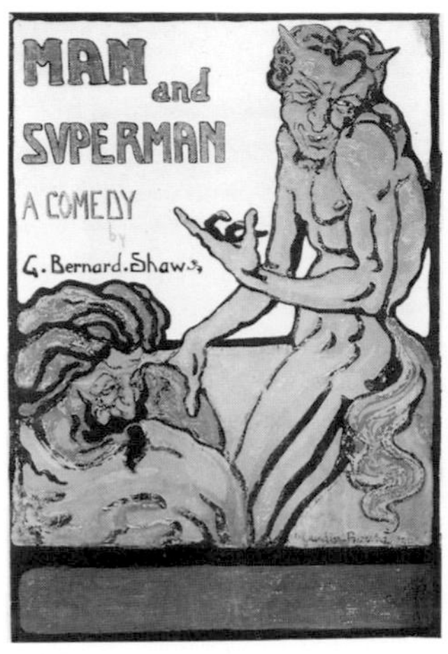

fig 7
. Projet d'affiche pour ***Man and superman*** **de Georges Bernard Shaw, encre et aquarelle, 1911, fondation Kettle's Yard, Université de Cambridge**

. Projet d'affiche pour *Lady Macbeth* de Shakespeare, encre et aquarelle, 1912 Fondation Kettle's Yard, Université de Cambridge

Une période "homogène"

9. Lettre de Gaudier au docteur Uhlmayr du 24 mai 1910 reproduite dans SECRETAIN, op. cit. p. 38. La peinture à l'huile de Gaudier, Portrait d'un juif est reproduite dans l'article de KOSLOW, "The Evolution of Henri Gaudier-Brzeska" Wrestlers "Relief" in Bulletin of the museum of Fine Art, Boston, vol. 78, 1980, p. 41

Jusqu'en 1912 donc, l'oeuvre dessiné de Gaudier apparaît bien comme une "période hétérogène" ainsi que la qualifie Ezra Pound. La variété de style et d'inspiration des débuts cède alors la place à des oeuvres plus cohérentes tant dans les sujets que dans les techniques ainsi qu'à un style plus direct dû, en partie, à sa fréquentation du département d'ethnographie du British Museum. Mais chez Gaudier cohérence ne signifie pas uniformité. Autour de quelques thèmes assez précis (paysages, scènes de la vie quotidienne, mort, mais surtout nus, portraits et animaux) son oeuvre va se révéler alors beaucoup plus uni, renforcé en cela par le côté très sériel de ces différents thèmes. Si les techniques sont variées (pierre noire, mine de plomb, encre, gouache, pastel, aquarelle) il est un type qui, à partir de 1912-1913, domine nettement les autres : celui du dessin au trait exécuté généralement à la mine de plomb, à l'encre ou à la pierre noire. Gaudier abandonne alors très vite tant les jeux d'ombre et de modelé de la sanguine que les détails fouillés des précédentes oeuvres à la mine de plomb pour une écriture beaucoup plus elliptique. Dans ces dessins au trait, Gaudier va faire preuve d'une fécondité exceptionnelle et d'une originalité certaine.
Nous envisagerons par la suite comment, parallèlement, Gaudier fait son entrée dans la couleur en exécutant à partir de 1912 plusieurs pastels, beaucoup plus rarement quelques gouaches et tout à fait exceptionnellement une peinture à l'huile (*Portrait d'un juif* de 1912 conservé à Norfolk), et ce malgré son affirmation en 1910 de renoncer totalement à la peinture (9). Dans quelques lavis ou aquarelles plus tardifs de 1914 , comme dans ses gouaches de 1912, Gaudier renoue donc bien avec le pictural.
Il faut voir que l'évolution si nette de Gaudier à partir de 1912 vers deux formes d'expression très différentes : sobres dessins au trait ou gouache et pastel s'explique, en partie du moins, par deux faits concomitants : l'apprentissage dans une classe de dessin de Chelsea en novembre 1912 et la rencontre stimulante avec de nouveaux amis : Katherine Mansfield et Middleton Murry, écrivains et éditeurs de la revue *Rhythm*, Alfred Wolmark et Fergusson, artistes fauves collaborateurs de cette revue, ainsi qu'avec l'influent critique d'art Haldane Mac Fall et le dessinateur Lovat Fraser qui tous deux donneront à

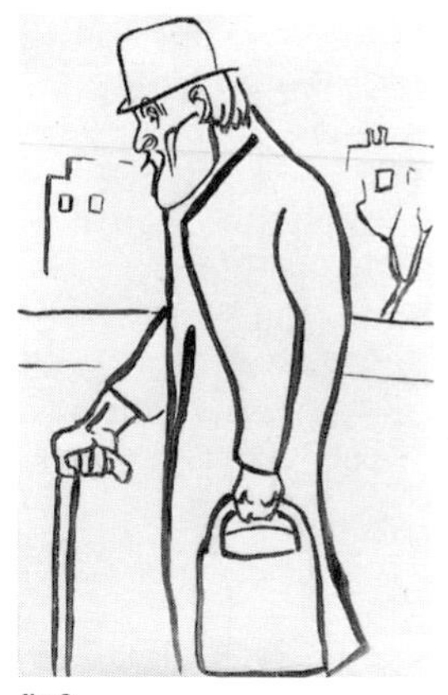

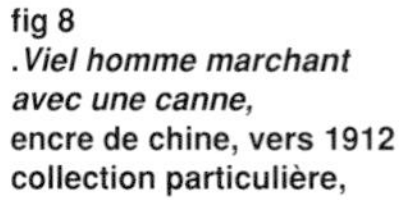

fig 8
.Viel homme marchant avec une canne,
encre de chine, vers 1912
collection particulière,

.Tête d'homme de profil,
encre de Chine,
vers 1912,
Fondation Kettle's Yard
Université de Cambridge

Gaudier l'opportunité de "placer" ses dessins. Ce cercle d'amis va parfois servir de modèle à Gaudier. Son talent d'observateur allié à la spontanéité de son écriture produisent des portraits d'une rare acuité. Se trouvent ainsi fixés la mine éternellement renfrognée de Sophie, ill.67,68. l'intériorité réfléchie d'Haldane Mac Fall ou ill.79. la face lunaire de Lovat Fraser . Ces ill.126. portraits sont parfois préparatoires aux sculptures. Ainsi plusieurs croquis d'Alfred Wolmark ou d'Horace Brodzky semblent bien des études pour leurs bustes respectifs. ill.125. De la même façon, une tête du Musée ill.78. d'Orléans est de toute évidence à mettre en rapport avec la *Tête religieuse* de 1912- ill.14. 1913.

Les portraits charges de Daumier resurgissent parfois dans ces portraits sur un mode plus badin car Gaudier possède au plus haut point le don d'observer ses contemporains. Comme Daumier encore, le petit peuple avec lequel il partage la dureté de la vie lui fournit vers 1912 quantité de modèles à bon compte puisque Gaudier les "croque", à leur insu, dans les lieux publics, dans la rue en particulier.Dans la liste des oeuvres dressée par l'artiste le 9 juillet 1914 Gaudier consignera du reste pour l'année 1912 :"nombreux dessins faits dans la rue". Dans les nombreuse scènes de plein air (de rue ou de campagne), on peut ainsi suivre la vie de ses semblables : femmes marchant ill.63. énergiquement, hommes travaillant... ill.66.
Un passant retient son attention et devient son modèle d'où l'air de consanguinité qui fig.8. traverse certains dessins. En forme d'esquisses vivement brossés ils sont d'une étonnante liberté alliée à une grande force. Puissance du trait, vigueur de la mise en page confèrent en effet une surprenante

autorité à ces scènes de rues ou à ces figures d'inconnus. Ainsi la série des portraits à l'encre réalisée en 1912 est particulièrement remarquable. Exécutée d'un trait large et dépouillé, Gaudier saisit en gros
ill.58 à 61. plan le visage de ses personnages. Par l'accentuation d'un seul détail, (chapeau, expression du visage) Gaudier a su ici se hausser à la généralité, créant ainsi de véritables types populaires.

D'avril 1912 à juillet 1913, Gaudier travaille pour survivre comme typographe chez Wulfsberg, un importateur de bois installé à White Chapel près de Petticoat Lane. Les colporteurs juifs de Petticoat Lane lui fournissent alors le sujet de maintes esquisses exécutées sur un papier portant la marque W & Co. Avant lui Toulouse-Lautrec - autre artiste qu'il admire - avait pareillement réussi mais avec des moyens tous différents à imposer autant de force avec la même apparente désinvolture.

Mais c'est peut-être avec les dessins de son contemporain Albert Marquet que les scènes de rue de Gaudier ont le plus d'affinité. N'oublions pas non plus qu'en 1909, Gaudier alors à Munich a pu être en contact avec les radicales simplifications des expressionnistes et que la connaissance de l'art oriental a été déterminante dans les dessins au pinceau de Gaudier si proches, techniquement de l'art asiatique.

Sorte d'unicum dans la série des portraits, celui de Brancusi où Gaudier extrapole l'image de l'homme pour rendre celui du sculpteur capable du plus grand
fig.12. dépouillement formel. Brancusi a exposé à Londres en octobre 1913 à la Doré Gallery dans l'exposition post-impressionniste et futuriste et à nouveau à celle de l'Allied Artists' Association. Gaudier a rencontré Brancusi en Angleterre alors que celui-ci expose à cette dernière et présente lui aussi ses sculptures. On sait que Gaudier a particulièrement admiré son oeuvre. Dans ce rare portrait du sculpteur roumain, il donne en fait curieusement un portrait en parfaite adéquation avec l'idée qu'il se fait du néo-impressionnisme et qu'il a expliqué, croquis à l'appui, dans une lettre à Sophie de 1911 (10).

Les dessins au trait d'animaux ou de personnages vont particulièrement retenir deux nouveaux amis rencontrés en 1912, Katherine Mansfield et son ami Middleton Murry. Souvenir de leur brève amitié, un carnet d'esquisses inédit du Musée d'Orléans daté de 1912 représente dans des
ill.57. médaillons les deux écrivains. Il est possible qu'il s'agisse ici d'un projet de plaques décoratives comme le suggèrent d'autres esquisses du même carnet : *Bonnes vendanges, Jeu* et la réalisation pour Lovat Fraser d'autres décorations à moins que ce ne soit un projet de médailles ou d'illustrations pour *Rhythm*. Ces dessins d'intérêt historique furent sans doute exécutés avant l'automne 1912 puisque leur amitié fut aussi courte qu'orageuse. La rencontre de Gaudier et du couple se fit précisèment grâce à des dessins que Gaudier avait envoyés à la revue *Rhythm* de Katherine Mansfield et Middleton Murry. Ceux-ci très impressionnés par les dessins reçus décidèrent de le rencontrer et publièrent cinq de ceux-ci dans le numéro de septembre 1912. Si leur rencontre fut des plus chaleureuses, très vite le brûlant enthousiasme des débuts se mue en hostilité déclarée, Katherine Mansfield et Middleton Murry semblant peu apprécier Sophie. Gaudier en prit ombrage et mit un terme définitif à leur amitié par une lettre virulente de novembre 1912 :

"Il ne faut pas que vous pensiez un seul instant que j'ai besoin de *Rhythm* - c'est l'inverse. Mes dessins ont été les meilleurs qui aient paru dans votre revue et ils étaient plus en harmonie avec son idéal que les niaiseries putrides de Yeats et de People que vous sortez ce mois-ci. Je ne vais pas aller troquer la pureté de mon amour ou ma conscience pour un demi penny de "réclame" " (11).

De fait les dessins publiés dans *Rhythm* en septembre 1912 sous le nom écorché d'Henri Gaudier Bizeska sont d'une qualité remarquable et on comprend que leur puissante vigueur ait frappé les deux écrivains. Ces oeuvres au trait large illustrent tout à fait trois thèmes récurrents chez Gaudier à cette époque : animaux, portraits , scènes de rue (juif de la White Chapel) car à cette époque Gaudier travaille comme nous l'avons déjà dit chez Wulfsberg à White Chapel.

Vers 1912 toujours, ses visites au jardin botanique de Kew Garden lui donnent l'occasion de dessiner les promeneurs du parc et les palmiers. Car Gaudier s'inspire de tout ce qui l'entoure, ainsi les cactus qu'il a chez lui lui suggéraient, selon Brodzky, des formes nouvelles à l'artiste.

A partir de la fin de l'année 1912, Gaudier obtient grâce à Lovat Fraser, dessinateur et membre de la Royal Zoological Society, des entrées gratuites au zoo de Londres en échange desquelles Gaudier lui donne des croquis d'animaux que Lovat Fraser assemble en 1912 dans un album. Déjà en

10. Lettre de Gaudier Brzeska à Sophie du 13 mai 1911, citée dans SECRETAIN, op. cit. p. 75

11. Lettre de Gaudier Brezska à Katherine Mansfield de novembre 1912, citée dans SECRETAIN, op. cit. p. 120

1912 les illustrations du livre d'Haldane Mac Fall, *The Splendid Wayfaring*, consistaient en des dessins au trait
fig.1. d'animaux mais l'opportunité donnée par Fraser d'avoir des entrées gratuites l'amène à fréquenter plus assidûment encore le zoo. Gaudier va, vers 1912-1913, saisir en quelques coups de crayon la nature profonde de ces animaux que ce soit la
ill.119. fureur d'un cheval , le calme languide d'une
ill.117,118,123. lionne, la fière arrogance d'un vautour ou dans des oeuvres plus tardives de 1914 et dans un style beaucoup plus abstrait,
ill.116,180. l'amour de deux oiseaux, la fierté du coq, la
ill.178. fureur de deux cerfs... De fait,le thème des animaux parcourt tout son oeuvre dessiné : des premieres oeuvres naturalistes à la série des dessins au trait de 1912-13 jusqu'aux animaux simplement recréés à
ill.179,180,181. partir de quelques lignes abstraites vers
ill.157. 1914 ou encore pris dans le tourbillon vorticiste de la même année. Le thème des animaux s'inscrit plus dans un goût personnel et ses racines rurales que dans une quelconque filiation avec les autres grands animaliers de la période mais on peut cependant avancer une comparaison avec l'art animalier de trois de ses contemporains :les sculpteurs François Pompon (1855-1933) pour la pureté de la ligne ou Rembrandt Bugatti (1884-1916) pour les types d'animaux (biche, marabout, aigle, cheval) et le peintre Franz Marc (1880-1916), qu'il n'a toutefois pas rencontré à Munich en 1909, pour la force et la récurrence du thème. Toujours est-il que cette magistrale pureté du trait est à son comble dans quelques dessins de
ill.122,117,118. bovidés ou de lionnes et le sera plus encore
ill.133. dans les dessins très purs des *Lutteurs*. On est en droit de se demander si cette impressionnante pureté du trait n'est pas plutôt à mettre en rapport avec l'art asiatique, les dessins et la calligraphie japonaise que Gaudier connaît très tôt par ses lectures (Ezra Pound ne lui apprend les idéogrammes chinois que plus tard après 1913), renforcé encore par sa fréquentation des arts primitifs et préhistoriques. Le témoignage d'Horace Brodzky reste là encore des plus précieux : "Les dessins de cerfs et autres montrés à la galerie de sculpture étaient tout à fait chinois. Je me rappelle lorsqu'il les exécutait. Les dessins
fig.9. d'hommes montés sur un cheval et les cerfs étaient censés être "comme les Chinois" (12). De plus, cette simplicité s'enracine dans la conception que se fait, dès 1912, Gaudier de l'art et de ses technique : "Quant à mes idées sur l'art je les modifie sans cesse - et de celà je suis très content. Si je m'arrêtais à une idée fixe je me maniériserait (sic) et abîmerais toute mon évolution. D'après tout ce que je puis mettre ensemble maintenant je pense que l'art est l'interprétation de l'émotion, par conséquent de l'idée.
A cette émotion je reconnais que la discipline de la technique est nécesssaire et au moment présent je pense que plus la technique est simple et limitée mieux l'idée se dégage.Maintenant d'un autre côté je reconnais que plus la technique est limitée plus il y a de danger de tomber dans l'affectation qui est la négation de toute émotion ressentie devant la nature. Encore dans cette émotion je reconnais 3 divisions : l'émotion linéaire produite par le rhythme (sic) des silhouettes et des traits - l'émotion sculpturale produite par l'équilibre des masses telles qu'elles nous sont révélées par la lumière et l'ombre - l'émotion picturale produite par le jeu des pigments coloriés différents. Ces trois émotions techniques semblent être réunis (sic) par des liens très étroits...." (13). Nous ne reviendrons pas sur le passé, bien étudié par ailleurs, dans lequel s'enracine le goût de Gaudier pour les sujets animaliers : présence à Orléans, sa ville natale, du trésor de bronzes gallo-romains de Neuvy-en-Sullias, enthousiasme pour les animaux de la grotte de Font-de-Gaume en particulier, découverte de la grotte des Eyzies.... (14). De fait le thème des animaux suit la quête inhérente à toute son oeuvre : à savoir la recherche du mouvement et de l'expression, recherche qui le mènera tout naturellement soit à rendre "le point d'énergie maximale" pour reprendre la définition du vortex de Pound soit à reconstruire à partir de lignes abstraites le corps des animaux. Mais la

fig 9
***. Cavalier*, encre, 1913, Tate Gallery , Londres**

12. BRODZKY, "Henri Gaudier-Brzeska", Art Review, mai 1922, p. 16.

13. Lettre de Gaudier à Sophie Brzeska du 28 octobre 1912, archives de l'Université d'Essex.

14. FAUCHEREAU "Gaudier Brzeska animalist artist", catalogue de Cambridge, York, Bristol : Henri Gaudier Brzeska sculptor, 1983-1984, p. 7-20

15. Lettre de Gaudier Brzeska à Sophie du 16 novembre 1912, citée dans SECRETAIN, op. cit., p. 146

16. Reproduit dans le catalogue Cambridge, York, Bristol, op. cit., n° 44

17. Reproduit dans le catalogue George Minne in der Kunst Rond 1900, Gand, Musée des Beaux-Arts, 1981, ill. p. 150, n° 73. Ce catalogue, s'il ne cite pas Gaudier-Brzeska, analyse la forte influence qu'a eu l'art de Minne aux alentours de 1900.

fréquentation du zoo provoque chez Gaudier un changement d'attitude envers les bêtes qu'il avait jusque là admirées. Par une intuition quasi-prophétique il établit un parallèle entre la sauvagerie des bêtes et le retour à la barbarie des hommes en cas de guerre : "Je suis allé au zoo. Les bêtes ont eu sur moi un effet que je n'avais jamais subi ; je les ai toujours admirées mais maintenant je les déteste : la sauvagerie de ces fauves qui se ruent sur de la viande ! c'est une image trop réelle des humains. Ce qui m'a le plus remué, c'est un groupe de quatre chimpanzés. Des hommes primitifs... C'est triste de voir d'où nous sommes sortis non parce que nous avons été cela, mais parce que nous pouvons le redevenir..... Notre science nous permet d'utiliser toutes les forces déjà maîtrisées, notre art d'interpréter des émotions déjà ressenties. Mais que vienne une grande guerre, une épidémie et nous retomberons dans la nuit de l'ignorance". (15). On comprend mieux à cette lecture pourquoi Gaudier dote certains de ses animaux d'expressions quasi-humaines même s'il élimine généralement les scènes de sauvagerie. Gaudier est en effet ennemi de toute recherche d'effet gratuit en accord en cela avec les conceptions de Rodin que Gaudier lit passionnément en 1913.

En novembre 1912, Gaudier s'inscrit dans une classe de dessin de Chelsea, la St Bride's school, où il dessine d'après le modèle nu deux matinées par semaine et cela pendant cinq semaines. Gaudier, qui préfère nettement le modèle au repos au modèle qui pose, va approfondir ici sa connaissance de l'anatomie humaine et de la ligne dans

ill.92 à 104.
ill.106 à 114.

d'innombrables séries de nus masculins et féminins. La simplification magistrale de certains dessins alliée à une écriture cursive aboutit à des dessins d'une force surprenante dont beaucoup sont conservés au musée d'Orléans. La série des nus oscille entre deux pôles : ceux exclusivement linéaires et ceux plus sculpturaux avec un jeu de puissantes hachures. Généralement il s'agit de figures isolées mais elles sont parfois groupées comme les *Trois hommes nus agenouillés* de Musée National d'Art Moderne de Paris de 1913 (16). Le thème même des hommes agenouillés, l'élancement de certains autres corps appellent une comparaison avec l'oeuvre du sculpteur belge Georges Minne (1866-1941) bien connu dans toute l'Europe et des Français en particulier à partir de 1900. Toutes les académies d'hommes de Gaudier dégagent une tension et une force physique évidente très éloignée cependant des nus de Minne chez qui ce caractère physique est inconnu, évincé qu'il est au profit de l'intériorité. Par contre les lignes verticales, les plans simples de quelques pages évoquent bien parfois l'art de Minne. Une encre du Musée d'Orléans va jusqu'à rappeller même la structure de certains ill.91.
dessins préparatoires de Minne pour la *Fontaine des cinq adolescents agenouillés* de1898 (17). Mais la parenté reste essentiellement formelle car on imagine mal comment Gaudier, qui réfute déjà l'idéalisme des néo-impressionnistes et les "balivernes du spirituel dans l'art" d'un Kandinsky, pourrait mieux adhérer au symbolisme d'un Minne.

fig 11
.Autoportrait au bonnet vert,
Pastel sur papier, 1913, City art Gallery, Southampton

Gaudier et la couleur

18. Lettre de Gaudier Brzeska à Sophie du 5 novembre 1912, manuscrit de l'Université d'Essex.

Gaudier ne se borne pas, dans les années 1912-1914, aux seuls dessins linéaires à l'encre, à la mine de plomb ou à la pierre noire. A côté de cela, il produit à partir de 1912 plusieurs dessins très colorés qui tranchent étrangement avec la sobriété de ceux au trait. Il s'agit de quelques gouaches comme par exemple *la Femme au collier* de

fig 10 *.Oie et canard*, gouache , 1912 -1913 Mercury Gallery, Londres

fig.10. 1913 de la Mercury Gallery *l'Oie et canard* de 1912-1913 de cette même galerie et du
ill.72. *Portrait d'homme* du Musée d'Orléans. Elles sont à mettre en rapport avec les frises de papier peint que Gaudier entreprend à la fin de 1912 pour essayer de "faire affaires" (18). A part ces gouaches, certaines oeuvres allient craie et aquarelle comme le Portrait de Georges Banks de 1913 (19) mais Gaudier va surtout produire plusieurs pastels dont le petit nombre n'est en rien comparable avec celui des dessins au trait. Certains de ces pastels sont à mettre en parallèle avec ses sculptures car on oublie parfois que Gaudier sculpteur s'intéresse aussi à la couleur. Gaudier a conçu plussieurs sculptures en plâtre coloré en 1912 : *La Madone* de la fondation Kettle's Yard de Cambridge ainsi que le *Masque de Lovat Fraser* du Musée du Petit Palais de Genève
ill.12. ou le relief *Homme et femme* du musée de Leeds et au début de 1913 encore certains reliefs. Il existe plusieurs pastels à mettre en relation avec ces sculptures : dessin au pastel de *la Madone* dans une collection
ill.77. particulière (20), de *Lovat Fraser* du Musée d'Orléans... Mais si les sculptures peintes ne semblent pas aller au-delà du début de l'année 1913, Gaudier va, par contre, dans certains pastels des années 1913-1914 porter la couleur à son apogée dans deux registres très différents : celui des portraits et celui des oeuvres abstraits. Gaudier décore du reste dans ces années là l'escalier et les boiseries de l'atelier de Lovat Fraser de couleurs criardes.

19. Reproduite dans le catalogue Sixty drawings by Henri Gaudier Brzeska, Londres, Mercury Gallery, 1975, n° 5

20. Reproduite dans le catalogue Cambridge, York, Bristol, op. cit. p. 35, n° 9

Certains pastels, sans doute de la fin de 1912, apparaissent un peu comme des portraits au trait coloriés tels ceux
ill.71. conservés à Orléans : *l'Homme au chapeau,*
l'Homme à la pipe , la Femme au chapeau ill.69,70.
jaune ou encore celui qui servit de jaquette au livre d'Horace Brodzky, *Drawings.* Si ces dessins ne font qu'engager Gaudier vers la couleur, plusieurs portraits de 1913 voient l'explosion de la couleur pure: *Portrait de Sophie-Brzeska* de la Tate
Gallery de Londres, *Portrait d' Horace* ill.105.
Brodzky de l'Arts Council ou *l'Autoportrait* fig.11.
au bonnet vert du musée de Southampton. Dans cette dernière oeuvre les facettes cubiques dans lesquelles s'inscrivent les couleurs les plus vives accentuent encore leur violence. De la même façon, le visage
de Brodzky construit par aplats de couleurs ill.105.
portées à leur paroxysme est particulièrement agressif : en gros plan sur fond jaune le visage surgit zebré de vert, jaune, rose, orange.

De fait l'Angleterre des années 1912-1913 est loin d'être l'île isolée des grands courants picturaux qu'on pourrait imaginer. Plusieurs expositions post-impressionnistes sont organisées à Londres par Roger Fry aux Grafton Galleries : celle de novembre 1910 - janvier 1911 avait montré les oeuvres de Gauguin et Van Gogh au moment où Gaudier arrivait en Angleterre puis une deuxième exposition post-impressionniste d'octobre 1912 à janvier 1913 réunissait les oeuvres de Matisse, Marquet, Vlaminck, Vanessa Bell... Or en octobre 1913 Gaudier rencontre Roger Fry pour lequel il travaille aux ateliers Omega et, dans ce même mois d'octobre, une exposition post-impressionniste et futuriste, organisée cette fois par Frank Rutter, ouvre ses portes à la Doré Gallery avec Delaunay, Matisse et les Allemands Marc, Pechstein... Gaudier en 1913, connaît donc parfaitement les oeuvres colorées de l'avant-garde européenne. De plus Gaudier s'est assurément intéressé aux théories des couleurs des néo-impressionnistes ainsi que le prouvent plusieurs lettres en particulier
celle envoyée à sa soeur Renée de 1911 et ill.184.
conservée au Musée des Beaux-Arts d'Orléans. Dans cette lettre, nous apprenons que, dès la fin de l'année 1911, Gaudier a fait sienne les théories des néo-impressionnistes sur le jeu des complémentaires, élément dominant des théories néo-impressionnistes, : "fais des choses comme celles-là n'importe lesquelles à l'encre de Chine - sans crayon et habitue-toi à les colorier ensuite tout comme tu penses - mais si tu donnes la prééminence au jaune rappelle-toi que tu dois avoir du violet tout à côté, au rouge du vert, au bleu de l'orangé jaune = rouge + bleu, bleu = rouge + jaune, rouge = bleu + jaune, de sorte qu'une

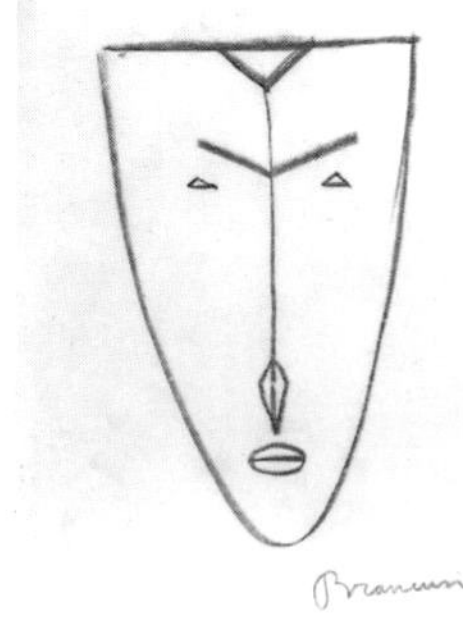

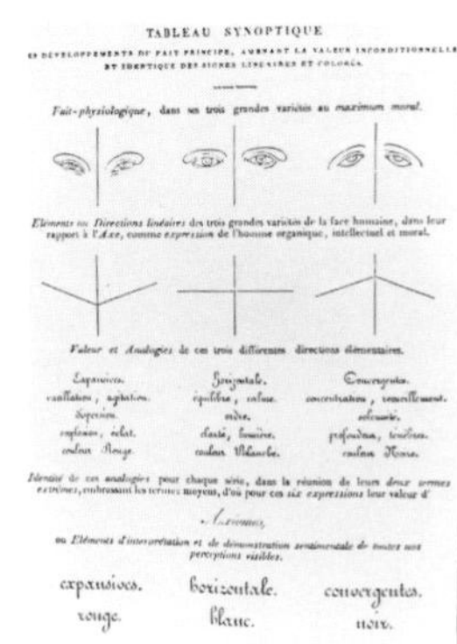
TABLEAU SYNOPTIQUE

Fait-physiologique, dans ses trois grandes variétés au maximum moral.

Valeur et Analogies de ces trois différentes directions élémentaires.

expansives. horizontale. convergentes.
rouge. blanc. noir.

fig 12
.Portrait de Brancusi,
pierre noire ,
vers 1913 -1914,
Fondation Kettle's Yard,
Université de Cambridge
. Croquis
"Realisme/ Néo-impressionisme",
lettre à Sophie
du 13 Mai 1911
. Humbert de Superville,
Essai sur les signes inconditionnels dans l'art

21. Lettre de Gaudier à sa soeur Renée du 28 décembre 1911, Musée des Beaux-Arts d'Orléans

22. Lettre de Gaudier à Sophie du 13 mai 1911, citée dans SECRETAIN, op. cit., p. 75.

23. SADDLEIR, "Fauvism and a fauve", Rhythm, été 1911, vol. I, n° 1, p. 14-18

24. MURRY "Aims and ideals", Rhythm, op. cit., p. 36

couleur fait toujours bien à côté du mélange des deux autres" (21). Il apparaît très clairement que Gaudier-Brzeska a en 1911 assimilé les théories néo-impressionnistes ainsi que l'attestent d'une part cette lettre à sa soeur, d'autre part le dessin comparatif réalisme/néo-impressionnisme déjà cité à propos du portrait de Brancusi qu'il inclut dans une lettre à Sophie de la même année. Ce dernier croquis se signale par une connaissance très précise de la part de Gaudier des théories des néo-impressionnistes qui, à la suite d'Humbert de Superville, ont insisté sur le rôle des lignes ascendantes ou descendantes de la composition comme
fig.12. vecteurs de l'expression et de l'émotion. Gaudier est cependant loin d'adhérer totalement au néo-impressionnisme : "J'ai lu des choses sur les néo-impressionnistes. Ils sont trop idéalistes, mystiques et pas du tout indépendants. Ils ressemblent aux vieux barbares chrétiens du Moyen Age. Leur principe c'est que le dessin (peinture, sculpture, architecture) ne doit pas représenter tel ou tel objet, mais transmettre à l'esprit par certaines indications une image, un souvenir, exalter l'imagination, faire penser à la chose représentée. Cela est une décadence, parce qu'ils mêlent peinture et musique. La musique est un art entièrement idéaliste: elle existe pour évoquer, pour rien d'autre. Tandis que le rôle de la plastique est de plaire aux sens en leur donnant quelque chose de palpable, de substantiel, donc une représentation" (22). Si plusieurs pastels comme le *Portrait de Sophie* de la Tate Gallery ou la *Composition*
ill.141. *abstraite* du Musée d'Orléans perpétuent le contraste des complémentaires (bleu/orange), l'analogie avec le néo-impressionnisme s'arrête là. Gaudier qui ne s'est jamais essayé au "ripipoint" détesté de Gauguin pratique comme ce dernier les aplats de couleurs. Sans nul doute c'est ce versant-ci du post-impressionnisme qui a retenu son attention dans les expositions post-impressionnistes londoniennes.

En Angleterre même, Spencer Gore et Charles Ginner décorent en 1912 le cabaret du veau d'or (*Cave of Golden Calf*) de Madame Strindberg, la femme de l'écrivain, dans un déchaînement de couleurs les plus gaies, des aplats d'orange en particulier, toutes caractéristiques que l'on retrouve dans les pastels de Gaudier. Or Gaudier connaît parfaitement ce cabaret très célèbre pour ses décors et rend visite à Epstein lorsque celui-ci participe à sa décoration. De plus les amis de Gaudier dans les années 1912-1913 sont des plus engagés dans la couleur : la revue *Rhythm* à laquelle il collabore en 1912 s'était déjà en 1911 fait l'écho des théories fauves dans plusieurs articles par exemple celui de Michael Th. Sadleir, *"Fauvism and a fauve"* à propos d'une exposition d'Anne Estelle Rice (23) et dans ce même numéro, Middleton Murry définissait les "buts et idéaux" de la revue comme un appel à un art "vigoureux, déterminé" loin de tout esthétisme (24). De plus, le peintre Alfred Wolmark avec qui
Gaudier est très lié en 1913 - le buste de ill.18.
Wolmark par Gaudier date de cette année et Gaudier fréquente alors assidûment son atelier - est un des artistes les plus radicaux dans la violence des couleurs. Influencées autant par Van Gogh que Gauguin les oeuvres de Wolmark à partir de 1910 sont marquées du sceau du scandale tant par la vigueur d'une touche épaisse que par l'usage de couleurs vives. Le scandale qui n'a cessé décidément de poursuivre Gaudier touche même son
portrait peint par Wolmark. Echangé contre ill.185.
le buste sculpté par Gaudier la tête verte ill.18.
fit l'objet de violentes attaques.

25. Premier Vortex de Gaudier paru dans Blast I, 1914 et traduit dans Henri Gaudier-Brzeska par Ezra Pound, op. cit., p. 25

26. L' exposition de l'Allied Artists Association, précurseur du London group, se tint en 1914 au Hall de Holland Park. Gaudier en fit le compte rendu à la demande de Richard Aldington. Plusieurs ouvrages ont reproduit cet article par exemple COLE, op. cit., p. 133-134

27. "Manifesto" in Blast I, London, John Lane, 1914 ; réédition Santa Barbara, Black Sparrow Press 1981, p. 1142

Collaborateur régulier de *Rhythm* vers la même époque, l'Ecossais John Fergusson a été lui aussi un des artistes les plus engagés dans le fauvisme. Que ce soit Ginner, Gore, Fergusson ou Wolmark, Gaudier connaît en tous cas parfaitement ces artistes qui rivalisent par leurs audaces colorées. Comme eux Gaudier va surenchérir dans la couleur pure.

Mis à part les portraits colorés des années 1912-1913, l'autre voie dans laquelle Gaudier va pousser la quête de la couleur est celle des compositions abstraites des années 1914. Ces pastels constituent une part cohérente et des plus radicales dans son oeuvre. C'est bien de rupture dont il faut parler tant ces oeuvres, tout comme les dessins abstraits, mais à l'encre, de la même période contrastent avec les précédentes. L'engagement de Gaudier au sein du vorticisme précisément dans les années 1914-1915 en est, sans aucun doute, à l'origine. Dans ce type d'oeuvres les sujets habituels chez Gaudier (nus,animaux, portraits...) sont évacués au profit d'une pure abstraction ou du monde de l'objet
ill.142. comme dans *Signals* du Musée National d'Art Moderne. La rupture s'établit donc au niveau du référent mais aussi au niveau de la composition car le très gros plan remplace la composition en pleine page.
Par leurs formes mécaniques ou leur degré d'abstraction, les oeuvres de Gaudier vont souvent ici plus loin dans l'abstraction qu'il ne le fait dans ses sculptures de la même
fig.13.. période. La *composition abstraite* de 1914 est sans doute aussi une des plus emblématiques de ses conceptions. En 1914 les écrits sur la sculpture de Gaudier dans *Blast n° 1* reflètent le radicalisme de sa position : "nous avons cristalisé la sphère en cube, nous avons étiré la sphère en oeuf, nous avons combiné des masses de toutes les formes possibles, les concentrant afin d'exprimer notre idée abstraite d'une conscience supérieure" (25), Le pastel fait écho aux affirmations de Gaudier en sculpture si ce n'est que la combinaison des masses de la sculpture correspond ici à une combinaison de formes concentrées autour d'une idée abstraite.
Gaudier a sans conteste le goût des compositions très construites. Pour connaître ses choix esthétiques il est utile de se reporter à ses jugements lorsqu'en juin 1914 il réalise le compte rendu d'exposition de l'Allied Artists' Association (26). Ses appréciations se cristallisent toujours autour des deux mêmes critiques : couleur et construction. S'il rejette

fig 13
.*Composition abstraite*,
pastel ,
vers 1914,
localisation inconnue

"le manque de forme" de Phelan Gibb ou les "assertions vagues, informes" de Kandinsky, c'est pour louer les "dessins volontaires, des formes définies toutes prises dans le mouvement" de Wyndham Lewis. Il aime également ceux chez qui la couleur est très présente. Pour cela il apprécie les couleurs "libérées" de Kandinsky qui "donnent de la gaieté" et plus encore celles d'Ade Souza Cardoso dont il se sent très proche. Coïncidence ou non, Gaudier admire particulièrement lors de cette exposition une toile abstraite de Lewis intitulée *Signalling* et lui-même exécute un
pastel au titre proche *Signals* la même ill.142.
année. Dans cette dernère oeuvre Gaudier fait référence au monde industriel en accord en cela avec l'esthétique de la machine prônée par le philosophe Hulme et par le fédérateur du vorticisme, Wyndham Lewis, pour qui les formes de la machine et des usines sont des sujets par excellence (27). A l'évidence, les oeuvres de Gaudier restent cependant assez éloignées de celles des peintres vorticistes. Aucun télescopage brutal de formes géométriques chez lui mais toujours un jeu subtil sur les oppositions de formes mécaniques/organiques, dynamiques/statiques. Si les peintures

fig 14
. *Deux figures*,
encre,
vers 1914,
Museum of Fine Arts,
Boston

d' Edward Wadsworth, David Bomberg, Wyndham Lewis... se caractérisent par leur dynamisme affirmé et leur implacable géométrie, rien de tel dans les oeuvres de Gaudier où modelé et courbes atténuent l'agressivité latente des couleurs.
Dans la *Composition abstraite* de 1914 du Musée d'Orléans, le cloisonnisme et les stridences de l'orange rappellent nettement les décors de Spencer Gore et Charles Ginner pour le Cabaret du Veau d'Or. Mais Gaudier va beaucoup plus loin ici puisqu'il crée une oeuvre tout à fait abstraite. ill.141.
Ces pastels abstraits des années 1913-1914 évoquent par certains côtés l'oeuvre de Léger que ce soit ses contrastes de formes des années 1913-1914 où toute figuration a disparu, la période mécanique des années 1918-1920 et surtout le décor de Léger de 1923 *la Création du Monde* pour les ballets suédois avec une même synthèse de formes géométriques et africaines, un même goût pour les courbes et le modelé.

Une grammaire des styles

Dans ces années 1914 Gaudier produit d'assez nombreux dessins monochromes au trait, et souvent complexes dans leur interprétation mais faisant à l'évidence référence à des scènes amoureuses. fig.14.
Le parallèle avec le sculpteur Epstein s'impose ici. Epstein que son contemporain le sculpteur Eric Gill qualifiera de"*mad about sex*" a développé à travers de nombreuses sculptures, *Rock Drill, Les Colombes...*, ces thèmes sexuels, tout comme le fait d'ailleurs en 1911 ce même Eric Gill dans sa sculpture *Ecstasy* exécutée pour le cabaret de Madame Strindberg. Plusieurs dessins de Gaudier font écho à ceux d'Epstein pour *Rock Drill* en particulier et Gaudier n'est pas toujours moins explicite qu'Epstein même si ces scènes de copulation sont transposées dans des mouvements quasi mécaniques.
L'Angleterre pudibonde n'apprécie pas précisèment ce type de dessins. A la suite, entre autres, d'un dessin de Gaudier paru dans la revue *New Age*, le peintre Sickert marque sa désapprobation : "Nous écoutons beaucoup de choses à propos de l'art abstrait. Mais alors que les visages des individus sont généralement non figuratifs, l'absence de figuration est oubliée quand on arrive aux organes sexuels. Pour preuve la *Création* de M. Wyndham Lewis exposée à Brighton, un dessin de M. Gaudier-Brzeska paru dans *New Age* de la semaine dernière et plusieurs des derniers dessins de M. Epstein" (28). Que ce soit dans ses scènes amoureuses ou dans ses "animaux en action" pour paraphraser les oeuvres de leurs "ennemis" futuristes , Gaudier opère une magistrale synthèse entre mouvement issu du futurisme, formes mécaniques issues de Hulme et Lewis et abstraction. Comme l'a très bien observé Jacques Dubanton, ces mouvements échappent cependant totalement à toute sécheresse de gestes simplement mécanisés : "Ses animaux ou ses hommes machines sont animés d'un biodynamisme que la sensibilité glacée des autres peintres vorticistes ne sait pas faire passer"(29). La remarque aurait pu s'appliquer à un Duchamp-Villon à qui l'art de Gaudier s'apparente parfois.

Gaudier comme les autres vorticistes a toujours rejeté le futurisme et ses adeptes, Marinetti en particulier, pourtant l'étude du mouvement se situe incontesta- blement dans leur suite. Les oeuvres de Gaudier sont cependant très éloignées des décompositions photographiques que

28. Texte de Sickert paru dans la revue New Age du 26 mars 1914 p. 65 et cité par SILBER, The sculpture of Epstein, Oxford, Phaidon, 1980, p. 29

29. Mémoire de maîtrise de DUBANTON, "Retour sur Henri Gaudier Brzeska : le vorticisme et la sculpture anglaise de 1910 à 1915", Université Paris I, p. 91

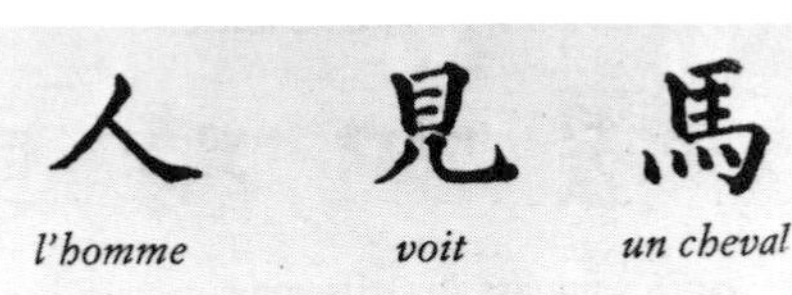

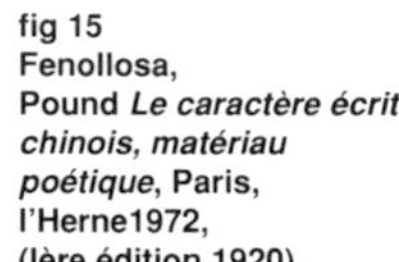

fig 15
Fenollosa,
Pound *Le caractère écrit chinois, matériau poétique*, Paris, l'Herne1972,
(lère édition 1920).

. *Composition vorticiste*
encre , 1914,
Musée des Beaux-Arts, Orléans

30. FENOLLOSA, POUND, Le caractère écrit chinois, matériau poétique, Paris, l'Herne, 1972, p. 14-15, 25.

proposent les futuristes du mouvement dans un traitement semi-réaliste (*Dynamisme d'un chien en laisse* de Balla en 1912) ou divisionniste (*Petite fille courant sur un balcon* du même Balla de 1912). La décomposition du mouvement chez Gaudier aboutit soit, dans ses chevaux, à l'expression de quelques "lignes de force" comme a pu du reste le faire Balla, le meilleur des futuristes pour Wyndham Lewis, soit comme dans l'étude pour
ill.136. *la Danseuse en pierre rouge* à une simplification primitiviste du corps en mouvement. Là encore ces dessins disent bien les contradictions entre les théories des vorticistes auxquelles Gaudier adhère et leur art. Anti-cubiste, anti-futuriste, le vorticisme leur doit pourtant beaucoup d'un point de vue formel.

Si Gaudier opère dans son oeuvre une synthèse de ces différents courants, on peut également suggérer pour une partie seulement de son oeuvre, les dessins à l'encre représentant les mouvements
ill.156 à 165. convulsifs d'hommes ou chevaux vers 1914, l'influence des idéogrammes chinois découverts par l'intermédiaire d'Ezra Pound. On sait que Pound, en 1913, connaît les idéogrammes chinois grâce à la veuve d'Ernest Fenollosa, grand spécialiste des arts japonais, et qu'il incluera une première fois l'essai de Fenollosa *The Chinese Written Character as a Medium of Poetry* en 1920 dans *Instigations* avant de le publier en 1936. Dans ce livre Fenollosa explique le fonctionnement des idéogrammes chinois à l'aide d'exemples précis, les termes "homme" et "cheval" en particulier ; or ces deux représentations reviennent constamment dans les dessins à l'encre des années
fig.15. 1914. Ce sont en effet des hommes ou des chevaux qui se cachent sous beaucoup des dessins dits "abstraits" ou "vorticistes". Voici ce qu'écrit Fenollosa à propos des idéogrammes : "Mais l'écriture chinoise est plus qu'une série de symboles arbitraires, c'est un vivant dessin abrégé de l'opération naturelle. Dans le cas de la figure algébrique et du mot prononcé, il n'y a pas de lien naturel entre la chose et le signe. C'est une pure convention. La nature suggère la méthode chinoise. Il y a l'homme sur ses deux jambes, puis ses yeux parcourent l'espace : une figuration audacieuse de jambes en mouvement sous le dessin d'un oeil ; l'oeil est stylisé, les jambes aussi sont stylisées, mais inoubliables dès le premier regard. Il y a enfin le cheval sur ses quatre jambes. Les signes chinois provoquent l'imagination, aussi bien que les mots, et de manière plus vivante, plus concrète. Les trois caractères ont des jambes : ils sont vivants. Le groupe possède quelque chose des qualités d'un dessin animé... Comme la nature, les mots chinois sont vivants et plastiques, ceci parce que chose et action ne sont pas formellement séparés" (30). Il apparaît de fait que les dessins d'hommes ou de chevaux très enlevés et parfois mystérieux de Gaudier regroupent trois caractéristiques de l'idéogramme chinois : leur technique d'abord, dessin à l'encre et au pinceau, leur mode de fonctionnement puisque la signification provient de la juxtaposition d'éléments concrets, enfin, leur écriture qui "condense l'énergie et le sens" pour reprendre l'analyse qu' a faite Jean-Michel Rabaté des idéogrammes. Tout ceci incite à penser que Gaudier, si apte par ailleurs à saisir toutes les sollicitations extérieures, imprègne son art de cette nouvelle découverte.

A l'inverse des ces oeuvres convulsives existe une série de dessins au trait des
années 1914, étranges hommes-machines, ill.168,171,172.
sortes de robots qui se présentent au contraire avec la fixité inquiétante du sphinx. Gaudier s'y exprime par signes : le triangle

tient lieu d'éléments du visage et l'oeuf "à la Brancusi" de visage. Brodzsky nous confirme du reste que les formes d'oeuf de Brancusi, qui avaient beaucoup amusé Gaudier, ont été une source d'inspiration. Dans ces remarquables dessins, ce ne sont plus les mouvements qui sont mécanisés mais les formes elles-mêmes. Ces oeuvres tirent leur force autant de leur écriture simplifiée que de leurs formes puissantes. Cette synthèse d'éléments mécaniques et primitifs, dans la stylisation des mains en particulier, est tout à fait particulière à Gaudier dans ces années là. Ceci apparaît par exemple très clairement dans un dessin
ill.170. d'Orléans où les bras demesurés des singes gibbons prolongent des corps mécaniquement stylisés.
ill.168. Certains de ses dessins, s'ils ne sont pas des études pour des sculptures, ne sont cependant pas sans parenté avec ses sculptures
ill.42. les plus abstraites comme la *Torpille*. Dans ce type d'oeuvre l'influence du cubisme, que les vorticistes refusent pourtant, est latente, alliée à une nette abstraction mais où l'homme n'est cependant pas totalement absent en accord avec les idées de Hulme exprimées lors de sa conférence du 22 janvier 1914 sur l'art moderne et la philosophie. Les dessins préparatoires aux différents jouets sont de même avant tout des combinaisons de formes abstraites.

Plus primitifs sont les admirables lavis d'aquarelle et d'encre des années 1914 : que ce soit les études préparatoires pour le
ill.149 à 151,136. *Marteau de porte, la Danseuse en pierre*
ill.133. *rouge,les Lutteurs* ou les dessins isolés
ill.143. comme l'*Homme et cheval* et la *Femme*
ill.144. *dansant* du Musée National d'Art Moderne. Cette dernière oeuvre en particulier force l'admiration par un primitivisme et une monumentalité proches de Brancusi dans son très exceptionnel dessin de 1913 pour le *Premier Pas* (Musée National d'Art Moderne).

ill.182. L'émouvant dessin *One of our shells exploding* exécuté dans les tranchées de la Craonne en 1915 marque le point final de sa vie d'artiste et de sa vie tout court. Analogie fortuite, ce dessin, exécuté alors que Gaudier écrit dans les tranchées son second vortex, rejoint certaines oeuvres de Balla de 1913-1914 précisément intitulées *Vortex.*

Protéiforme, l'oeuvre de Gaudier-Bzreska dessinateur ne s'enferme jamais dans un style. Les oeuvres de la fin surtout reflètent cette pluralité où primitivisme, vorticisme, cubisme et abstraction se côtoient. Cet oeuvre réserve encore bien des surprises,
tels ces dessins au trait de la mort ou cet ill.80.
étonnant squelette à l'encre rouge du Musée National d'Art Moderne et bien des
interrogations telle cette *Femme dansant* ill.73.
du Musée d'Orléans. Doit-on y voir une reminiscence d'oeuvres expressionnistes ? Un simple souvenir d'une soirée passée dans le cabaret de Madame Strindberg ? Le survol en quelques pages de l'oeuvre si riche de Gaudier ne saurait répondre à tout. Toujours est-il que son oeuvre dessiné force l'admiration, par sa variété, son abondance et surtout son extrême qualité. Si la briéveté fulgurante de sa vie n'a pas permis de lui donner une place au Panthéon des "maîtres du XXe" pourtant tout son oeuvre de jeunesse - et pour cause ! - dit à quel point Gaudier est de la race des "grands".

Parmi ces milliers de dessins souvent exécutés pour eux-mêmes, son activité de décorateur peut également être suivie grâce
à des dessins comme celui du *Chat* qui sera ill.84.85
exécuté en céramique pour les ateliers Oméga de Roger Fry à partir de 1913 ou plus intéressants peut-être encore par des
dessins de vases non réalisés et si imprégnés ill.87 à
d'art primitif.
De même le rapport complexe des dessins de Gaudier à sa sculpture mériterait un développement particulier tant le va-et-vient dessin/sculpture est chez lui indissociable. Par leur nombre, ce type de dessins documente de façon souvent pléthorique ses sculptures (réalisées ou non). Pour n'en citer que quelques-uns, la statue
Caritas (dite aussi *Maternité*) donne lieu à ill.34.
de très nombreux dessins conservés à ill.152,1
Orléans, et à la Fondation Kettle's Yard. ill.154.
Comme l'a très bien montré Jeremy Lewison, l'achèvement des dessins de Kettle's Yard donne à penser que Gaudier les conçoit comme des oeuvres autonomes et non comme de simples études préparatoires qui sont généralement beaucoup plus simples. Il est en effet souvent difficile de déterminer si les dessins de Gaudier dits "en rapport" avec ses sculptures sont préparatoires à celles-ci ou exécutées d'après elles. On interprète généralement les dessins simplement délinéants comme préparatoires aux sculptures et ceux plus poussés, avec notamment l'indication du modelé, comme exécutés d'après les
sculptures. De la même façon, le *Marteau* ill.41.
de porte est accompagné d'assez nombreux
dessins. Si celui à la pierre noire du Musée ill.150.
d'Orléans apparaît comme une étude préparatoire certaines à l'encre et aquarelle du Musée National d'Art Moderne apparais-

sent par leurs qualités picturales plutôt comme des oeuvres en soi.
Sans vouloir escamoter le rapport dessin/sculpture, nous redisons, au risque de nous répéter, que ce vaste sujet mériterait à lui seul une étude - une autre étude. Tel n'était pas notre propos ici où nous voulions oublier - mais le peut-on ? - que Gaudier n'est pas seulement un grand sculpteur.

Benington,
Photographie de
Gaudier devant Femme
assise, vers 1914

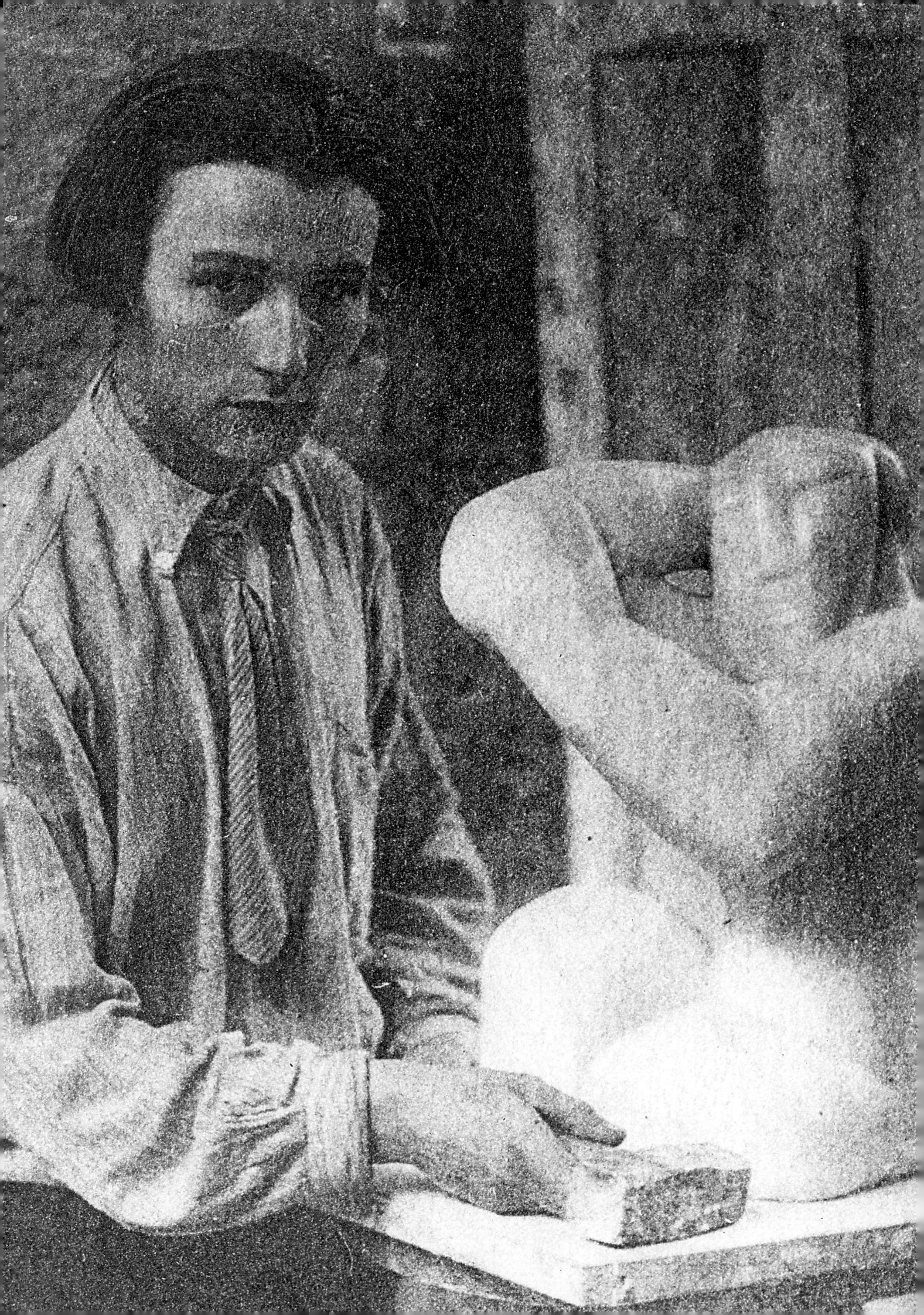

Gaudier-Brzeska et le Primitivisme

Jacques Dubanton

1. RUBIN, "Le primitivisme moderne, une introduction" in Le Primitivisme dans l'art du XXè siècle, Paris, Flammarion, 1987, p. I et suivantes

L'influence directe de Rodin évacuée, dire qu'une partie des oeuvres d'Henri Gaudier-Brzeska produites entre 1913 et la disparition de l'artiste en 1915 est redevable d'un apport d'inspiration primitiviste serait aujourd'hui un truisme trop réducteur. Au-delà d'un rapport d'évidences, si la couverture sémantique de la notion n'est pas nuancée, définie, voire ajustée à l'artiste, ce n'est qu'au premier degré la simple mise en relation d'un code du primitivisme tel qu'il s'est décanté et quasi-standardisé dans l'esprit du public, avec l'apparence des oeuvres a priori. Ainsi perçu, le primitivisme n'est qu'un masque dont on peut se contenter, au risque d'occulter la part la plus originale du potentiel des oeuvres qu'il y introduit.

L'effervescence tourbillonnante des mouvements artistiques au début du siècle et leur diversité sont à considérer sous l'angle de l'intertextualité, pour y voir, sous-jacente ou directement perceptible dans la plupart, l'incidence de ferments de rupture rénovateurs issus des cultures dites primitives ou des images de leurs représentations dans l'esprit occidental. "Ailleurs" révélés, dans le temps et dans l'espace, autres approches des systèmes de perception de l'ordre du monde, ils nourrissent l'imaginaire d'artistes qui les interprètent et les intègrent selon des finalités diverses au service de leur art. En 1913, à chacun son primitivisme.

Le sujet ne se définit pas sous le signe de l'unicité du sens. Les travaux d'analyse existants à la base des réflexions actuelles sont répartis le long du siècle, peu nombreux et séparés par un laps de temps surprenant, comme si l'interrogation du public et de la critique était frileuse sur le sujet. Les arts primitifs ont été longtemps considérés comme des témoignages ethnographiques, des curiosités, sauf de la part de cercles restreints d'amateurs, de collectionneurs ou d'artistes. La catégorisation et la sélection sans condescendance, à parité culturelle, semblent aujourd'hui tout juste établies.

En 1904, le primitivisme est défini dans le dictionnaire Larousse comme "imitation des primitifs" (1), primitifs que le même ouvrage qualifie comme "les peuples qui sont au degré inférieur de la civilisation". La référence de base de l'honnête homme est imprégnée d'idées évolutionnistes et ethnocentriques, porteuses de hiérarchie en art et caractéristiques d'une époque où Apollinaire, lui-même collectionneur et passionné d'art nègre, écrit dans le poème Zone en 1931 :

" ... tu veux aller chez toi à pied
Dormir parmi tes fétiches d'Océanie et de Guinée
Ils sont des Christ d'une autre forme et d'une autre croyance
Ce sont les Christ inférieurs des obscures espérances "

Le primitif n'ayant pas à s'imiter lui-même, sinon en perpétuant les traditions inscrites dans sa culture, le primitivisme, notion purement occidentale, n'a pour lui aucun sens, si tant est qu'il existe. Le primitif n'a que faire de ce masque.

On peut tenter une approche de sens en montrant ce qu'il n'est pas. *Le chef de tribu*, oeuvre de 1908 d'Herbert Ward, sculpteur voyageur anglais des plus respectables, montre bien l'ambiguïté qui peut s'instaurer : elle est traitée dans un style naturaliste, documentaire, où l'intuition n'a pas sa place. Car un sujet ne suffit pas, même avec des motifs "authentiquement imités" des Luba du Zaïre, à rendre la composition porteuse de l'essence du concept. C'est l'oeuvre d'un africaniste qui possède talent et sensibilité, dans le prolongement des orientalistes du XIXè siècle. fig.1.

2. Lettre à Sophie Brzeska du 19 mai 1911, in SECRÉTAIN Un sculpteur maudit, Paris,Edition du temps, 1978, p. 78

3. Ibid, lettre du 28 Nov. 1912, p. 152

4. " il voulait se percer le nez avec un bâton de dix centimètres de long et y suspendre des grelots comme un indigène d'Océanie. Il désirait des boucles d'oreilles longues et bizarres ; il a même sculpté une grosse amulette en pierre verte à la manière des Maoris. Il la portait en pendentif. " Brodzky, ami de Gaudier, cité par WILKINSON " Paris et Londres " in Le primitivisme dans l'art du XXè siècle, op. cit. p. 443

A l'époque d'Henri Gaudier-Brzeska, le primitivisme recouvre un mélange de genres qui au sens large relève de l'éclectisme, vaste ensemble qui brasse la préhistoire, les civilisations antiques, l'archaïsme et l'exotisme, lui-même incluant aussi bien l'Orient ancien que les cultures tribales. La possession ou non d'un système d'écriture n'est pas discriminante. Précisons que pour l'art tribal,"Art primitif" et "Art nègre" sont des équivalents. Les artistes qui y portent un intérêt confondent souvent les productions d'Afrique et d'Océanie,l'attribution ethnographique et la fonction des objets n'étant pas leur préoccupation majeure. De ce point de vue Henri Gaudier-Brzeska et Jacob Epstein sont des exceptions.

Selon les obédiences, ce sont les suggestions plastiques des formes et leur architecture transposées dans les nouvelles représentations mentales des rapports volume / espace qui intéressent les cubistes ; les expressionnistes s'attachant à leurs qualités de primitivité liées à la mère nature dans le contenu existentiel et magique qu'elles véhiculent. Pour les sculpteurs, le travail en taille directe les place en résonance avec l'art tribal.

L'exotisme dans le temps et dans l'espace peut aussi connoter sauvagerie et barbarie superstitieuses,ou, au contraire - le mythe de Gauguin réactivé à la rétrospective de 1906 n'est pas loin - Eden paradisiaque, âge d'or qui englobe un naturalisme dans lequel les hommes, leur mode de vie, leur cosmogonie, décors et animaux, ont leur part.

Entre "Action et Réaction "

En 1910, la pensée du jeune homme est marquée, à travers sa correspondance, par un rousseauisme prolongé, mais ses rapports entre nature et culture se modulent très vite : il gardera toujours sa foi dans la mère Nature et ses vues sont précisées dans une lettre de 1911 à son amie Sophie Brzeska : " Tu as raison quand tu dis que le beau et le bon sont innés chez les primitifs. Oui, mais ils sont faibles, et la civilisation doit les développer par l'éthique et l'esthétique, qui proviennent d'elle. L'exemple n'est pas donné par l'état sauvage, mais par la civilisation"(2). Position qui s'affermit en 1912 par les limites qu'il assigne à son intérêt : "la sculpture primitive, quand j'en regarde beaucoup m'ennuie (...) la sculpture européenne moderne, vue en même quantité, m'intéresse infiniment sans m'ennuyer".(3) En 1913, année de sa participation à

fig 1
. Herbert Ward,
***Le Chef de tribu*, bronze, 1908**
(médaille d'or au salon de Paris)

l'exposition de l'Allied Artists' Association, on peut résumer la liste des artistes qu'il admire : Brancusi, Zadkine, Epstein, en y ajoutant la connaissance de l'oeuvre de Picasso et d'Archipenko. Mais exceptés son désir d'évasion vers la vie sauvage du Pacifique - est-il sérieux ? - et certains comportements provocateurs (4) le primitivisme de Gaudier apparaît davantage de seconde main à travers l'archaïsme (Maillol revisité) ou bien, même s'il n'en parle pas, à travers Gauguin dont Roger Fry a fait la promotion en Angleterre.
Une oeuvre, *La Sirène*, est exemplaire ill.27.
comme proposition de filiations successives condensées : Rodin, *la Danaïde* ; Maillol, *Femme accroupie* et peut-être un modèle des bois gravés de Gauguin, série sur le thème de *Manao Typapau* ("Elle pense au revenant"), pour le traitement du visage et des mains qui tendent à la simplification synthétique en signes et par l'impression de vacuité extatique de ce rêve de pierre. La sculpture *The Embracers* convoque, quant à ill.28.
elle, l'Océanie pour les visages, l'Egypte dynastique pour le torse, composition qui résoud, traitée en stèle, la problématique du symbolisme de la représentation en respectant la vérité du matériau et l'utilisation habile des contraintes du bloc de marbre.

5. POUND
in Henri Gaudier-Brzeska, Auch, Tristram, 1992, p. 54

6. LAUDE
"La sculpture en 1913" in L'année 1913, Paris, Klincksieck, 1971, p. 235

7. Ibid. , p. 235

8. Ibid, p. 23

(Gaudier ne disposait que d'un morceau de récupération théoriquement impropre à la sculpture).

La combinatoire singulière intégrant une prise en compte d'un primitivisme plus spécifique se déclenchera chez le jeune artiste par la thésaurisation et les sédimentations qui se conjuguent à travers le cercle de ses relations et des influences qu'il y reçoit.C'est le temps où il partage avec Jacob Epstein une boulimie de visites des collections antiques et ethnographiques tout en ayant des lectures et discussions de caractère littéraire. philosophique, anthropologique dans lesquelles ses amis Hulme et Pound ont leur leur part (5). L'accélération de l'alchimie conceptuelle dans l'imbrication de sollicitations souvent contradictoires qui coexistent simultanément se révèlera dans le creuset des oeuvres.

Par son passage dans la mouvance de Roger Fry et des Ateliers Oméga, où il s'agit d'art collectif appliqué à la décoration, Gaudier pourra faire des gammes. Dans ses Ateliers, outre ses connaissances sur les cultures non occidentales, Roger Fry préconise l'utilisation de motifs puisés dans ces dernières, associés à un cubisme modéré dans la concep-
ill.30 à 32. tion des projets. La série des *Ornements de jardin,* où l'enjeu n'est pas majeur, variations sur le motif autour de la coupe ou de la vasque, va permettre à Gaudier de tester ses idées.

ill.30. *Le Bassin pour oiseaux* (1914) et surtout
ill.33. *Deux hommes portant une jatte* (1914), par sa composition symétrique, les proportions caractéristiques des "patterns" tribaux pour les différentes parties du corps, la tension en flexion des membres inférieurs, les pieds traités en blocs géométriques qui désignent sans décrire, appellent des modèles qui pourraient être aussi bien africains qu'océaniens, car aucune ethnie ne peut être invoquée en dehors de la récurrence thématique et du traitement des corps, l'option étant vers le géométrique à tendance cubiste (plutôt africain) dans ces exem-
fig. 5 p.35. ples. *Le Lutin*, qui reprend le même schéma de proportions physiques, explore les suggestions de volumes organiques fluides, tendus et lisses (plutôt océaniens). Gaudier oscillera constamment entre ces deux pôles.

ill.31,32. *Les Ornements de jardin 2 et 3* montrent comment se glisse dans la syntaxe du discours plastique de Gaudier le montage d'éléments que la simplification a condensés, en rapport d'analogie avec des signes. Dans

l'*Ornement 2* le thème cariatide, tel que ill.31.
Picasso l'a déjà abordé dans une étude de 1907, intègre un masque sur un volume évoquant, en rime plastique, une calebasse supportée par des membres aux volumes simplifiés devenant des modules d'architecture. L'ensemble est lié par un schéma rythmique : axe de symétrie, courbes et contrecourbes, qui peut être mis en rapport avec les concepts décoratifs des tambours
africains (Baga de Guinée). fig.2.

L'ornement 3 développe sur un mode moins évident la démarche précédente mais qui, plus subtile, peut prendre place dans le développement d'une "pensée figurative", s'organisant en système, en relation avec l'initiation aux idéogrammes de la Chine ancienne due à Ezra Pound (6). Nous sommes incités à exploiter une telle proposition par la réflexion de Jean Laude dans *La sculpture en 1913* à propos de Brancusi et Gaudier-Brzeska : "deux choses accolées ne créent pas une troisième chose mais suggèrent un rapport fondamental entre elles" (7). L'analyse structurelle de
l'*Ornement de jardin 3* montre l'association ill.32.
et le montage entre une vasque circulaire et une base carrée de signes simples à la polysémie ouverte tels que le spectateur est convié à en réactiver les rapports comme pour la lecture d'un idéogramme. Il peut s'approprier ainsi une perception de l'oeuvre dans son espace mental selon sa sensibilité et sa réserve de références qui peut aller même au-delà des intentions de l'artiste. "Un rapport fondamental de deux choses entre elles ! Tout se passe comme si Brancusi - plus d'ailleurs que Gaudier-Brzeska - au nom de sa recherche passionnée, dans l'ordre de l'essence des choses, s'était fixé comme tâche la figuration concrète de ce rapport. En ce sens on peut dire qu'il créait, agençait, combinait de véritables "mythogrammes", analogues à ceux par lesquels les peuples qui n'ont pas choisi l'écriture mettent en oeuvre un mode spécifique, non d'expression, mais de pensées" (8).

Pound rêve de faire de la poésie comme Gaudier et Epstein font de la sculpture, en passant par l'économie des moyens et la simplification - juste les mots essentiels, juste les formes nécessaires. Le va-et-vient entre poésie et sculpture qui opère dans la relation Pound, Gaudier et Epstein, nous encourage à dépasser la simple appréciation des formes pour nous intéresser au message du contenu, pour lequel le décryptage du "mythogramme" s'offre à chaque spectateur dans une lecture ouverte. En effet l'usage

fig 2
. *Tambour Baga de Guinée* (détail), bois polychrome, non daté British Museum, Londres

. Henri Gaudier-Brzeska, *Ornement de Jardin 2,* bronze, 1914, épreuve posthume non datée, Université de Cambridge, Fondation Kettle's Yard

. Pablo Picasso, *Etudes de figures cariatides,* (détail), mine de plomb , 1907, collection particulière

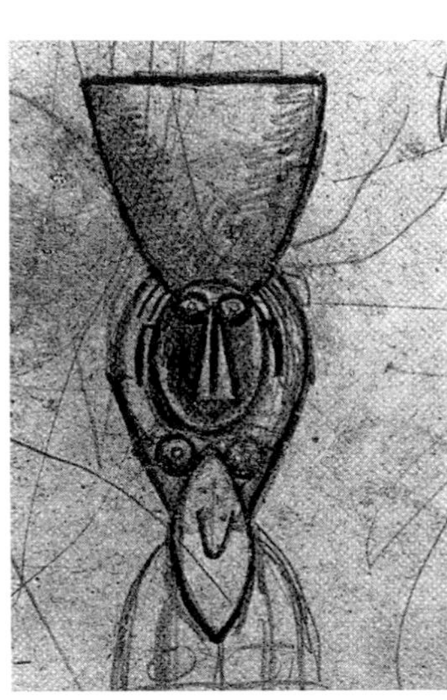

9. LEVI-STRAUSS, La pensée sauvage, Paris, Plon, 1962, p. 54

10. LEWIS, "Manifesto" in Blast I, London, John Lane ; 1914, réedition Santa Barbara, Blake Sparrow Press, 1981, p. 30

11. Ezra Pound cité par CORK in Vorticism and abstract art in the first machine age, Londres, Gordon Fraser,T.I, 1976,p.179

des rapports d'homologie, de substitution ou de condensation qu'introduit l'utilisation de la métaphore et de la métonymie est d'un emploi fréquent dans les arts primitifs et tel que le degré d'initiation du destinataire en permet la lecture à différents niveaux : "Comme l'image, le signe est un être concret, mais il ressemble au concept par son pouvoir référentiel : l'un et l'autre ne se rapporte pas exclusivement à eux-mêmes, ils peuvent remplacer autre chose que soi." (9).

Bien que Gaudier rédigeât le premier*Vortex* de 1914 et fût un maillon actif du Vorticisme de Wyndham Lewis il sut toujours sauvegarder sa personnalité et se distancia du dogmatisme du leader. Le primitivisme dont son "trésor d'idées", selon la formule de de Claude Lévi-Strauss, est porteur va s'insérer dans les principes vorticistes en oscillant entre les extrêmes. Il s'agit d'être "les mercenaires primitifs dans le monde moderne"(10), de rendre compte à travers l'art d'un monde nouveau, celui de la machine présentée comme une entité dont l'énergie sauvage ne saurait être mieux traduite que par son assimilation aux formes empruntées aux sociétés tribales (ou dérivées d'elles par le Cubisme) hybridées aux formes mécaniques issues des villes et de l'industrie. Le Vorticisme veut inventer l'iconographie d'un animisme de la machine. Le sérieux théorique est plus que tempéré par une dimension ludique qui interfère. Gaudier trouve là sa place car son caractère semble s'accomoder avec délectation de l'usage de la provocation et des rituels tapageurs, humoristiques et canularesques que la tribu vorticiste affectionne, son sens de l'humour et de la poésie pouvant s'y épanouir. Ainsi la récupération intellectuelle des concepts de fétiches, charmes et totems sert à renforcer le sentiment d'appartenance à un groupe militant, en devenant les accessoires d'un code dont la symbolique primitive assure la connivence d'initiés. Les vorticistes, depuis les prolégomènes du mouvement (face aux futuristes),réactualisent une magie, moyen de catharsis sociale, qui doit être opératoire contre le "bon goût" post-victorien. Tout ce qui peut choquer devient instrument de combat, la sexualité hyperbolique y est une arme de premier choix. Il faut faire passer ses idées par des médias hors la norme tels que la jeune avant-garde s'en trouve stimulée et s'y reconnaisse.

"Nous sommes les héritiers des docteurs sorciers et du Vaudou" écrira Ezra Pound(11).

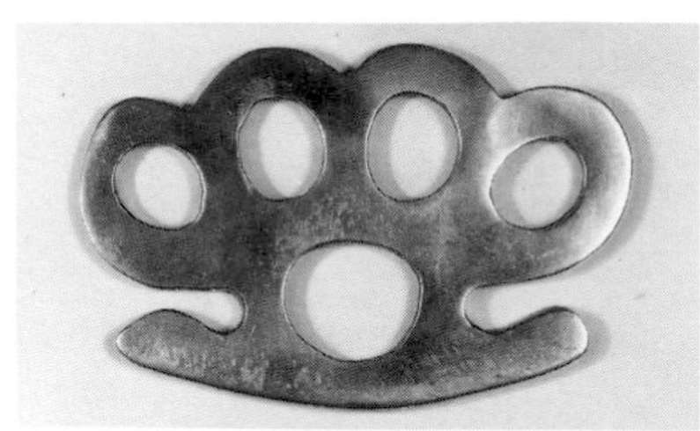

fig 3 . Henri Gaudier Brzeska, *Coup de poing,* laiton, 1914, Mercury Gallery, Londres

12. Brodzky cité par WILKINSON, "Paris et Londres", op. cit., p. 447

13. Le coup de poing américain, taillé dans le cuivre, représente, outre l'arme,métaphoriquement, l'analogie, par la succession oscillante des vides pour le passage des doigts, avec les balancements de la tête d'une femme dans l'orgasme. Cf. Roger Cork, op.cit, p. 160

14. LEWIS, "Vortex N° I" in Blast II, London, John Lane, 1915, réedition, Santa Barbara, Black Sparrow Press, 1981, p. 91

15. POUND, Henri Gaudier-Brzeska, op. cit. p. 54

16 - WILKINSON, op. cit. p. 54

On peut situer à ce niveau de correspondance la série de microsculptures dont Gaudier fait l'instrumentalité du rituel. Selon le témoignage de Brodzky, ami de Gaudier : "Il me disait que telle ou telle personne voulait un talisman, un heurtoir, ou un presse-papiers... quelque chose de "phallique" pour reprendre le terme utilisé par ces personnes. Le mot "phallique" était à la mode et faisait partie du jargon artistique de l'époque. Brzeska leur taillait un morceau de cuivre qui ressemblait plus à une amulette maçonnique qu'à autre chose. Il leur disait que c'était un symbole de fécondité ou de virilité, ou quelque autre baliverne érotique qui lui passait par la tête. C'était ce qu'ils voulaient. Ils croyaient qu'il s'agissait d'une chose très inconvenante et s'en allaient contents" (12).

fig,3. Du *Coup de poing américain* (13) aux *Jouets*
ill.42. et au *Poisson-torpille* de Hulme, le jeu sur la relation signifiant/signifié que les idéogrammes ont induit chez Gaudier institue une conception en rébus ou calembours plastiques, qui donne du sens à la formule de Wyndham Lewis : " il faut parler avec deux langues si on ne veut pas créer de confusion"(14). Depuis les Vénus phalliques préhistoriques, les arts des sociétés tribales ont souvent pratiqué cette dialectique des formes, condensatrices pour elles d'un savoir mythique, génératrices pour nous de lectures ouvertes. De plus les sculptures de petits formats, sans base, incitent à la manipulation; la monumentalité s'y révèle comme notion relative, illusion magique; l'appréciation de l'oeuvre en totalité par le sens tactile (poids, matière, formes) frontière du corps modifié par le contact physique le réseau de correspondances que la seule prise en compte visuelle engendre ; les modifications de sens dans l'espace par la manipulation changent les sens (l'essence) que l'abstraction des formes peut multiplier *(Poisson-torpille)*. Le rapport d'homologie avec l'objet fétiche ou le gri-gri, adjuvant à usage intime dans la relation de l'individu à l'existentiel et à la société, est utilisé ici à des fins de provocation, de plaisir ludique et débouche, s'il y a réussite, sur une poésie plastique.

Le *Charme* en pierre verte que Gaudier fig.4.
portera au cou, attaché par une ficelle,
plusieurs semaines (15), et le *Marteau de* ill.41.
porte sont impliqués dans cette stratégie. Ce dernier objet, en principe utilitaire, est taillé directement dans le bronze et se présente comme un artefact semblable à un charme magique de fécondité, qui introduit des valeurs primitives dans l'espace social urbain, en réaction contre les séries de Cupidons moulés qui ornent habituellement ce type d'objets. Ce petit sésame est porteur de connotations multiples, sociales et domestiques, animales. Ainsi que le propose A.G Wilkinson, il ne semble pas déraisonnable d'invoquer le modèle ethnographique du Hei-Tiki océanien (16), décliné dans des variations qui superposent le dessin d'Epstein *Totem* de 1913 (allusif à : généalogie, sexualité, fécondité - thèmes que l'artiste exploite en provoquant des scandales à l'époque) et les études dessinées de Gaudier. A travers les avatars du jeu rythmique des vides et des pleins créés par la fermeture ou l'ouverture des bras autour de la tête, Gaudier poursuit une recherche
plastique qui part de *La Danseuse* (1913) et ill.24.
du *Garçon* et aboutit à la *Danseuse rouge* et ill.17,4
la *Caritas.* Avec le *Marteau de porte*, et ill.34,4
surtout les études préparatoires Gaudier fig.4.
fait usage dans l'abstraction des signes élémentaires - triangles, cercles, ovales - qui font désormais partie d'un lexique paradigmatique malléable. Ces signes deviennent, avec son monogramme, une seconde signature.

C'est de grand jeu dont il faut parler à
propos de la *Tête hiératique d'Ezra Pound* ill.39.
en marbre, et même de double jeu avec la
sculpture en bois qui lui correspond. ill.40.

Si dans le *Portrait d'Erza Pound*, réalisé en ill.40.
bois, la référence au totem paraît difficile à écarter, il ne semble pas que cette sculpture aille au-delà de l'allusion au symbole généalogique et au clin d'oeil phallique connoté. Gaudier y traite son sujet dans un style cubiste géométrique, Pound étant désigné par le signe triangulaire de la barbe. Le matériau, inhabituel pour l'artiste, pourrait renforcer un parrainage dont on présumerait le modèle chez les Indiens d'Amérique du Nord pour qui c'est le matériau usuel, coïncidence qui à notre sens n'est pas neutre.

La Tête hiératique d'Ezra Pound est une ill.39.
oeuvre majeure. L'écrivain avait fourni le bloc de marbre et souhaitait être représenté "comme quelque chose de phallique",

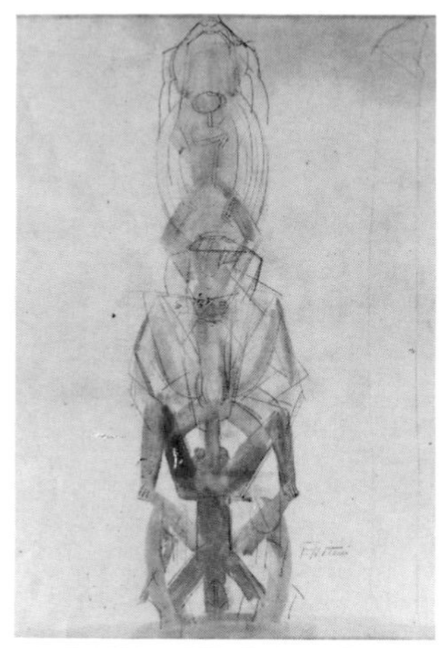

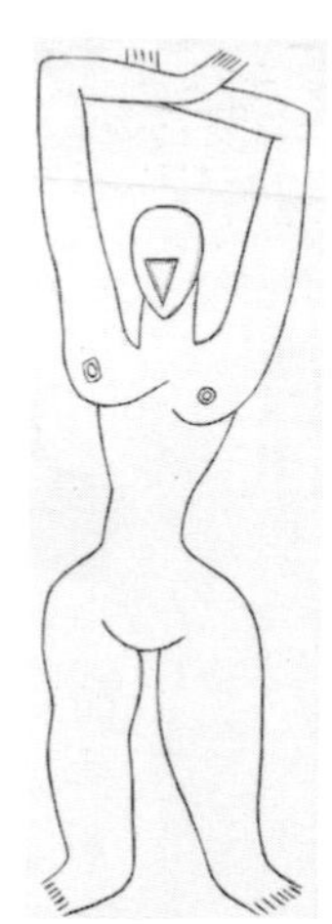

fig 4
. Jacob Epstein,
Totem,
1913, Tate Gallery,
Londres
. *Etude pour Marteau de Porte*,
vers 1914,
encre et aquarelle
Anthony d' Offay
Gallery,Londres
. *Etude pour Marteau de Porte*,
vers 1914,
pierre noire,
Musée des Beaux-Arts,
Orléans.

. *Heiki Tiki Maori*,
guide du British
Museum de 1910
. *Marteau de porte*,
1914, bronze,
épreuve posthume non
datée,
Musée National d'Art
Moderne,Paris
. *Charme*
(dit aussi *Amulette*),
1914,
pierre verte,
collection particulière

. *Nu féminin*,
vers 1914, encre,
Fondation Kettle's Yard
Université de Cambridge,
. *Etude pour Marteau de Porte*,
vers 1914,encre de chine,
Fondation Kettle's Yard
Université de Cambridge,
. *Etude pour Marteau de Porte*,
vers 1914,pastel,
Musée des Beaux-Arts,
Orléans.

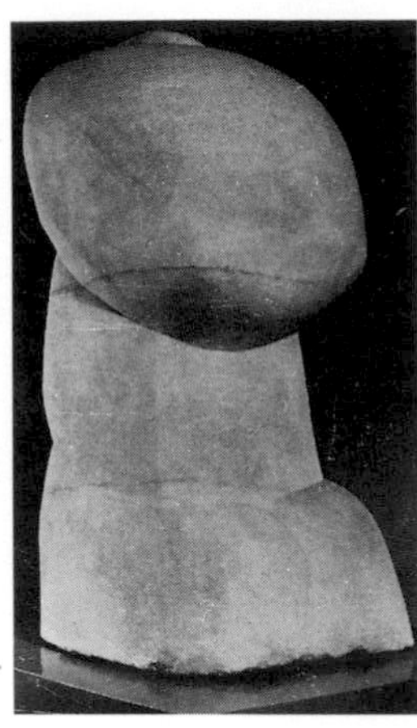

fig 5
. *Statue de l'Ile de Pâques*, British Museum, Londres
. *Tête hiératique d'Ezra Pound* (vue de trois quart), 1914, réplique en marbre de1974, Fondation Cini, Venise
. *Tête hiératique d'Ezra Pound*, (vue de dos), 1914, replique marbre de 1974 de la Fondation Cini, Venise

superlatif élogieux dans le jargon des vorticistes (17). Gaudier place donc son projet dans ce symbole qu'Hegel définissait comme modèle des premiers monuments de l'humanité. La démarche du sculpteur, telle que les études dessinées en témoignent, passe par l'Egypte antique, le projet abouti convoque la statuaire de l'Ile de Pâques, référence porteuse de la pérennité d'une image sacrée, jaillissante du sol, qui s'ajuste vers la "maturité convexe" du *Vortex*. Nous suggérons de considérer l'étroite amitié qui lie Gaudier à Pound et la révélation des idéogrammes qu'il lui doit, comme de nouveau opératoire dans le processus engagé : le montage des formes s'inscrit dans des rapports de contiguïté et de juxtaposition connotés de volumes suggestifs et d'évènements condensés que la sculpture achevée révèle.

fig.5.

Par la *Tête hiératique* Gaudier règle des comptes avec l'Angleterre conservatrice à travers le contenu symbolique du modèle pascuan qui devient une bio-mécanique vorticiste, un autre manifeste. Par la sculpture, Gaudier réalise la symbiose de l'organique et du géométrique, du primitivisme et du machinisme. Car il s'agit bel et bien d'un phallus (la vue arrière est sans équivoque), masqué du visage signifié de Pound, monument équivalent à un véritable "bras d'honneur" métaphore dynamique de l'accélération et du blocage d'une catapulte (18), qui transforme son énergie en érection monumentale (vortex) et décoche ses compliments avec le portrait de l'envoyeur à "l'establishment". Or dans le système idéographique, le son et le signe sont plus actants : en anglais *"to pound"* a le sens de piler, envoyer des coups. L'oeuvre associée à son titre ne peut que combler le commanditaire qui souhaitait en 1913 traiter le public avec *"a punch in the face"* ! (19).

ill.39.

Quel plus bel exemple de synecdoque plastique littérale pouvons-nous trouver fidèle à l'esprit frondeur et poétique de Gaudier-Brzeska ?

Parmi les oeuvres majeures, si l'on excepte la *Tête hiératique d'Ezra Pound* pour **ill.39.**
laquelle le modèle est nommément référentiel, c'est dans les sculptures où l'influence directe de sources primitives est la plus discrète, que le concept de primitivisme est le plus opératoire au plan de la plastique pure. *La Danseuse en pierre rouge*, la **ill.43.**
Caritas et la *Femme assise* de 1914 ont un **ill.34,46**
lien d'unité de style dans la puissance et la monumentalité. Leur potentiel de primitivisme est transmis par la relation des masses entre elles, sans passer par la citation d'emprunts. Avec ces trois sculptures de format modeste sensiblement identique, il se produit un renversement perspectif par la monumentalité dont les reproductions photographiques, qui réduisent les oeuvres au format de la page, rendent compte. Carl Einstein écrit en 1915, à propos de la plastique d'Afrique noire dont il est le premier analyste : "puisque l'art est affaire d'intensité, la monumentalité en tant que grandeur disparaît" (20). Caractéristique jusqu'alors trop attachée au monument et à l'architecture qui donne la mesure, la notion est remise en cause par l'incidence de conceptions venues d'ailleurs, où l'intensité est générée par une dimension intellectuelle des formes "l'énergie sculpturale est la montagne" (21). A part des indices de proportions, ni *la Danseuse en pierre* **ill.43.**
rouge, cette oeuvre "admirablement condensée et pesamment sinueuse" (22), ni *la Caritas* dont la thématique de la mater- **ill.34.**
nité est récurrente dans l'art africain (23), ni

17. C'est Ezra Pound lui-même qui qualifie son portrait d'hiératique, jugeant sans doute qu'au premier degré son souhait initial d'être représenté sous une forme phallique, ce dont témoignent Epstein et Brodzky,est un peu encombrant pour son image. Hiératique, qualificatif porteur de sacré, connote et transcende le phallique par un double jeu habile, à la fois valoristeur et euphémiste.Cf.CORK, op.cit., p.182, et BRODZKY,Henri Gaudier-Brzeska 1891-1915, Londres, Faber & Faber, 1933, p. 21

18. CORK, op. cit, p. 182, qui cite Ezra Pound : "There was in the marble a titanic energy, it was like a great stubby catapult, the two mases bent for a blow."

19. Pound, cité par GIANCI, "Pound and Futurism" in Blast III, Santa Barbara, 1984, p. 65.

20 - EINSTEIN "Negerplastik" in Travaux et mémoires du centre de recherches historiques sur les relations artistiques entre les cultures, Université de Paris I : U.E.R. 04 Paris, 1976, p. 17

ill.45,46.

la Femme assise dont le visage est sculpté comme un masque, ne peuvent être mises en relations directes avec un style tribal. Dans ces oeuvres la syntaxe plastique de Gaudier-Brzeska n'est réductible qu'à Gaudier-Brzeska lui-même. Dans une élaboration protéiforme il a testé et assimilé les messages. Il est son propre primitif dans sa panoplie conceptuelle et sa pratique. Moore pourra recueillir l'héritage.
Le primitivisme dont ces créations sont porteuses leur donne la vertu d'intemporalité que la vraie modernité exige des oeuvres qui s'y qualifient.

21. Manuscrit inédit du "Vortex I" d'Henri Gaudier-Brzeska, in POUND, Henri Gaudier Brzeska, op. cit., p. 284

22. LEWIS, "The London group" in Cahier du Musée National d'Art Moderne , N° 82, Centre Georges Pompidou, p. 266.

23. WILKINSON propose, en relation avec les études dessinées pour la Caritas, le modèle d'une maternité Afo du Nigéria, op. cit., p. 445.

Benington,
Photographie de
Gaudier derrière Oiseau
avalant un poisson,
vers 1914

Gaudier-Brzeska et le vorticisme

Richard Cork

1. Lettre de Gaudier à Sophie, Octobre 1912, EDE, A life of Gaudier-Brzeska, Londres, Heinemann 1930, p. 256

2. Lettre de Gaudier à Sophie, inscrite "Dimanche, Mai, 1911", ibid., p. 58

Gaudier-Brzeska est mort bien trop jeune pour développer une identité parfaitement mûre en tant qu'artiste. Bien que son oeuvre soit impregné d'un caractère fortement individuel, une grande partie de cet oeuvre profite de l'habileté précoce de Gaudier à s'imprégner librement d'une grande gamme de possibilités stylistiques. A l'instar de beaucoup de jeunes artistes il était éclectique dans le choix de ses influences, et par cette ouverture aux influences extérieures, son oeuvre échappera toujours aux tentatives de le cantonner de façon trop nette dans les limites d'un seul mouvement d'avant-garde.

Son travail exécuté avant son engagement dans le mouvement vorticiste est marqué par une agitation telle qu'elle devient presque une forme de promiscuité sculpturale délibérée. "L'homme vaniteux", dit-il à Sophie en Octobre 1912, "est quelqu'un qui s'arrête à un stade donné de son travail ou de sa pensée et qui s'écrie - comme toi - "Quand je dis quelque chose j'y crois - je suis sûr de moi-même, etc." Moi, je ne suis pas du tout comme ça... Je me rends compte comment toutes les choses sont différentes, comment elles se mélangent et se heurtent contre tout le reste. Je ne suis jamais sûr que ce que je pense est vrai, et je suis encore moins certain que ce que j'ai pensé ou dit est vrai ; et je n'arrive pas à sacrifier de nouvelles idées qui sont très différentes de celles que j'avais hier, uniquement parce que les anciennes ont eu l'honneur de me passer par la tête et que je les ai défendues bec et ongles." (1)

Cette importance tout à fait bergsonienne qu'il attribuait à la temporalité l'amena à passer, avec une diversité ahurissante, des torses classiques soigneusement sculptés aux masques barbares peints. Mais en même temps cela le rendait particulièrement attentif aux évolutions radicales de la sculpture contemporaine. Les expériences précipitées de Gaudier avaient un caractère détaché. Il se tenait à l'extérieur de ces styles prestement empruntés, et tandis qu'il exerçait son talent à pénétrer dans l'esprit de cultures disparates, il les jugeait toutes en se demandant quelles leçons formelles elles pouvaient lui apprendre. Il ne perdait jamais de vue les constituants fondamentaux de la sculpture, car en 1911 il avait énuméré quelques préceptes de base qui anticipaient sa future implication dans la quasi-abstraction: "L'important en sculpture est de placer des plans selon un rythme, en peinture de placer des couleurs selon un rythme". (2)

Au cours de l'automne 1913, les liens amicaux entre Gaudier, Epstein, Hulme et Pound se combinèrent pour le pousser dans le sens d'une plus grande austérité et d'une simplification proto-géométrique.
Le contraste entre La Danseuse et ill.24.
La Danseuse en pierre rouge légèrement ill.43.
plus tardive montre comment il s'éloigna, en l'espace de quelques mois, d'une gracieuse variation dans le style de Rodin, pour s'approcher d'une alternative saisissante. La Danseuse en pierre rouge est ill.43.
trapue et franchement querelleuse avec un triangle en guise de visage sans autres traits, et des formes également primitives représentant les seins. Le corps tout entier en se pliant et se penchant dans des directions peu probables brave les conventions anatomiques, et dans une critique enthousiaste Pound déclara que la sculpture était "presque un traité de ses idées sur l'emploi de la forme pure ... La nudité "abstraite" ou mathématique du triangle et du cercle est pleinement incarnée, faite chair, pleine de vitalité et d'énergie" (3).

L'influence nouvelle de Brancusi que Gaudier avait rencontré au Salon de l'Allied Artists' Association de 1913 est discernable
ill.43. dans La Danseuse en pierre rouge. Car la Muse endormie II que le sculpteur roumain montrait dans le Salon de 1913 sous le titre de Muse endormie montre une certaine parenté avec la tête de la statue de Gaudier. Malgré les traces persistantes d'éléments descriptifs du visage dans la muse raffinée de Brancusi, son caractère de pur ovale est clairement souligné. On aurait presque pu la transférer telle quelle, mais sans le détail du visage, sur le cou de la sculpture que Gaudier créa peu après avoir vu La Muse endormie II et parlé avec le créateur de celle-ci.

Le chemin était dorénavant libre pour que Gaudier fasse cause commune avec le Rebel Art Center, un groupe récemment formé d'artistes d'avant-garde qui fonderont bientôt le mouvement vorticiste. Avec un formidable enthousiasme il soutint les activités des Rebelles dans leur quartier général de Great Ormond Street après son ouverture au printemps de 1914. Sa personnalité bouillonnante et agressive autant que son talent évident de sculpteur et dessinateur firent rapidement de lui l'un des adhérents les plus éminents de la cause rebelle. Le travail de Gaudier fut grandement renforcé par son contact avec les Rebelles. Les feux d'artifice stylistiques inexpérimentés devenaient moins apparents et il se mit sérieusement à la poursuite d'une activité plus cohérente. La rencontre avec d'autres artistes cherchant un total renouveau des théories esthétiques l'aida à renforcer sa propre résolution et à se lancer seul comme l'un des sculpteurs européens les plus avides d'expérience.

Un des résultats les plus fructeux du contact de Gaudier avec le groupe Rebelle, fut l'approfondissement de son amitié avec Pound (4), dont le sculpteur aimait comparer
ill.43. les poèmes avec La danseuse en pierre rouge. Avec la générosité qui le caractérisait, Pound faisait de son mieux pour aider son jeune ami de la façon la plus pragmatique possible. Bien qu'il eût lui-même des problèmes d'argent, il dépensa une partie des 40 livres sterling reçues comme récompense de la part de la revue Poetry pour acheter deux petites sculptures de Gaudier. Pound était ravi de ses acquisitions et dit à William Carlos Williams qu'il venait d'acheter "des statuettes du sculpteur à venir, Gaudier-Brzeska. Je l'aime vraiment bien ... Après avoir attendu cinq ans nous avons notre petite bande" (5). De plus, le poète offrit à son protégé un bloc de marbre pour un portrait qu'il avait spécialement commandé. Gaudier qui n'avait jamais travaillé à une si grande échelle se prépara à sa tâche en exécutant au début de l'année 1914 une puissante série de dessins à ill.135.
l'encre, esquissant les traits essentiels de Pound d'un trait décisif. Puis, en sculptant la Tête, il informa son modèle qu' "elle ne ill.39.
vous ressemblera pas" (6). Cette fois-ci son stimulant principal était apparement la figure Hoa-Haka-Nana-Ia de l'Ile de Pâques fig.5 p.68.
qui se trouvait au British Museum, et la sculpture terminée respire la même sévérité hiératique. La Tête d'Ezra Pound est ill.39.
réduite à quelques masses et plans essentiels et pimentée d'un caractère phallique provocant. Elle possède un silence qui met en évidence la conviction de Gaudier selon quoi "le sculpteur moderne est un homme dont le travail est inspiré par l'instinct. Son travail est émotionnel. La forme d'une jambe, la courbe d'un sourcil etc., etc. , n'ont aucune signification ; il trouve insipide le modelage léger et voluptueux - ses sentiments sont intenses et son travail n'est ni plus ni moins que l'abstraction de ce sentiment intense." Dans la même déclaration Gaudier insiste sur le fait que "cette sculpture n'a aucun lien avec la sculpture grecque classique mais ... continue la tradition des peuples barbares de la terre (pour lesquelles nous avons de la sympathie et de l'admiration)" (7).

Ses paroles sont l'écho de la déclaration qu'avait faite Pound peu avant, définissant les artistes rebelles comme "les héritiers du chamane et du vaudou" (8). Et tout comme la statue de l'Ile de Pâques, prototype, pour la Tête d'Ezra Pound, dominait les oeuvres avoisinantes du British Museum, de la même façon Gaudier - qui était fondamentalement un créateur de petites sculptures intimes - voulut produire une seule fois quelque chose plus grand que nature afin de prouver que son admiration pour les "peuples barbares" pouvait être traduite en une sculpture qui ne pâlirait pas en comparaison avec ses ancêtres "primitifs". Il justifia la métaphore phallique de la Tête en expliquant dans un article comment les races océaniennes tombant " dans la contemplation de leur sexe : le siège de leur énergie : LEUR MATURITE CONVEXE... étirèrent la sphère et formèrent en cylindre " (9). La sculpture représentant Pound est donc aussi un hommage à la forme puissante d'une abstraction cylindrique, et dans ce sens son primitivisme mène directement

3. POUND, Notice préliminaire au catalogue A Memorial Exhibition of the Work of Henri Gaudier-Brzeska, Leicester Galleries, Londres, mai - juin, 1918

4. Pour un récit complet des relations des deux hommes voir CORK, Henri Gaudier-Brzeska & Ezra Pound : A friendship, Anthony d'Offay Galery, Londres, 1982

5. Pound à Carlos Williams, 19 décembre 1913, Letters of Ezra Pound, 1907-1941, Londres 1951, p. 65

6. POUND, Gaudier-Brzeska. A Memoir, Londres,Marvell Press, 1916, p. 50

7. GAUDIER à The Egoist, 16 mars 1914

8. POUND, "The New Sculpture", The Egoist, 16 fevrier 1914

9. GAUDIER, "Vortex. Gaudier-Brzeska", Blast N° 1, London 1914, p. 157

10. Pour un récit détaillé de l'encouragement au mouvement vorticiste par Blast voir Richard CORK, Vorticism and Abstract Art in the first Machine Age, volume 1 : Origins and development, Londres, 1976, pp. 239-267

11. GAUDIER, "Vortex. Gaudier-Brzeska", Blast N° 1, op. cit., p. 158

12. LEWIS, "The God of Sport and Blood', Blast N° 2, Londres 1915, p.9

13. GAUDIER, "Vortex Gaudier-Brzeska", op. cit;, p. 155

14. POUND, Gaudier-Brzeska. A Mémoir, op. cit., p. 125

vers la géométrie mécaniste de la sculpture vorticiste de Gaudier.

En été 1914, il s'était fermement associé au mouvement d'avant-garde que Wyndham Lewis voulait lancer au moyen de sa revue belligérante Blast (10). Gaudier était enchanté non seulement de signer le manifeste vorticiste de Blast et d'apparaître en tant que membre du nouveau mouvement dans l'Exposition vorticiste qui eut lieu l'année suivante à la galerie Doré à Londres mais aussi d'écrire un article spécial intitulé "Vortex" pour Blast, mettant en évidence son propre engagement auprès des Vorticistes par un art exprimant directement le dynamisme de l'âge de la machine dans le nouveau siècle. Bien qu'il continua à aimer la vie des oiseaux et autres animaux sous toutes leurs formes, Gaudier était en même temps capable de répondre à la tension et la pression de son environnement urbain. Vers la fin de son "Vortex" il compara sa propre génération de sculpteurs avec les races africaines et océaniennes et en conclut que tout comme les "primitifs" avaient trouvé que "le sol était dur, qu'il était difficile d'obtenir quelque chose de la nature et que les tempêtes comme les fièvres et autres épidémies étaient fréquentes", de la même façon "NOUS les modernes :Epstein, Brancusi, Archipenko, Dunikowski, Modigliani et moi-même devons pareillement dépenser beaucoup d'énergie dans le combat incessant de la ville contemporaine" (11).

Tout en fournissant une liste utile des sculpteurs modernes que Gaudier admirait le plus, ce passage montre à quel point il s'identifiait avec la réponse des autres rebelles à l'expérience qu'était l'existence dans le Londres du vingtième siècle. Si Lewis compara la "grande ville moderne" à une "jungle de fer" (12), Gaudier, à cause de son amour de l'art archaïque, alla plus loin en comparant le tam-tam des danses tribales au rugissement des machines contemporaines. Malgré la sophistication des dernières inventions, l'humanité était toujours obligée de mettre ses forces aux prises avec la puissance dominante d'un environnement industriel. Et là où des artistes de la préhistoire avaient exprimé leur réaction au monde en termes de chasse, en dessinant des silhouettes schématisées sur les murs, les Vorticistes faisaient de la machine une sorte de fétiche de la même sorte et la mettaient au centre de leur art. "La procession de chevaux taillés dans la roche à Fonts-de-Gaume est due à un esprit s'occupant principalement d'animaux" déclara Gaudier dans son "Vortex", "la procession de chevaux gravés sur les parois de Fonts-de-Gaume est sorti de cerveaux prioritairement occupés par l'animal. La force dynamique était la vie dans son absolu "(13).

Des milliers d'années plus tard, ce même besoin d'un "absolu" créatif amenait Gaudier à produire lui-même un pastel comme Composition abstraite qui exprime fig.13 p sa réalité en réalisant "la lutte incessante dans la complexité de la ville" en termes de lignes et de couleurs. En suggérant des pièces de rechange et en utilisant une combinaison électrique des couleurs citron, orange et limon, ce dessin austère rapproche Gaudier sculpteur de l'iconographie du Vorticisme pictural. La géométrie rigide d'hélices et manivelles se marie avec les rythmes curvilignes des câbles et des leviers. Gaudier fait jouer ces deux éléments différents l'un contre l'autre, en alternant constamment l'organique et le mécanique, le dynamisme et la stabilité. Cela pourrait presque être une dramatisation de l'interaction moderne entre l'homme et la machine rendue dans le langage presque abstrait dont Gaudier avait décidé qu'elle exprimait le mieux le Zeitgeist.

Son "Vortex" prouve qu'au début de l'été 1914 il était convaincu de la nécessité d'une telle innovation radicale. Rassemblant des théories délibérément controversées et une compréhension confiante de l'histoire de la sculpture, il parcourt librement les réalisations du passé et juge le travail des cultures successives d'un point de vue purement formel. Chaque race fut soumise à l'examen minutieux d'un homme gagné à la perspective inflexible du vorticisme, et beaucoup furent trouvées imparfaites. Ses jugements furent tranchants et il utilisait la langue anglaise de façon si incisive que Pound fut obligé d'"avouer que je l'ai lu deux ou trois fois en ne ressentant que gaieté et joie à la vigueur d'expression de l'auteur" (14). Le poète ne pouvait que répondre à l'exubérance stylistique impétueuse d'une phrase comme "de Sargon à Amirnasirpal des hommes élevèrent ces taureaux à tête d'homme qui semblent comme voler dans leur marche linéaire". Et son respect inné pour la Renaissance n'a sans doute pas pu le dissuader d'applaudir à l'affirmation fougueuse de Gaudier selon quoi le "VORTEX EST L'ENERGIE ! et cette énergie lâcha des EXCREMENTS SOLIDES dans le quattro e cinquo (sic) cento, LIQUIDES jusqu'au dix-septième siècle, et des GAZ jusqu'à aujourd'hui. Voici l'histoire de la valeur de la forme en Occident jusqu'à LA CHUTE DE L'IMPRESSIONNISME". Mais à présent, soutenait-il, une nouvelle génération d'artistes rebelles était revenue de cette décadence européenne vers ce qui était fondamental : sélectionner et forger les découvertes des "primitifs" en une synthèse suprême de l'ancien et de moderne. "Nous avons subi l'influence de ce que nous préférions, chacun selon sa propre individualité", insista Gaudier, "nous avons cristallisé la sphère en cube, nous avons combiné des masses de toutes les formes possibles, les concentrant afin d'exprimer notre idée abstraite d'une consciente supérieure" (15).

La revendication était aussi hautaine qu' intransigeante et exprimait sa détermination à fournir au mouvement vorticiste des paradigmes d'un monde dominé par ces "formes de machines, usines, bâtiments neufs et de plus vastes, ponts et ouvrages"(16), que Lewis avait recommandé comme sujet idéal dans les manifestes parus dans Blast. C'est dans une sculpture taillée dans du laiton appelée Ornement/Jouet achetée par Hulme pour deux livres sterling et qu'il promena dans sa poche que Gaudier s'approcha le plus du militantisme de l'idéal vorticiste. Selon Pound, ce fut "la première expérience et la meilleure des trois" sculptures en laiton, et il l'appela Jouet (17). Mais Gaudier lui-même lui donna le titre
ill.42. d'Ornement torpille" (18) ! - en d'autres termes, une sorte de poisson-torpille plat capable de donner une décharge électrique. C'était une métaphore selon le coeur de Lewis, car ce petit bout de métal peut facilement être vu comme une figurine debout et en armure, aussi revêche et combative que les "mercenaires primitifs dans le monde moderne" (19) dont la naissance fut annoncée dans Blast. Tout comme les automates mécanisés de Lewis, Ornement/Jouet serait parfaitement capable de mener l'attaque des rebelles contre les forces de réaction : il se tient raide et dressé comme en ligne de bataille, et ses côtés tranchants paraissent capables de le sortir de n'importe quelle lutte.

Bien qu'exécuté sur une échelle miniature, la sculpture est héroïque dans ses significations : à la fois représentation d'un guerrier et étape dans l'histoire de la sculpture du début du vingtième siècle. Car Ornement/Jouet est un des tout premiers exemples d'une sculpture complètement pénétrée ; il vient peut-être plus tard que les expériences pionnières d'Archipenko dans le même domaine, mais il reste novateur. La solidité revient cependant à une sculpture encore plus imposante,
intitulée Oiseau avalant un poisson. Les ill.35.
deux adversaires ont été transformés ici en créatures avec armure, aux corps anguleux et aux parties constitutives saillantes.
Le poisson est enfoncé dans la bouche de l'oiseau comme une arme, très net écho à l'accent mis par le Vorticisme sur le "point maximum d'énergie" (20). Le sentiment d'affrontement sans issue de cette oeuvre captivante prédit étrangement le cours de la guerre qui éclatera peu après que Gaudier eut terminé la sculpture.
Oiseau avalant un poisson démontra de façon éclatante que Gaudier partageait la fascination de Duchamp-Villon pour un amalgame de formes naturelles et mécaniques. Il fut après tout exécuté la même année que le Cheval de Duchamp-Villon, chez lequel le corps a été transformé en métaphore frappante quoique lové de la puissance mécanique. Mais en comparaison avec le Cheval, Oiseau avalant un poisson se caractérise par un calme mystérieusement arrêté. Le vorticisme détestait l'implication rhapsodique de la vitesse et le mouvement flou des futuristes. Lewis qui voulait que son mouvement habite "le coeur du tourbillon...un grand espace silencieux où toute l'énergie est concentrée" (21), annonça dans Blast que "le vorticiste est au point maximal d'énergie quand il est le plus immobile" (22). A son avis, l'idée qu'avait Marinetti du dynamisme était pris dans le chaos extérieur du tourbillon, un bout d'épave flottante et désespérément romantisé qui se noyait dans sa propre frénésie sans discipline. Gaudier partageait l'intolérance de Lewis pour le futurisme et Oiseau avalant un poisson affirme l'engagement des vorticistes pour une définition rigidement concentrée.

Les dernières sculptures de Gaudier ne peuvent de même pas être décrites comme pleinement vorticistes dans leurs implications. Une des meilleures, Oiseaux dressés, est une statue haute taillée dans de la pierre à chaux, qui s'éloigne de la rigidité mécaniste pour s'approcher d'un langage plus organique. Sans doute, dans son exploration de la presque-abstraction, elle reste fidèle aux trois points de la liste des préceptes qu'il avait proclamés dans Blast où il écrivit :"L'énergie sculpturale est la montagne. Le sentiment sculptural est

15. GAUDIER, "Vortex Gaudier-Brzeska", op. cit., pp. 156-158

16. LEWIS, "Manifesto", Blast n° 1, op. cit., p. 40

17. POUND, Gaudier-Brzeska. A memoir, op. cit., p. 160

18. Voir EDE, A Life of Gaudier-Brzeska, op. cit., p. 200

19. LEWIS, "Manifesto", Blast n° 1, op. cit., p. 30

20. LEWIS, "Our Vortex", Blast n°1, op. cit., p.148

21. GOLDRING, South Ladge. Reminiscences of Violet Hunt, Ford Madox Ford and the English Rewiew Circle, Londres, 1943, p. 65

22. LEWIS, "Our Vortex", op. cit., p. 148

23. GAUDIER, "Vortex Gaudier-Brzeska", op. cit, p. 155

l'appréciation de masses dans leurs relations entre elles.L'aptitude sculpturale est le fait de définir ces masses par des plans (23)".

Mais ce credo austère qui impressionna plus tard le jeune Henry Moore quand il lisait Blast dans les années 1920 (24) n'empêcha pas Gaudier d'opposer dans Oiseaux dressés une chaleur organique qui lui était propre aux diagonales et zigzags violents des vorticistes. Les fragments de pierre paraissent se déplier et se déployer vers l'extérieur à partir de leur base, et les surfaces sans cesse changeantes qu'ils présentent quand on contourne la statue réfléchissent ce processus de croissance.

ill.45,46. Femme assise, que Pound décrivit comme "son dernier ou presque dernier travail" (25) n'était pas non plus une affirmation sans équivoque de sa fidélité aveugle au vorticisme. Cette figure calme et fondamentalement classique ne porte qu'une ressemblance indirecte avec le travail qui la précède immédiatement. Au lieu de présenter des angles vorticistes durs et mécanistes, la statue se délecte de courbes amples d'une femme aux formes abondantes. La rencontre soudaine de l'avant-bras avec la tête aurait pu donner un point culminant destructif à cette oeuvre, selon le coeur de Lewis. Mais la décision extraordinaire de Gaudier de couper juste dans l'oeil droit de la femme ne trouble pas l'accomplissement sensuel d'une statue qui tire son sentiment - comme le lui imposait le respect de Gaudier pour son matériau - de la pureté délicate du marbre blanc lui-même (26). Même vue de derrière, là où la statue présente une affirmation plus abstraite de plans et où la poussée brusque de ses bras ressemblant à des poutres est soulignée, elle réussit à exprimer un rythme volupteux et arrondi par les épaules ondulantes et la bosse moëlleuse de la cuisse.

L'empressement fatal de Gaudier à s'engager dans l'armée française mit fin aux
ill.45,46. évolutions qu'Oiseaux dressés et Femme assise auraient pu engendrer. Pound, qui savait que son ami était toujours un jeune homme habitué auparavant à passer d'un style à l'autre, s'inquiétait de ce que la guerre pourrait interrompre la ligne de recherche engendrée par l'engagement de Gaudier dans le vorticisme. Comme pour le rassurer, Gaudier envoya un court essai retentissant du champ de bataille pour le deuxième numéro de Blast. "MES IDEES SUR LA SCULPTURE RESTENT ABSOLUMENT INCHANGEES" insista-t-il en majuscules audacieuses, et déclara que "C'EST LE TOURBILLON DE LA VOLONTE, DE LA DECISION, QUI COMMENCE" (27).

Bien que ce soit une conclusion selon le coeur de Pound, le poète continua à s'inquiéter de l'effet qu'un engagement prolongé dans la la bataille pourrait avoir sur le travail futur de son ami. Quand il écrivit à Gaudier en 1915 il "le menaçait qu'en réaction contre son actuelle vie de violence il se tournerait vers Condor (sic), le goût des années 90, les lumières délicates et la pénombre". Gaudier répondit fermement: "si je reviens (je) suis sûr que je ne travaillerai pas comme Condor. Mais je pense que je développerai un style à moi qui, de même que celui des Chinois comprendra deux faces, l'une grotesque, l'autre non. De toute façon beaucoup de choses auront changé quand nous aurons traversé le bain de sang de l'idéalisme" (28). Mais Gaudier ne le traversa pas. Il est vain de se demander quel genre de sculpture il envisagea dans sa "dernière longue conversation" avec Pound, lorsque le sculpteur dit que sa "conclusion, après ces mois de pensée et d'expériences, était que les combinaisons de formes uniquement abstraites ou inorganiques convenaient davantage à la peinture qu'à la sculpture" (29). Il suffit de dire que l'implication brève mais puissante de Gaudier dans le vorticisme a coïncidé avec la production de son travail le plus puissant. L'énergie, l'ambition et la rigueur théorique du mouvement l'avaient stimulé à une période de formation. Et s'il n'était pas "sorti par un petit trou dans le front" (30) comme se lamenta Ford Madox Ford dans un article nécrologique teinté par l'émotion, il aurait sûrement pu avec une inventivité prodigieuse basée sur ces fondements vorticistes, apporter sa contribution à la sculpture du vingtième siècle.

Benington, Photographie de Gaudier vers 1913

24. Moore lors d'une conversation avec l'auteur du 23 Octobre 1972 se rappelait que les "écrits et sculptures de Gaudier avaient une profonde signification... ils et Blast étaient une confirmation pour moi, étant jeune, que tout était possible et qu'il y avait en Angleterre des hommes pleins d'énergie et de vitalité".

25. POUND, Gaudier-Brzeska, A memoir, op. cit, p. 160

26. Les bronzes tirés ensuite de la Femme assise de Gaudier trahissent pour cela ses intentions.

27. GAUDIER "Vortex Gaudier-Brzeska (écrit des tranchées)" Blast n° 2, op. cit. p. 33

28. Lettre de Gaudier à Pound, 27 Juin 1915 dans POUND, Gaudier-Brzeska A memoir, op. cit, p. 65. Pound résume les contenus d'une lettre perdue dans une note sur la même page.

29. Ibid p. 16-17

30. FORD, The out look, 31 Juin 1915

Gaudier-Brzeska dans l'orbe du Bloomsbury

Gérard-Georges Lemaire

"Tous les espoirs, ou presque, de la peinture anglaise sont donc entre les mains de ces jeunes artistes qui ont été les maîtres modernes..."
Clive Bell

"Dans cette vision créatrice, les objets ont tendance à disparaître en tant que tels, à perdre leurs unités séparées et à prendre leur place en tant que fragments multiples dans la mosaïque globale de la vision"
Roger Fry

Un idéal décoratif

En baptisant du nom de *post-impressionnisme* le mouvement artistique qu'il a l'ambition de créer, d'imposer et d'animer, Roger Fry a donné libre cours à toutes sortes d'ambiguïtés. En premier lieu, son esthétique n'a rien de comparable avec ce qui, en France, quelques décennies plus tôt, est passé à la postérité sous cette dénomination, et encore moins avec le pointillisme de Paul Signac, qui a, contre toute attente, conduit à l'émergence de l'esprit du fauvisme. Ensuite, sa vision de l'art de son temps est "protobyzantine" et profondément influencée par les arts islamiques : elle se veut par conséquent globale, ne marquant aucune distinction importante entre arts majeurs et arts mineurs. Enfin, cette esthétique ne fonde sa cause sur aucune morale ni sur aucune métaphysique. L'art, selon Fry, ne se justifie en somme que par lui-même. Il réfute toute mystique et même toute religiosité : c'est la création qui est sa propre mystique et, pour reprendre l'expression de son ami, collaborateur et disciple Clive Bell, "la contemplation de la forme pure conduit à un état d'exaltation extraordinaire et à un détachement complet des vicissitudes de l'existence". En ce sens, Roger Fry reste fidèle à l'esprit des impressionnistes et de Paul Cézanne qui se sont détachés délibérément du "sujet" et de ses impératifs.

Par ailleurs, Fry revendique le primitivisme comme l'instrument privilégié d'une purification du regard et, par voie de conséquence, de l'esprit. Ne proclame-t-il pas : "une grande renaissance émotive doit être précédée par un mouvement intellectuel et destructeur"? Mais loin de lui l'idée de se servir des formes archaïques des arts africains et océaniens en guise de paradigme d'une révolution esthétique. Il songe plutôt aux "primitifs" italiens du début de la Renaissance. C'est là une de ses lignes de partage avec l'expressionnisme, le cubisme et la plupart des avant-gardes du début de ce siècle. S'il aime ce qui est "sauvage", c'est à dire ce qui n'a pas encore été perverti par la culture des clercs, il désapprouve la sauvagerie des artistes animés par le désir immodéré de libérer une représentation du monde reposant sur une volonté barbare de *tabula rasa*.

Le post-impressionnisme, tel que Roger Fry le définit, est l'exaltation de la "simplification" et de la "forme signifiante". Il souligne dans une note à ce propos : "cela ne revient pas à dire que la représentation exacte est mauvaise en soi. Elle est indifférente. Une forme parfaitement représentée peut être signifiante, il est seulement fatidique de sacrifier la signification à la représentation". Il se démontre un partisan convaincu de ce qu'on appelle plus tard "l'art pour l'art". A ses yeux, la "petite émotion esthétique" est le signe de reconnaissance de l'harmonie et, en définitive, de la fusion des parties du discours plastique dans une unité parfaite qu'il qualifie de "vision créatrice".

Après les batailles, les disputes et, somme toute, les succès des deux expositions qu'il organise, la première ayant lieu à la Grafton Gallery en 1910, la seconde ayant été présentée dans la même galerie en octobre 1912, Roger Fry caresse le projet de constituer un groupe d'artistes qui mettraient en application ses principes. Son alliance avec le groupe du Bloomsbury, ses liens intimes avec Virginia Stephen (qui devient ultérieurement Virginia Woolf), avec les deux peintres Duncan Grant et Vanessa Stephen soeur de Virginia, qui épouse bientôt le critique Clive Bell, lui laissent escompter l'appui d'un noyau de fidèles partageant ses convictions et ses engouements.

D'une certaine façon, Roger Fry est la victime de sa propre entreprise. L'introduction à Londres des oeuvres emblématiques des grands artistes du continent, non seulement celles de Manet, de Degas, de Van Gogh, de Cézanne, de Seurat, mais aussi de Matisse, de Picasso, de Rouault et, dans la seconde exposition, de Derain, de Vlaminck, de Braque, de Bonnard, ne fait qu'accélérer le processus de formation d'une élite d'avant-garde qui se tourne plutôt vers le cubisme ou du moins vers des expériences plus audacieuses. En outre, les différentes offensives menées par F.T. Marinetti et les futuristes italiens depuis 1910 apportent une dimension inattendue au problème. Leur présence en Angleterre, leurs conférences, soirées et expositions provoquent des remous ; une brutale et inutile rupture est consommée entre les futuristes et le Bloomsbury à l'occasion de l'exposition intitulée "Post-impressionnisme et futurisme" présentée par Fry à la galerie Doré pendant l'automne 1913. Le théoricien exclut les futuristes italiens en déclarant qu'ils "ont réussi à développer tout un système à partir d'une mauvaise compréhension des oeuvres difficiles et austères de Picasso". Clive surenchérit en décrétant que "le futurisme est un accident négligeable". Cette hostilité tactique est à l'origine de l'analyse plus ou moins erronée des courants artistiques contemporains qui échappent bientôt à l'autorité.

La fondation du Grafton Group n'aboutit qu'à une seule exposition en 1913 à l'Alpine Club Gallery et ne sera suivi d'aucun effet. Prisonnier de la singularité de ses prises de position, Fry n'aura plus que le cercle de Bloomsbury pour allié.

En somme, Roger Fry a trop longtemps attendu le moment de se poser en chef de file incontesté de l'élite artistique de Grande-Bretagne. Les événements, en partie à cause de lui, se sont précipités. Ce qui est encore possible en 1910 ou en 1911 ne l'est plus en 1913. La situation lui échappe. Et, en dépit de son activité débordante et de sa capacité d'organisation, il est tout sauf un meneur d'hommes et un maître à penser.

Il existe une autre raison à son échec, dont il n'est vraiment conscient qu'à la fin de l'année 1912. Son intérêt très marqué pour les arts décoratifs l'amène à concevoir non un groupe de créateurs anglo-saxons sur le modèle des futuristes italiens ou des expressionnistes allemands entretenant toutes sortes de relations et d'échanges avec leurs homologues en Europe, mais une officine de production d'objets d'ameublement.

Nous l'avons vu, sa conception de l'art abolit les frontières hermétiques entre la peinture et la sculpture d'une part et les arts appliqués de l'autre. Mais l'idée de mettre en pratique ses grands desseins lui vient à Paris en juin 1912. Il est alors invité à présenter une exposition à la galerie Barbazanges, rue Saint-Honoré, à laquelle il donne le titre de "Quelques artistes indépendants anglais". Or, dans la même rue, Paul Poiret a ouvert un négoce appelé Ecole Martine. Le grand couturier a employé une quinzaine de jeunes filles habiles pour qu'elles fabriquent de la poterie, peignent des meubles, impriment des tissus, confectionnent des panneaux muraux. De nombreux artistes de renom viennent y travailler, dont Van Dongen, Dunoyer de Segonzac, Raoul Dufy, Marie Laurencin, Sonia Delaunay, Henri Matisse, qui confient à Poiret des cartons et des dessins. Il expédie une lettre à G. Bernard Shaw à la fin de l'année pour lui confier son enthousiasme pour l'affaire lancée par Poiret : "Déjà en France, l'Ecole Martine de Poiret montre quelles délicieuses et nouvelles possibilités se sont révélées dans cette direction, quelle gaieté et quel charme ces produits donnent à un intérieur. Mon projet sera mené sur des bases similaires" ; mais il tient à ajouter : "je souhaite développer une tradition nettement anglaise". Par ailleurs, Fry est très au fait de l'aventure de la Wiener Werkstätte et, bien entendu, il songe à la Morris, Marshall, Faulkner and Cie et, plus encore, à la Guild and School of Handicrafts créée à Londres en 1883 par C.R. Ashbee, une coopérative d'artisans refusant la division du travail et la mécanisation industrielle.

Les spéculations de Fry sont accompagnées de considérations sur les dures réalités du marché de l'art. Il est persuadé que ses objectifs seront en mesure de métamorphoser le monde contemporain : "A la fin, bien sûr, quand l'art aura été purifié de son irréalité actuelle par un contact prolongé avec les métiers, la société gagnera une confiance nouvelle dans son jugement artistique collectif, et pourrrait même assumer pleinement la responsabilité qu'elle sait à présent être capable de prendre. Elle pourra choisir ses poètes, ses peintres, ses philosophes et ses investigateurs en profondeur, et faire de ces hommes et de ces femmes un genre nouveau de rois". Voilà pour l'utopie. Mais il ne manque pas de réalisme quand il est question de production et de financement. Son analyse n'est pas dépourvue de sagesse : il est convaincu que les amateurs, qui n'ont pas les moyens d'acheter des oeuvres importantes, seront plus enclins à faire l'acquisition de pièces d'ameublement. En outre, il envisage son entreprise comme un moyen de subsistance pour les artistes qui acceptent d'y prendre part. Tous sont rémunérés de la même façon. Ils reçoivent trente shillings par semaine. Pour cette somme, ils doivent être présents à mi-temps. De la sorte, ils ont toute latitude de se consacrer librement à leur oeuvre personnelle, sans être obligés de "vendre de la beauté comme la prostituée travaillant pour vendre de l'amour". Ainsi, ils ne dépendent de personne pour créer, ils sont "hors de toutes les entraves et de toutes les tyrannies".

La seule singularité du fonctionnement de la petite manufacture de Roger Fry est l'anonymat absolu. Nul artiste ne peut signer ses oeuvres : elles portent uniquement le label de la société Omega.

Grâce à un héritage venu à point nommé et l'appui de plusieurs personnes, Fry fonde les Omega Workshops en avril 1913. Il ne ménage pas sa peine. Mais il a le sentiment d'être largement payé de retour en constatant l'enthousiasme de ses collaborateurs. Il en fait part à G.L. Dickinson : "Les artistes ont beaucoup d'invention et un sentiment nouveau de la couleur et de la proportion qui m'étonne. Mon terrible problème est de canaliser les forces et d'en tirer le meilleur parti pratique, et, c'est l'enfer d'y arriver. Je dois penser à tout entre le dessin et le produit fini, et comment le vendre ; je dois aussi penser comment payer les artistes, et c'est presque plus que je ne peux faire. Cependant, j'espère que je vais réussir".

En avril 1913, il fait passer une annonce dans la revue *Art Chronicle* dévoilant l'existence d'un "mouvement nouveau dans les arts décoratifs" et la création d'un mobilier de "caractère", reflétant "le sentiment artistique de notre temps". Reprenant à son compte les rêves médiévalisants de William Morris et des préraphaélites, il pense qu'en remplaçant "la nature létale de la reproduction mécanique" par la "qualité directement expressive de la main de l'artiste", il sauvera les intérieurs anglais de leur médiocrité stéréotypée.

Le 8 juillet, les Omega Workshops ouvrent leurs portes au 33 de Fitzroy Square.L'inauguration est un véritable événement mondain. Virginia Woolf en conserve encore un souvenir très vif en 1940 : "à l'intérieur, ce n'était que remue-ménage et confusion. Il y avait du chintz brillant dessiné par les jeunes artistes ; il y avait des tables peintes et des chaises peintes ; et il y avait Roger Fry en personne qui escortait à un moment Lady Une telle et Une telle et, à un autre, un homme d'affaires de Birmingham à travers les salles en faisant de son mieux pour les persuader d'acheter". La presse se montre relativement bienveillante. Les Oméga semblent naître sous de bons auspices.

De nombreux artistes participent avec enthousiasme à cette expression des "sentiments de l'homme moderne et cultivé" : Vanessa Bell, Duncan Grant, Frederick Etchells, Wyndham Lewis, Edward Wadworth, Jessie Etchells, Roald Krislian, William Roberts, Paul Nash, Mark Gertler, David Bomberg. D'autres encore viendront les rejoindre les mois qui suivent.

Gaudier-Brzeska, sculpit

C'est Nina Hamnet, l'épouse de l'artiste norvégien Krislian et artiste elle-même, d'ores et déjà collaboratrice active des Omega, qui parle en faveur du jeune sculpteur français Henri Gaudier-Brzeska à Roger Fry en novembre 1913. Ce dernier accepte de le recevoir sans attendre. Lorsqu'elle annonce la bonne nouvelle à Gaudier, sa compagne, Sophie, demande qui est ce Fry. Le sculpteur lui répond avec transport : "Un peintre très audacieux qui a lancé les Ateliers Omega pour l'art moderne, le mobilier et d'autres choses ; c'est un homme bien, qui a investi son capital pour donner du travail aux artistes, afin de rendre leur existence plus facile. Il est entièrement désintéressé, et quand je le verrai demain, je lui montrerai mes travaux les plus audacieux et qui, à vrai dire, ne sont que des oeuvres vieux jeu et néo-impressionnistes".

Gaudier est donc introduit auprès du maître incontesté de ce laboratoire du goût edwardien. Il tient tout de suite un rôle assez particulier au sein des Ateliers Omega. C'est en effet le seul sculpteur de ce petit cercle. Dès lors, il se met à la tâche et réalise quatre sculptures de taille modeste. Les ateliers lui fournissent libéralement les matériaux et une grande latitude dans ses choix. Il achève un *Vase* en marbre, un *Garçon* en albâtre, un *Faune* en pierre et un
ill. 26. *Chat* en marbre. Le *Chat* est également reproduit en céramique pour les Omega, la cuisson étant effectuée sur place. Il y aurait plusieurs versions, en bleu foncé, en noir, en brun et couleur crème. Roger Fry est très attaché au *Chat*, dont il apprécie surtout la simplicité, la délicatesse des lignes et le caractère subtilement oriental. Il en aime la rigueur, sinon la sévérité formelle. Gaudier taille aussi directement dans le marbre une
ill.7. p.39. *Maternité* dont sont coulés huit exemplaires en bronze. Ceux-ci sont vendus £ 20 par les Ateliers. Il y a aussi deux versions en bronze du *Garçon*.

Si Gaudier profite des facilités offertes par les Ateliers pour suivre sa quête sculpturale, il participe peu à la refonte des arts décoratifs envisagée par les Bloomsburies. Winifred Gill note qu'il est peu assidu et assez peu concerné par l'agitation artisanale : "Il n'a jamais vraiment travaillé ici, mais nous vendions ses dessins et de petites pièces sculptées sur commande ; il vint souvent faire un tour, probablement pour voir si nous lui devions quelque chose et pour apporter de nouveaux objets". Et il ajoute : "Il ne restait jamais longtemps". Il dessine néanmoins deux plateaux, l'un étant une adaptation d'un papier figurant deux personnages qui luttent (ou qui ill. 25.
dansent), l'autre, employant des motifs abstraits inspirés de la Salle cubiste de l'exposition du groupe de Camden Town à la Brighton Public Art Gallery.

Henri Gaudier participe en janvier 1914 à l'exposition de l'Alpine Gallery. Il y présente *Chat, Garçon, Faune et Vase* et ill. 26.
surtout une de ses oeuvres les plus remarquables : *Danseuse en pierre rouge*. ill. 43 .

A cette époque, il parvient à concilier deux exigences a priori contradictoires : celle de son investigation intérieure, passionnée et inépuisable, d'un au-delà de l'espace sculptural, et celle d'un art ayant une vocation décorative. Il trouve un début de réponse dans les modèles fournis par Jacob Epstein et Constantin Brancusi, et plus encore dans sa découverte des arts anciens et primitifs. Déjà, dans une lettre adressée à Sophie le 18 novembre 1912, il écrit, au sortir d'une visite au British Museum : "J'ai contemplé les statues des primitifs, des races noires, jaunes, rouges et blanches, les statues gothiques et grecques..." Mais il n'est pas encore conquis par la statuaire primitive et reste sous l'influence écrasante d'Auguste Rodin.

Les *Deux hommes tenant une jatte* s'inspire ill. 33.
sans ambiguïté de l'art océanien et, plus précisément, d'une coupe d'Hawaï.
Bains pour oiseaux (plâtre) et deux autres ill. 30.
Ornements de jardin dont plusieurs ill. 31, 32.
exemplaires sont tirés en bronze s'inspirent pour leur part de paradigmes africains. Ils ont tous été réalisés au sein des Ateliers Omega.

Le *Marteau de porte*, exécuté toujours au ill. 41.
début de l'année 1914, prouve qu'il a franchi le pas et qu'il suit à sa façon l'enseignement de Fry, ou en tout cas l'utilise pour élever un simple objet utilitaire au rang et à la dignité d'une authentique oeuvre d'art. L'origine de ce marteau de porte est relatée par son vieil ami Brodzky : "Il me dit qu'une certaine personne voulait un talisman, un heurtoir ou un presse-papier ... quelque chose de "phallique", pour reprendre le terme employé par ces individus (...) Brzeska leur tailla un morceau de cuivre qui ressemblait plus à une amulette maçonnique qu'à autre chose... Il leur dit que c'était un symbole de

fécondité ou de vérité ou tout autre baliverne qui lui passait par la tête..." Cette fois, les spécialistes remarquent qu'il s'est inspiré d'objets très précis : les ornements maoris en jade de Nouvelle-Zélande que les indigènes baptisent *heitiki*. La construction du marteau donne l'impression d'être abstraite. En réalité, Gaudier a transposé et interprété une silhouette de femme caractéristique de ces *tiki* en une image érotique. Le dessin fig.4. p.67. préparatoire montre sans doute possible une figure féminine les bras levés, la tête penchée sur la poitrine. "Elle est assise, ou accroupie, en tailleur et un énorme pénis en érection s'apprête à la pénétrer", observe Alan G. Wilkinson. Mais Gaudier contredit ce jugement dans l'article qu'il rédige pour *The Egoist* le 15 juin 1914. Il tient à préciser qu'il s'agit d'un exemple "de dessin abstrait paraissant amplifier la valeur d'un objet en tant que tel. Plus de cupidons chevauchant des sirènes..." La vérité réside en fait entre une figuration hiéroglyphique et une extrapolation quasiment abstraite.

Pendant toute cette période, Gaudier s'attache ill. 39. à la définition de la *Tête hiératique d'Ezra Pound*. C'est une transposition fantasque et peut-être ironique mais fig.5. p.68. néanmoins reconnaissable de la statue Hoa-Haka-Nana-La de l'Ile de Pâques qui se trouve au British Museum. En sorte qu'il demeure fidèle à une orientation de Roger Fry tout en la transgressant et en s'engageant dans une voie qui l'éloigne de plus en plus de l'esthétique en mi-teinte du Bloomsbury.

Un rebelle dans la tourmente du vorticisme.

Des tensions ne tardent pas à se faire jour parmi les membres des Omega et le climat se dégrade rapidement. La question de l'anonymat de la production est épineuse et la majorité des créateurs supportent mal que Fry soit le seul à recevoir tous les lauriers. Mais le conflit n'est vraiment ouvert qu'au moment où Fry prépare la section qui lui est confiée lors de l'exposition de la Maison Idéale qui a lieu du 9 au 25 octobre 1913 à l'Olympia Exhibition Hall de Londres. En effet, les Ateliers doivent décorer la salle post-impressionniste. Wyndham Lewis et Spencer Gore clament que Fry s'est accaparé ce travail qui aurait dû leur être attribué. Les griefs s'accumulent. Frederick Etchells, Edward Wadworth et C.J. Hamilton s'associent à ces deux hommes en colère et ils constiuent le groupe des "Omega Rebels". Ils se réunissent cependant dans les locaux des Omega Workshops pendant plusieurs mois. Ils décident ensuite de rédiger une lettre circulaire, *The Round Robin*, où ils accusent ouvertement Fry de les empêcher de participer à une manifestation publique "qui n'était *pas* organisée par la direction des Omega". L'affaire litigieuse de l'Ideal Home Exhibition éclate au grand jour, la presse est alertée en mars 1914. Le même mois, Lewis et ses amis fondent le Rebel Art Centre au 38 d'Osmond Street.

Tout en fréquentant avec assiduité Lewis et les autres conjurés, Gaudier-Brzeska ne coupe pas les ponts avec les Omega. Il est présent à l'exposition du Groupe de Grafton à l'Alpine Gallery en janvier 1914. Cependant, il a des mots durs et pleins de sarcasmes pour Fry en tant que critique et que peintre et pour ses plus proches collaborateurs : "Il pensait que Duncan Grant avec son grand tableau d'Adam et Eve (...) était le phénix de la peinture anglaise, et mademoiselle Brzeska suggéra que le tableau de Fry était tout à fait académique et couleur chocolat, un trait de famille, car c'est un neveu ou un fils de Chocolate Fry" (Ede).

Il exprime de grandes réserves à l'égard du petit monde du Bloomsbury refermé sur lui-même. "Gaudier parlait avec amertume du gang de Fry" écrit Haldane Macfall, "des Ateliers Omega (...) pour avoir "vidé son cerveau" et pour "l'avoir abusé" ". Il déclare volontiers ne pas apprécier les méthodes de travail de Fry surtout en ce qui concerne les commandes d'art décoratif. Et quand il rend compte de l'Allied Artists' Exhibition, il s'en prend au Salon des Omega : "Dans le petit Salon, l'esprit est subtil. J'admire les tapis noirs et blancs, les marqueteries et les plateaux, les poteries. Les chaises, les coussins et surtout un paravent avec deux cygnes naturels et la tapisserie en patchwork m'irritent - c'est trop joli".

Gaudier choisit son camp. Il quitte les Ateliers Omega. Il prend fait et cause pour le mouvement vorticiste et fustige les futuristes italiens. Il rejoint ces jeunes révoltés qui, autour de Wyndham Lewis, préparent le premier numéro de la revue *Blast* et rédigent des manifestes de feu. Il rédige à son tour son propre manifeste : *Vortex*.

Quant Roger Fry, un an plus tard, fait son éloge funèbre, il ne lui pardonne pas sa trahison : il déplore que son texte soit "décousu et superficiel, rédigé dans un jargon compliqué et assez prétentieux".

Références bibliographiques

Isabelle Anscombe, préface de John Lehman, *Omega and After, Bloomsbury and the Decorative Arts*, Londres,Thames & Hudson, 1981

Quentin Bell,*Bloomsbury*,Londres, Weidenfels and Nicholson, 1968

Roger Cole,*Burning to Speak*, Oxford,Phaidon, 1978

Harold S. Ede,*Savage Messiah*, Gordon Fraser, Londres, 1971

Gérard-Georges Lemaire,*Un thé au Bloomsbury*,Paris, Henri Veyrier, 1990

Wyndham Lewis,*Mémoires de feu et de cendre*, traduit et présenté par Gérard-Georges Lemaire, *"Les derniers mots"*, Paris, Christian Bourgeois,1990

Collectif,*Henri Gaudier-Brzeska par Ezra Pound*, traduit par C. Minière et M. Tunstill,Auch, Tristram, 1992

Roger Secrétain,*Gaudier-Brzeska*,Paris, Le Temps, 1979

Simon Watney,*English Post-Impressionnism*, Londres,Studio Vista,1980

Virginia Woolf,*Roger Fry*,Londres, The Hoyarth Press, 1940

Catalogue

Vorticism and its Allies,Londres, Hayward Gallery, 27 mars - 2 juin 1974

Revues

Valerio Gioé,"Wyndham Lewis e "Bloomsbury"", Quaderno n° 16, Universita di Palerma, 1982

"Perfide Albion", L'Ennemi,Paris, Christian Bourgois, 1983

"Un thé au Bloomsbury", L'Ennemi,Paris, Christian Bourgois,1988

"Wyndham Lewis et le vorticisme" sous la direction de Gérard-Georges Lemaire, Cahiers pour un temps, Centre Georges Pompidou, Paris, Aix-en-Provence,Pandora Editions, 1982

Benington,
Photographie de
Gaudier ,vers 1913 .

La réception critique de Gaudier-Brzeska ou la fausse infortune

Fabienne Lacouture

Là où se décident les options essentielles de notre histoire, que nous recueillons ou délaissons, que nous méconnaissons ou mettons à nouveau en question, là s'ordonne un monde". Heidegger (1)

La promesse Gaudier-Brzeska

Les légendes connaissent parfois une postérité autonome et aussi vivante que l'oeuvre dont elles sont nées: l'image d'un "grand artiste méconnu" ou "maudit"(2) est devenue un leitmotiv récurrent de la critique depuis la publication de la biographie de Harold S. Ede, *Savage Messiah* (3) qui marque les débuts d'une reconnaissance institutionnelle de Gaudier-Brzeska en Europe. Ce leitmotiv qui fonctionne comme un postulat masque en fait l'exceptionnel consensus, jamais démenti, dont a bénéficié l'artiste, et ce dès son vivant.

L'insertion de Gaudier-Brzeska dans la communauté artistique londonienne est exemplaire. Dès 1912, il est lié aux British Fauves, au travers des amitiés qu'il a suscitées avec quelques uns des critiques influents du Londres d'avant-guerre. Gaudier se fait connaître en devenant un habitué de la librairie de Dan Rider, à St Martin's Lane. Il y dépose ses oeuvres pour qu'elles puissent être vues et vendues. C'est là, dans cette librairie où se réunissent les artistes et les amateurs de lecture, qu'il fait la connaissance de Frank Harris, John Middleton Murry, Katherine Mansfield et John Cournos (4). Si certains de ces premiers contacts, comme Haldane Macfall, Frank Harris ou Claude Lovat Fraser, appartiennent déjà au XIXème siècle, en dépit de leurs conceptions libérales de l'art, en revanche, le groupe réuni autour de la jeune revue *Rhythm* (5), dans laquelle Gaudier publie plusieurs dessins en 1912, fait figure d'avant-garde littéraire. Ces rencontres informelles sont l'occasion de longues discussions où il a le loisir d'évaluer les effets produits par ses idées artistiques, dont le caractère provocateur et ludique séduit.
La rencontre déterminante d'Ezra Pound en 1913 le pousse vers de nouvelles rencontres parmi lesquelles Richard Aldington, Wyndham Lewis et T.E. Hulme avec qui il se lie d'amitié. L'esthétique émergente et radicale de ces artistes et critiques stimule le sculpteur. Il participe avec ses amis aux Omega Workshops de Roger Fry en 1913 et associe son nom, au printemps 1914 à l'aventure du Rebel Art Centre (6). Il achève ainsi une étonnante conquête de la scène artistique londonienne où il a participé, même brièvement, à tous les débats artistiques.

Il existe peu de témoignages contemporains sur la réception critique de l'oeuvre de Gaudier. Mais sa participation aux Salons de l'Association des Artistes Alliés (7), puis sa présence dans le Grafton group (8) et le London group (9) montre qu'il fut reconnu tôt par ses pairs.
La première exposition de ses oeuvres au 6e Salon des Artistes Alliés, en juin 1913, est accueillie avec bienveillance. Six de ses sculptures, parmi lesquelles les portraits d'Horace Brodzky, d'Haldane Macfall et ill. 19.
d'Alfred Wolmark suscitent les commen- ill. 18.
taires (10). Le réalisme appuyé et l'arrogance de la pose, le traitement vaguement cubiste des portraits de Brodzky et de Wolmark refrène à peine l'intérêt que porte la critique aux promesses contenues dans les oeuvres dont l'espièglerie, une fois de plus, n'échappe à personne. Le critique de *The Observer* (11) commente les portraits en

1. HEIDDEGER, "L'origine de l'oeuvre d'art" in Chemins qui ne mènent nulle part, Tel/Gallimard, 1962, p.47

2. EDE, " Un grand artiste méconnu: Henri Gaudier-Brzeska", in Le Jardin des Arts, Paris, 1955. SECRETAIN, Gaudier-Brzeska, un sculpteur "maudit", Paris: Le Temps, 1979.

3. EDE, Savage Messiah, Londres: Heinemann, 1931

4. BRODZKY, "Henri Gaudier-Brzeska," in Art Review, juin 1922, p.14

des termes mi-agacés, mi-admiratifs: "M. Henri Gaudier-Brzeska est quelque peu difficile à suivre dans ses bustes de Brodzky, Wolmark et Haldane Macfall, dont les deux premiers sont exécutés dans une sorte de cubisme de pacotille. Ce qui est certainement calculé pour attirer l'attention. Mais il y échoue autant que dans la tentative d'exprimer la personnalité et l'apparence du modèle, dans le portrait de M. Macfall dont le traitement est plus conventionnel.
Les manques de l'artiste dans l'art du portrait sont d'autant plus surprenants que sa
ill. 5. *Madone, portrait de Maria Carmi dans Le Miracle* apporte la preuve évidente d'une rare habileté" (12). *Le Daily Telegraph* développe sensiblement la même argumentation: "M. Henri Gaudier Brzeska se présente à nous au travers de ses bustes de
ill.18, 19. Wolmark et de Brodzky. Le citadin trop souvent surpris et qui n'est plus maintenant aisé à surprendre, sera difficilement arraché de sa sérénité par ces interprétations féroces et grossières de la convenance humaine. Peut-être parce qu'il ne peut pas non plus se résoudre tout à fait à croire à l'humeur agitée des portraits ou des portraiturés." Revenant sur ce souvenir, Brodzky souligne que "beaucoup de ce que faisait Brzeska était bizarre et intentionnellement absurde. Ce n'était pas uniquement de sa faute. Il le faisait pour faire plaisir à ses amis" (13).

C'est lui pourtant que ses pairs élisent Président du 7e Salon des Artistes Alliés qui se tient en juillet 1914. Richard Aldington, alors rédacteur dans la très progressiste revue *The Egoist*, le charge d'en faire le compte rendu critique. Ses analyses radicales - comme du reste les oeuvres qu'il expose et commente lui-même (14) - suggèrent l'influence de la pensée de Hulme et Lewis (15). L'art viril, anti-sentimental et anti-passéiste qu'il porte aux nues contient l'affirmation de convictions déjà anciennes, mais en latence: l'intransigeance d'un art fondé sur une "volonté" et une "conscience" (16) qui ont fait le voeu d'infaillibilité.
Le *Vortex Gaudier Brzeska*, qui paraît au même moment dans le premier numéro de *Blast*, réitère cette conviction. Le lyrisme, le style métaphorique du Vortex rend impossible une interprétation définitive.
Et il faut voir là l'une des espiègleries involontaires qui ont déterminé le destin critique de l'oeuvre de Gaudier-Brzeska. Ezra Pound, l'ami et le poète avant tout, admire sans réserve le souffle poétique et vital qui anime l'esprit synthétique du sculpteur (17). Richard Aldington, quant à lui, en fait un compte rendu amusé dans *The Egoist* de juillet; commentaire qui, au-delà de l'anecdote, pose déjà les jalons du mythe Gaudier-Brzeska: "M. Gaudier-Brzeska est réellement un barbare, sauvage et mal tenu, qui a un amour de la forme et une connaissance claire de l'histoire comparée de la sculpture. Il est de cette sorte d'artiste qui teindrait ses statues du sang des boucs s'il pensait que cela pourrait leur donner un aspect plus viril. Si c'était un peintre naturaliste, il enchaînerait des esclaves aux rochers de façon à pouvoir reproduire leurs contorsions. Heureusement, ce n'est pas un peintre naturaliste et ses pires crimes consistent en insultes quelque peu effrayantes, proférées contre toute sculpture grecque quelle qu'elle soit, et contre tout ce qui n'est pas formidablement viril, cannibale et géométrique. Son "Vortex" fournit une extrêmement bonne lecture, même quand on ne comprend pas, bien que je ne vois pas de raison pour qu'une personne raisonnablement intelligente ne le comprenne pas. Gaudier pense en terme de forme - de forme abstraite - au lieu de penser en terme de choses concrètes et d'idées. Il est peut-être l'artiste le plus prometteur que nous ayons. S'il devient jamais civilisé, il surpassera la Création."

Sa participation au Salon du London Group, en mars 1915, alors qu'il est sur le front, reçoit un accueil unanime, motivé par les circonstances nouvelles et dramatiques qui entourent les deux sculptures exposées (18) et surtout les dessins: *Mitrailleuse en action*
et *Un de nos obus en explosion*. La cruauté ill.182.
tranquille de l'anecdote n'a d'égal que la géométrisation des formes, dans l'esprit vorticiste: un trait spontané et angulaire, une représentation abstraite. Wyndham Lewis, impitoyable d'ordinaire, en fait le commentaire ému dans le War Number de Blast (19): " Gaudier-Brzeska n'est pas très bien représenté. Il est occupé ailleurs et des deux statues qui sont ici, l'une date de deux ou trois ans, je pense. En tant qu'archaïsme, elle a une beauté considérable. L'autre
petite statue en pierre rouge a beaucoup du ill. 43.
caractère plastique que l'on associe à son oeuvre. C'est admirablement condensé et massivement sinueux. Il y a un caractère tout à fait PERSONNEL, suave et consistant dans son oeuvre la meilleure. C'est cela qui fait de sa sculpture ce vers quoi nous devrions nous tourner, en Angleterre, pour montrer les nouvelles formes et le futur de
cet art. Son beau dessin des tranchées d'un ill. 182.
obus en explosion n'est pas seulement une belle étude, mais aussi une curiosité. C'est certainement une réponse assez satisfai-

5. Fondée en 1911 par John Middleton Murry et co-dirigée avec Katherine Mansfield. La revue, organe d'expression des British Fauves, privilégiait une approche romantique et biographique de la littérature.

6. CORK, Vorticism and Abstract Art in The First Machine Age, Londres, Gordon Fraser, 1976, T. I p.145.185

7. London Salon, Allied Artist's Association, Albert Hall, juillet 1914 et juillet 1915

8. Grafton Group, Alpine Gallery, janvier 1914

9. London Group, Goupil gallery mars 1914 et mars 1915

10. Les autres sculptures présentées étaient: Oiseau de feu, 1912; Madone, 1912 et Wrestler , 1913.

11. KONODY, The Observer, 13 juillet 1913 in BRODZKY, Henri Gaudier-Brzeska, Londres, Faber and Faber, 1933, p. 106.

12. Sir PHILIPS, Daily Telegraph, 8 juillet 1913 in BRODZKY, 1933, op.cit.p.107.

13. BRODZKY, 1933, op.cit. p. 14

14. Insect, Bird, Ornament, Boy with Coney, et deux versions de Door-Knocker

15. CORK, 1976, op.cit. T.I p.185.214

16. "Vortex Gaudier Brzeska", in Blast , juillet 1914.

17. POUND, Gaudier-Brzeska. A Memoir, Londres: Marvell Press, 1916.

18. La chanteuse triste, 1913 et une Statuette en albâtre (sans doute Imp), 1914

19. Blast, "War Number", juillet 1915

sante à ceux qui voudraient nous tuer avec des balles prusses: qui disent, en résumé, que l'Allemagne, en attaquant l'Europe, a tué spirituellement tous les Cubistes, les Vorticistes et les Futuristes dans le monde. Il en est un ici, un grand artiste, qui fait des dessins de ces obus tandis qu'ils se dirigent vers lui et qui, dieu merci, ne l'ont pas encore tué ni changé."

La mort de Gaudier, quelques mois plus tard, consacre un "grand artiste" et "un grand esprit" (20). L'hommage est unanime, aussi bien de la part des amis vorticistes que de ceux de la première heure, proches de l'esthétique Bloomsbury. Les circonstances de la mort de l'artiste portent les souvenirs et les regrets sur la personnalité du disparu: si certains commentateurs comme Ezra Pound ou Roger Fry (21) semblent conscients de la nécessité de montrer l'apport de Gaudier dans l'art anglais contemporain, beaucoup de témoignages éclipsent l'oeuvre. Ford Madox Hueffer salue la "grande beauté personnelle" d'un homme aux manières exquises qui "possédait certainement une érudition stupéfiante " (22). Frank Harris dresse de même le portrait d'un homme doué d'une intelligence stupéfiante, doté d'un esprit vif et ardent dont la curiosité n'était jamais assouvie (23) et Brodzky celui "d'une jeunesse exubérante, pleine de vie et d'enthousiasme", celui d'un artiste prolifique, franc et loyal (24).

Le bon sauvage du monde moderne

La première publication sur l'artiste - le *Memoir* d'Ezra Pound - en 1916, pose la première pierre d'un débat fructueux autour de Gaudier-Brzeska. Son oeuvre déroute. Elle laisse ouvertes et multiples les tentatives de classification ou d'exégèse. De sorte que ce qui aurait pu condamner à l'oubli l'oeuvre fragilisée par sa rareté, par la dispersion des vorticistes après la guerre, devient le ferment de son inscription dans l'histoire de la sculpture moderne, mais aussi des hésitations qui ont présidé à sa destinée: elle sera construite et reconstruite, découverte et redécouverte au travers des pratiques critiques.

Deux questions se posent en effet à la mort de Gaudier. La première consiste à s'interroger sur le mouvement artistique auquel il est légitime de le rattacher ; la seconde, à définir qui est le plus autorisé à parler d'une oeuvre sur laquelle peu de choses ont été écrites du vivant de l'artiste. Elles revenaient en fait à situer l'origine de celle-ci. Là se dessine l'une des pierres d'achoppement des processus de reproduction qui vont entrer en jeu avec la parution, dans les années 1930, des premières biographies (25). Or Gaudier, tel qu'il apparaît en cette fin de guerre, est un artiste français mort pour la France, dont l'oeuvre anglaise s'illustre surtout...aux États-Unis! (26). L'activisme d'Ezra Pound conduit en effet l'oeuvre la plus moderniste dans son pays natal, via le riche collectionneur John Quinn, convaincu par le poète de s'en porter acquéreur. Brodzky commente amèrement cet état de fait:" Beaucoup de choses ont été écrites sur Henri Gaudier-Brzeska depuis sa mort. C'est beaucoup plus qu'il n'en a reçu de son vivant et qu'il n'espérait en recevoir un jour. La plupart de ces écrits, aux États-Unis, exclusivement liés aux comptes rendus de presse du *Memoir* d'Ezra Pound sur le sculpteur défunt, ont été écrits par des gens qui ne sont pas familiarisés avec l'oeuvre de Brzeska, qui ne l'ont jamais rencontré, ni vu ses sculptures." (27). Et il s'en prend aux jugements esthétiques restrictifs d'Ezra Pound: " La monographie de Pound sur le sculpteur défunt, publiée après la mort de ce dernier, donne une petite idée de Gaudier-Brzeska. Ezra Pound a refusé de reproduire beaucoup des sculptures de Gaudier parce qu'il a décrété qu'elles étaient "trop figuratives". Ce sont ses propres mots. Le livre de Pound, au lieu d'être explicatif, est plutôt l'exposition de ses propres théories. C'est beaucoup trop de Pound et pas assez d'Henri Gaudier-

20. Termes dans lesquels Gaudier est généralement salué.

21. POUND, 1916 et FRY, dans le Burlington Magazine d'août 1916 où il affirme que la mort de Gaudier est "une perte pour l'Angleterre où la nécessité d'un dévouement aussi résolu et inflexible pour l'art est toujours très fort. Et pour tous ceux qui l'ont connu, nous devons ajouter la perte d'une personnalité magnanime, bienveillante et sympathique".p.212

22. FORD MADOX HUEFFER, The English Review, 3 octobre 1919

23. BRODZKY, juin 1922, op. cit. p.31

24. BRODZKY, juillet 1922, op.cit. p.7

25. Celles de EDE, A life of Henri Gaudier-Brzeska, Londres, Heinneman, 1930, publiée en 1931 sous le titre de Savage Messiah et celle de BRODZKY en 1936.

26. Brodzky regrette beaucoup cette situation. Il considère en effet que l'oeuvre du sculpteur est anglaise en dépit des origines étrangères de Gaudier: " Il est maintenant représenté au Victoria and Albert Museum et à la Tate Gallery par plusieurs oeuvres", écrit-il, "mais beaucoup des meilleurs choses qu'il a faites sont en Amérique. Elles ont été dispersées après la vente de Quinn en 1927. On peut émettre le voeu que quelques unes de ces oeuvres reviennent un jour à Londres où il était connu, où il a vécu, où il s'est battu pour vivre et où il a maintenant une place bien définie dans l'art anglais, en dépit de son origine française.", in BRODZKY, 1933, op. cit. p. 108.

27. BRODZKY, juin 1922, op. cit. p.14

Brzeska." (28). Ezra Pound,en effet, privilégie l'oeuvre abstraite de 1914. Il accuse d'immaturité celle qui la précède tout en s'efforçant, par ailleurs, de nier l'influence du vorticisme sur l'évolution créatrice de Gaudier (29). C'est du reste l'avis qui est communément partagé par les témoins contemporains. Dans sa chronique nécrologique consacrée à l'artiste disparu, Roger Fry (30) considère l'aventure vorticiste comme un accident sans grande conséquence. Appuyant sa démonstration sur les dernières conversations qu'il a eues avec Gaudier, il parle d'un désir de revenir à des formes naturelles et organiques. Brodzky confirme (31) : " Comme je l'ai dit, c'était un manuel, et même ses écrits, dans *Blast* et *The Egoist* - qui ont été cités pour justifier ses soi-disantes tendances vorticistes (quelles qu'elles soient!) - relevaient davantage de jugements hâtifs et doivent être considérés comme de la *réclame* (32)". Et il poursuit: "En ce qui concerne ce qu'il aurait fait, s'il avait survécu à la guerre, une chose est certaine, c'est celle-ci: il aurait abandonné (point commun avec beaucoup d'autres Rebelles) sa phase purement abstraite et serait revenu à quelque chose de plus figuratif, mais d'une façon plus simple et plus sereine." (33). John Cournos, qui a participé avec Pound, Hulme et Lewis à la promotion des idées d'avant-garde, est plus nuancé: "(..) il remit en cause l'art nouveau et parla même de revenir aux Grecs (...). C'est vrai que Gaudier croyait en la modernité, mais il cherchait à en simplifier l'esprit dans son oeuvre; à extraire et capturer, de la psychologie complexe de la modernité, cette qualité qui s'intéresse au sens profond de la vie, dont l'essence est toujours la même en dépit de la civilisation et de la machine" (34).

La mort tragique de Gaudier suscite les approches biographiques dans un contexte où l'esthétique dominante est celle du formalisme naissant. Cette esthétique, marquée par la pensée de Bergson et dont Roger Fry (35) et Clive Bell (36) sont les meilleurs représentants, privilégie la qualité de sensibilité, l'intériorité et la communication intuitive. La qualité de l'oeuvre est fonction de l'être idéalisé de l'artiste: le mythe d'un bon sauvage, déjà en germe du vivant du sculpteur, prend une tournure mi-réelle, mi-fantasmatique qui donne naissance à la mythologie Gaudier-Brzeska. Gaudier devient en effet cette figure sacrifiée par la lutte fratricide née des dérèglements d'une civilisation en laquelle il croyait. " Tu as raison", disait-il à Sophie Brzeska en 1911 (37), " quand tu dis que le beau et le bon sont innés chez les primitifs. Oui, mais ils sont faibles et la civilisation doit les développer par l'éthique et l'esthétique qui proviennent d'elle. L'exemple n'est pas donné par l'État Sauvage, mais par la civilisation. Le sauvage agit spontanément, il n'a pas de lois, il lui importe peu que sa fille soit sa femme et celle de beaucoup d'autres". Brodzky dresse de son ami un portrait en primitif qui témoigne de la vision qui baigna la première critique de l'oeuvre: "Physiquement, il avait une silhouette fine et était bien constitué. Je l'ai vu nu. Il était superbement fait et j'en fus frappé. Il y avait beaucoup du primitif en lui et par moment, il menait une existence tout à fait spartiate. " (38).

L'existence d'un débat critique n'empêche cependant pas l'oeuvre du sculpteur d'être oubliée à Londres. Il faut attendre 1931 (39) pour qu'elle soit exposée de nouveau après la grande rétrospective de 1918 (40) organisée par Ezra Pound et Sophie Brzeska. L'éloignement de Pound et l'internement de Sophie Brzeska, légataire et dépositaire de l'oeuvre, explique en grande partie cette éclipse physique. Par une étrange ironie du sort, c'est la mort de Sophie Brzeska, en 1925, qui redonne vie à l'oeuvre de Gaudier. Après de multiples tractations (41), celle-ci est déposée à la Tate Gallery. C'est dans ces circonstances que Harold S. Ede, alors assistant de conservation, est amené à la redécouvrir.
H.S. Ede, en possession des manuscrits et du Journal de Sophie Brzeska envisage d'abord d'écrire une vie de celle-ci. C'est finalement *A life of Henri Gaudier-Brzeska*, qui parait à Londres en 1930. Conquis par la vie romanesque de l'artiste, il s'intéresse à l'oeuvre mise en dépôt dans son propre bureau.
La biographie de H.S. Ede, dans une seconde édition, prend le titre significatif de *Savage Messiah* . L'anecdote du titre, promis à un si grand bonheur critique, a son origine dans le Journal de Sophie Brzeska. Mais par dessus tout, il fait en 1931 une synthèse admirable et concise du débat qui lui a précédé. En promouvant l'image du "messie sauvage", il installe implicitement le mythe du bon sauvage sacrifié dans la sphère du discours critique. Le projet de H.S. Ede, pour lequel l'établissement d'une biographie "objective" constitue un préalable, est d'aider à la reconnaissance du caractère exceptionnel du sculpteur défunt. Ce rôle, il le définit

28. BRODZKY, mai 1922, op.cit.p.16

29. POUND, 1916, p.18 et suiv.

30. FRY, Burlington Magazine, août 1916, p. 209-212

31. BRODZKY, mai 1922, op.cit.p. 17 et 18

32. en italique et en français dans le texte de Brodzky

33. BRODZKY, juillet 1922, op.cit.p.7

34. COURNOS, "New Tendencies in English paintings and sculpture", in The Seven Arts, octobre 1917. Cité in BRODZKY, 1933, op.cit.p.66.

35. FRY, Vision and Design, Londres: Chatto & Windus, 1920. Oxford University Press, 1981

36. BELL, Art, Londres, 1913

37. Lettre à Sophie Brzeska, vendredi 19 mai 1911

38. BRODZKY, juillet 1922,op.cit. p.31

39. Exposition Sculpture and drawings Temple Newsam, Leeds et J & E Bumpus, Londres, 1931

40. Memorial Exhibition, Leicester Galleries, Londres, 1918

41. v. récit de EDE dans la postface de la biographie de SECRETAIN, Gaudier-Brzeska, un sculpteur maudit, Paris, Le Temps, 1979

ouvertement dans sa préface: " Je n'ai personnellement rencontré que très peu des personnes mentionnées dans ce livre, et les remarques les concernant ne dénotent en rien mes propres sentiments, mais entièrement ceux de Henri Gaudier et Sophie Brzeska.
Mon autorité, pour ce que j'ai écrit, a été en très grande partie le journal tenu par Mlle Brzeska, dont j'ai vérifié les propos et avec les lettres de Henri Gaudier et en discutant avec les gens qui les ont connus tous les deux. Où il a été possible de le faire, j'ai utilisé les propres mots de Mlle Brzeska, les citant entre guillemets; mais souvent le Journal est trop diffus et trop près de Mlle Brzeska pour permettre une traduction directe." (42).

La France méconnaît Gaudier-Brzeska jusqu'en 1956, date des premiers dons de H.S. Ede au Musée des Beaux-Arts d'Orléans. Conjointement avec l'Angleterre, le Musée organise la première exposition des sculptures et des dessins de l'artiste (43). Les comptes rendus de presse témoignent de l'émoi mi-vindicatif, mi-expiatoire suscité par l'oeuvre de ce " héros des tranchées " (44) français.
H.S. Ede procède à de nouveaux dons, en 1964, au Musée National d'Art Moderne, sous la condition qu'une salle, uniquement consacrée à l'artiste, soit ouverte. C'est chose faite en 1965 (45). Le Musée National d'Art Moderne hérite de sculptures et de dessins parmi les plus représentatifs de la diversité des recherches plastiques entreprises par Gaudier-Brzeska (46). La diffusion, la même année, sur les ondes de la BBC, d'un Portrait radiophonique de Henri Gaudier-Brzeska en commémoration de sa mort (47) est la reconnaissance implicite d'une vie et d'une oeuvre singulière: le Vortex Gaudier-Brzeska 1965 exprime la sensibilité d'un artiste qui s'adresse à une contemporanéité bercée d'éternité. La fondation, l'année suivante, de Kettle's Yard, légué par H.S. Ede à l'Université de Cambridge insère Gaudier-Brzeska au sein d'une modernité prestigieuse: David Jones, Ben and Winifred Nicholson, Alfred Wallis, Henry Moore,Dame Barbara Hepworth, Constantin Brancusi, Naum Gabo, Joan Mirò et Christopher Wood (48).
La perception de l'artiste, cependant, n'évolue substantiellement qu'avec l'avant-garde artistique des années 1960-1970 qui, en quête de fondements historiques, réhabilite le Vorticisme (49). Une prise de conscience s'amorce qui touche les pratiques discursives (50) en jeu jusqu'à l'émergence des premières études raisonnées de l'oeuvre: la prégnance du mythe romantique masque la présence d'une oeuvre originale et paradigmatique (51) " au lieu de s'attacher à la véritable charge révolutionnaire qui unissait les participants de *Blast* " (52).

42.EDE,Savage Messiah, Londres Heinemann,1931, Préface

43. VARIN, AUZAS-PRUVOST, in catalogue del'exposition "Henri Gaudier-Brzeska, sculpteur orléanais", Musée des Beaux-Arts d'Orléans, 1956

44. BAROTTE, "Orléans découvre avant Paris Gaudier-Brzeska, sculpteur, objecteur de conscience et héros des tranchées", in Les Arts, 10 avril 1956

45. Documentation des Oeuvres du Musée National d' Art Moderne

46. MENIER, "La salle Gaudier-Brzeska au Musée National d'Art Moderne", in La Revue du Louvre n°3, 1965, p.137-148; PEIGNOT, "Gaudier-Brzeska entre enfin dans les musées français", in Connaissances des Arts, n°159, mai 1965, p 65-72

47. Vortex Gaudier-Brzeska. A radio Portrait of Henri Gaudier-Brzeska in commemoration of his death, par Mervyn Levy, produit par Douglas Cleverdon, BBC, diffusé le 5 juin 1965

48.ROSE,"Ede's Corner", in Art News, nov. 1989, p.103-104 et Kettle's Yard University of Cambridge.

49.NAKOV, "Le Vorticisme", in Chroniques de l'Art vivant, n°50, juin 1974, p. 8-10 et R. CORK, 1976, 2 T, op.cit.

50. SHALGOSKY, BROOKES, BECKETT, "Henri Gaudier-Brzeska: art history and the Savage Messiah", in cat. de l'exposition de Bristol, York, Cambridge, 1983-1984, p. 21-28

51. Les expositions qui se succèdent présentent en effet Gaudier-Brzeska au travers des prismes nombreux des influences primitivistes ou abstraites, des formes organiques ou mécaniques,de la thématique néoclassique, animalière ou non-figurative. La diversité des styles entraîne une difficulté taxinomique qui conduit à privilégier l'oeuvre la plus synthétique telle que *la Femme Assise* (1914), *la Caritas* (1914), *Bird Swallowing a Fish* (1914), *Red Stone Dancer* (1914) *Stags* (1914), .

Postérités / transgression

L'art de Gaudier-Brzeska, explicitement tourné vers les Craftsmen et la sculpture "où chaque pouce de la surface est travaillé à la pointe du ciseau, chaque coup de marteau est un effort mental..." (53) fait l'objet de transgressions multiples qui touchent le fondement de l'oeuvre: l'apport propre au médium dans le processus de création. La reproduction anarchique des sculptures masque et révèle le vide notionnel qui entoure l'objet d'art sculpté dont les caractéristiques plastiques, proches de l'artisanat, incitent moins à reconnaître l'indivisibilité dont sont crédités les arts graphiques.

ill.43. *La Red Stone Dancer* (*Danseuse en Pierre Rouge*, 1914) est peut-être l'exemple le plus remarquable de la postérité à double tranchant qui signe le "Cas Gaudier-Brzeska "(54). La nature descriptive du titre s'offre comme une redondance verbale des propriétés de la *Danseuse Rouge*. La cohérence parfaite de l'oeuvre, qui existe de la même façon dans le langage plastique et dans le discours, est rompue brutalement par le bronze, dans lequel elle a été reproduite.

Ces reproductions posthumes sont dues aux propriétaires de l'oeuvre. Elles ont été conduites selon des rationalités très diverses: pour pallier une oeuvre trop rare et souvent fragile ou pour la vendre (55). Elles ont non seulement gonflé artificiellement les collections des musées, mais aussi mis en avant des sculptures à l'origine conçues comme de simples études sans grande valeur (56). Il est aisé de lire dans la multiplication de ces pratiques, entre la fin des années 60 et le début des années 70, le résultat immédiat de la réinsertion de Gaudier-Brzeska dans l'histoire . Un ensemble de divergences se dessinent entre la mission fondatrice de H.S. Ede et la logique d'une reconnaissance institutionnelle. Introduire Gaudier-Brzeska dans les musées tout en respectant sa création originale: tels sont les deux termes d'une dialectique improbable.

Le fait que Gaudier-Brzeska soit encore méconnu du public français est en grande partie explicable par l'origine des collections françaises. La vision de H.S. Ede,.essentiellement biographique, a contribué involontairement à figer l'artiste dans des compartiments géographiques et mentaux arbitraires. La correspondance abondante qui accompagne les dons de H.S. Ede (57) renseigne sur les postulats qui ont présidé à la répartition des oeuvres et des manuscrits originaux. La symbolique des lieux qui caractérise les premières démarches du critique, faisait naturellement d'Orléans l'objet des attentions, avant Paris. Aussi les dons consentis au Musée National d'Art Moderne, outre le postulat de la modernité, portent-ils également en eux le dépit qu'Orléans ne se soit pas montré à la hauteur de la *Caritas* "cédée à un prix très ill.34.
faible" en 1956. L'Université d'Essex n'est pas mieux lotie. Dans une lettre adressée à la Fondation Custodia (58), il regrette une fois de plus que ses choix se soient révélés aussi peu judicieux. La géographie des dons reproduisait en quelques sortes les déplacements du couple Gaudier/Brzeska. Mais pour quelle réalité muséale ? Les musées français sont en partie victimes de cette dispersion raisonnée.

La fortune critique du *Savage Messiah* de H.S. Ede a eu des conséquences d'une autre nature. Les lectures cinématographique et littéraire qui en ont été faites ont durablement inscrit le sculpteur dans le mythe romantique des amours contrariés du couple Gaudier/Brzeska. L'interprétation cinématographique de Ken Russel (59), dans un contexte historique (1972) où les idées révolutionnaires sont redevenues d'actualité, donne une bonne image de l'effet de sens attribué au sculpteur. Gaudier et Sophie Brzeska sont ostensiblement isolés des témoins contemporains de l'oeuvre. Tandis que l'artiste et sa compagne apparaissent sous leur véritable nom, les autres personnages - qu'il est parfois difficile d'identifier - sont affublés de noms grotesques. Ils contribuent ainsi à créer le climat fantasque qui baigne le scénario de Christofer Logue. Seul l'artiste moderne et révolutionnaire nous est montré. La temporalité du récit insiste sur les périodes extrêmes de la création: le Paris 1910 de la rencontre et un Londres d'avant-guerre, marqué par les revendications des suffragettes et la contestation des vorticistes. Cependant les personnages souffrent d'une caractérisation outrancière (60) qui fait de chacun d'eux - et à chaque moment - le concentré exhaustif de leurs défauts et qualités respectifs. En outre, les dialogues véhiculent l'idée d'une mort annoncée et choisie, en rupture avec la chronologie historique (61).

Dans le contexte des années 70, Gaudier-Brzeska n'est plus seulement l'artiste exemplaire des origines de la sculpture contemporaine. Il est aussi le paradigme d'un "roman vécu" (62), d'une existence traversée en conformité avec des idéaux moraux et artistiques radicaux; la quintessence, en

52. NAKOV,1974 op.cit.; NEVE, "The Short Fuse of Vorticism", in Country Life,23 oct1975 etKRAMER, "The Gift and the Promise of Gaudier-Brzeska", in The New York Times, 2 oct 1977.

53. Gaudier-Brzeska, in the Egoïst, juillet 1914 in COLE, Burning to speak Oxford,Phaidon,1975 p.133.134

54. ELSEN, Origins of Modern Sculpture: Pioneers and Premises, New-York:Braziller, 1974.

55. Archives Gaudier-Brzeska,Documentation des Oeuvres du Musée National d'Art Moderne

56. COLE,op.cit.

57. Documentation des Oeuvres du Musée National d'Art Moderne

58. Fondation Custodia, Ambassade des Pays-Bas, Paris, qui possède deux lettres de Gaudier à Brodzky, datée de 1912 et 1914;et une de H.S. Ede

59. RUSSELL ,Savage Messiah.The story of a young French Art student and the lonely Polish woman he met in Paris before the First World War., scénario de Logue, produit par Russell, MGM, 1972.

60. Il est jeune, confiant, enthousiaste, viril, génial. Elle est âgée, acariâtre, amère, aigrie, écrivain médiocre et bourgeoise.

61. Ce qui explique sans doute que le film ait reçu un accueil très mitigé à sa sortie.

62. La notion de réel,de vécu est un trait constant de la production littéraire de l'époque sur l'artiste: Real Life Love Stories n°3:Savage Messiah, by LEITCH, BBC, 25 juin 1974 et SECRETAIN,1979.op.cit.

somme, de l'idéologie régnante.
Loin d'être un "sculpteur maudit" et inconnu, Gaudier-Brzeska est au contraire la victime de l'engouement qui lui est porté. Le mythe perpétué du "grand artiste méconnu" illustre le fonctionnement d'un discours sur l'oeuvre, dans ce que celui-ci peut engendrer de contradictions. En suivant une logique qui lui est propre, il court le risque de condamner effectivement Gaudier-Brzeska à rester une oeuvre sans public.
La publication récente de la traduction française du *Memoir* d'Ezra Pound (63) est à ce titre, un événement qui pourrait être avec cette rétrospective orléanaise et l'hommage anglais de 1991 de la Mercury Gallery (64)- l'amorce d'une reconnaissance pleine et entière du talent multiple de Gaudier-Brzeska.
Dans une lettre adressée à Sophie Brzeska (65), citant Rodin, il écrivait: "On a bâti des théories sur toutes mes oeuvres: *les Bourgeois de Calais*, par exemple. J'ai fait des statues, ni plus ni moins. Je les aime car elles sont carrées. Les littérateurs font d'elles ce qu'ils veulent pour les faire aimer et je ne leur en veux pas." Gaudier lui non plus n'aura finalement pas échappé à la tentation du critique. Reste l'étonnante présence d'une oeuvre que la plume d'Ezra Pound, solitaire et constante, n'a eu de cesse de mettre au monde: " (...) quelques dizaine de sculptures, une pile d'esquisses et de dessins, quelques pages d'écrits relatifs à son art. Je ne tiens pas particulièrement à faire du présent livre "mon livre" sur Gaudier-Brzeska. Je ne suis pas spécialement soucieux d'intervenir dans les longues querelles sur son oeuvre, ou sur le groupe auquel il se lia (...) En entreprenant cet ouvrage, je fais tout ce que je peux pour réaliser son désir de faciliter l'accès de son oeuvre aux plus jeunes." (66).

63. Gaudier-Brzeska par Pound, texte du Memoir traduit par Minière et Tunstill, Larroque Castin : Tristram, 1992

64. An Exhibition Of Sculpture and Works on Paper to Mark the Centenary of the Artist's Birth, Londres: Mercury Gallery, 25 sept. 26 oct 1991

65.Lettre du 13 juin 1911

66. POUND, 1992, op.cit. p. 21-22

Catalogue

Catalogue des sculptures

Dominique Forest

Liste des abréviations:
Anc. coll. : ancienne collection
Exp. : exposition
Bibl. : bibliographie
I. : inscrit
N. : numéroté
S. : signé
D. : daté
b. : bas
g. : gauche
d. : droite
c. : centre

Toutes les dimensions sont exprimées en centimètres

1. Tête de Minerve d'après l'antique, 1908 (?)
Terre cuite (?)
S.D.b.d.: Gaudier 19 ..
h. : 9,5 l. : 8
Acquis en 1956
Orléans, Musée des Beaux-Arts (Inv. MO 139)
Bibl. : Cole, 1978, p. 48

2. Portrait du père de Gaudier, 1910
Terre crue, patinée façon bronze
h. : 27 l. : 21 p. : 23
Don du père de l'artiste en 1922
Orléans, Musée des Beaux-Arts (Inv. 1682 A)
Exp. : 1956, Orléans, n° 1 ; 1983-1984 Cambridge, Bristol, York, n° 1
Bibl. : Ede, 1930, liste des oeuvres de Gaudier ; Cole, 1978, p. 48, n° 1 ; Secrétain, 1979, p. 89 ; Fauquembergue, Baude, 1986, p.27; Henri Gaudier-Brzeska par Ezra Pound, 1992, p. 245.

3. Tête de femme avec foulard (Portrait présumé de la mère de Gaudier), vers 1910
Terre crue
h. : 8 l. : 6,5 p. : 6
Saint-Jean-de-Braye, collection particulière

4. L'homme tombé, 1912
Terre crue
h. : 29 l. : 28,5 p. : 22,5
Don de J. Ede en 1956
Orléans, Musée des Beaux-Arts (Inv. MO 136)
Exp. : 1918, Londres, n° 16 (?) ; 1943, Leeds, n° 57 ; 1956, Orléans, n° 7
Bibl. (tous tirages confondus) : Ede, 1930, pl. IX et liste des oeuvres de Gaudier ; Brodzky, 1933, face p. 79 ; Cork, 1976, p. 166 ; Cole, 1978, p. 64, n° 17.

5. La Madone (portrait de l'actrice Maria Carmi dans le rôle de la Madone), 1912
Bronze, épreuve posthume ?/8 de 1972 (sans doute par la fonderie anglaise R. Fiorini, J. Carney, Art Bronze Founders à Londres) à la demande de Jim Ede et d'après le modèle en plâtre de la fondation Kettle's Yard.
h. : 55 l. : 41,8 p. : 36
Acquis en 1992
Orléans, Musée des Beaux-Arts (Inv. 92.3.1)
Bibl. (tous tirages confondus) : Ede, 1930, pl. XV et liste des oeuvres de Gaudier ; Brodzky, 1933, face p. 50; Cole, 1978, p. 50, n° 3 ; Secrétain, 1979, p. 90 ; Henri Gaudier-Brzeska par Ezra Pound, 1992, p. 247.

1

2

3

4

5

6. Masque ornemental (Portrait de Lovat Fraser), 1912
Bronze patiné vert, épreuve posthume 5/6 non datée
N. sous la pièce : 5/6
h. : 70 l. : 75 p. : 15
Acquis en 1971
Orléans, Musée des Beaux-Arts (Inv. 71.2.1)
Exp. : 1976-1977, Paris, Musée du Louvre, Nouvelles acquisitions du Musée d'Orléans, n° 36
Bibl. (tous tirages confondus) : H. Mc Fall, The book of Lovat Fraser, Londres, 1923, p. 51-53 ; Ede,1930, pl. XV et liste des oeuvres de Gaudier ; Brodzky, 1933, face p. 124 ; Cork, 1976, p. 167 ; Cole, 1978, p. 51, n° 4 ; Fauquembergue, Baude, 1986, p.29

7. Femmes portant des sacs, 1912
Bronze, épreuve posthume 1/6 non datée
Monogrammé en bas à droite
h. : 36 l. : 28
Anc. coll. J. Ede
Université Cambridge, Fondation Kettle's Yard (Inv. HGB 129)
Exp. : 1972, Edimbourg, Leeds, Cardiff, n° 9
Bibl. (tous tirages confondus) : Brodzky, 1933, face p. 44 ; Levy, 1965, pl. 74 ; Cole, 1978, p. 62 , n° 15

8. Portrait de Miss Borne, 1912
Bronze, épreuve posthume ?/12 non datée
h. : 44 l. : 32 p. : 38
Don de la fondation Kettle's Yard en 1964
Paris, Musée National d'Art Moderne (Inv. 1453 S)
Bibl. (tous tirages confondus) : Ede, 1930, liste des oeuvres de Gaudier ; Levy, 1965, pl. 72 ; Cole, 1978, p. 55, n° 8 ; Secretain, 1979, p. 106

9. Tête d'enfant, 1912
Pierre (grès)
h. : 10,1 l. : 7,6
Anc. coll. J. Ede
Cardiff, National Museum of Wales (Inv. 54.356)
Exp. : 1918, Londres, n° 15 ; 1943, Leeds, n° 72 ; 1953, Cardiff, n° 11 ; 1972, Edimbourg, Leeds, Cardiff, n° 7 ; 1983-1984, Cambridge, Bristol, York, n° 16 ; 1988, Newton, Cardiff, Stoneworks, fig. 6 p. 13
Bibl. : Cole, 1978, p. 54, n° 7

10. Trois singes, 1912
Pierre (grès)
h. : 18 l. : 16 p. : 10
Anc. coll. J. Ede
Université Cambridge, Fondation Kettle's Yard (Inv. HGB1)
Exp. : 1953, Cardiff, n° 13 ; 1965, Londres, n° 98; 1969, Bielefeld, n° 8
Bibl. : Cole, 1978, p. 60, n° 13 ; Ede, 1930, liste spplémentaire des oeuvres de Gaudier

11. Gorille, 1912
Bronze, épreuve posthume ?/6, vers 1968
h. : 38 l.: 51
Londres, Mercury Gallery
Exp. : 1991, Londres, n° 18
Bibl. : Ede, 1930, liste supplémentaire des oeuvres de Gaudier ; Brodzky, 1933, face p. 117 ; Levy, 1965, pl. 69 ; Cole, 1978, p. 63 n° 16

12. Homme et femme (dite aussi Odalisque), 1912
Albâtre peint
Monogrammé sur le côté gauche : HGB
h. : 20,8 l. : 34,8
Acquis en 1935
Leeds, City Art Gallery
Exp. : 1918, Londres, n° 38 ; 1943, Leeds, n° 61 ; 1972, Edimbourg, Leeds, Cardiff, n° 9 ; 1983-1984, Cambridge, Bristol, York, n° 24
Bibl. : Brodzky, 1933, face p. 99 ; Cole, 1978, p. 59, n° 12

13. Tête de jeune homme, 1912-1913
Pierre (calcaire)
h. : 31 l. : 24 p. : 20,5
Bielefeld, Kunsthalle
Exp. : 1918, Londres, n° 43 ; 1931, Londres, n° 36 ; 1943, Leeds, n° 70 ; 1956, Orléans, n° 9 ; 1956, Londres, Arts Council, n° 6 ; 1965, Londres, n° 93 ; 1969, Bielefeld, n° 5, repr. n° 8
Bibl. (tous tirages confondus) : Ede, 1930, liste des oeuvres de Gaudier ; Cole, 1978, p. 56, n° 9 ; Secrétain, 1979, p. 108 ; Henri Gaudier-Brzeska par Ezra Pound, 1992, p. 251

14. Tête religieuse, vers 1912-1913
Bronze, épreuve posthume ?/12 non datée
I. au dos : ZPMK
h. : 12,7 l. : 6,1 p. : 2,7
Don de la fondation Kettle's Yard en 1966
Paris, Musée National d'Art Moderne (Inv. AM 1527 S)
Bibl. (tous tirages confondus) : Cole, 1978, p. 72, n° 23

15. Chien, 1913
Marbre peint
Monogrammé au dos du relief
h. : 24,1 l. : 48,3
Don de Samuel Lustgarten
Chicago, Art Institute (Inv. 1953.180)
Bibl. : Ede, 1930, liste supplémentaire des oeuvres de Gaudier ; Brodzky, 1933, face p. 81; Cole, 1978, p. 75 n° 26

16. Chat, 1913
Marbre
Monogrammé sous la pièce en creux
h. : 21 l. : 40 p. : 9
Anc. coll. Ezra Pound
Tirolo di Merano, coll. Rachewiltz
Exp. : 1914, Londres, Alpine Gallery, n° 49 ; 1914, Londres, Whitechapel Gallery, n° 188 ; 1957, Milan,non catalogué ; 1958, Merano, Azienda di Soggiorno, non catalogué ; 1991, Bozen, Bolzano, Beauty is difficult. Hommage to Ezra Pound, n° 77
Bibl. : Pound, 1916, pl. X ; Ede, 1930, liste des oeuvres de Gaudier ; Pound, 1957, pl. 9 ; Pound, 1960, pl. XVIII ; Cole, 1978, p. 99 n° 46 ; Henri Gaudier-Brzeska par Ezra Pound, 1992, p. 259

6

7

8

9

10

11

12

13

17. Garçon, vers 1913
Bronze, épreuve posthume de 1968
h. : 45,5 l. : 11,5 p. : 9,5
Don de M. et Mme Elmhirst en 1971
Paris, Musée National d'Art Moderne (Inv. AM 1971-169)
Bibl. (tous tirages confondus) : Ede, 1930, liste des oeuvres de Gaudier ; Cole, 1978, p. 88, n° 38 ; Secrétain, 1979, p. 247 ; Henri Gaudier-Brzeska par Erza Pound, 1992, p. 256

18. Le peintre Alfred Wolmark, 1913
Bronze doré, épreuve posthume 6/6 de 1956
Monogrammé et D. b. g. au dos : 13.
h. : 65 l. : 55 p. : 40
Aquis en 1960
Paris, Musée National d'Art Moderne (Inv. AM 1116 S)
Exp. : 1976, Brest, Palais des Arts
Bibl. (tous tirages confondus) : Ede, 1930, liste des oeuvres de Gaudier ; Brodzky, 1933, face p. 63 ; Dorival, "Musée national d'art moderne : Trois mois d'activité" in La Revue du Louvre et des Musées de France, 1961, n° 2, p. 86, repr. n° 4 p. 89 ; Cork, 1976, p. 169 ; Cole, 1978, p. 71 ; Secrétain, 1979, face p. 156 ; Henri Gaudier-Brzeska par Ezra Pound, 1992, p. 253

19. Portrait d'Horace Brodzky, 1913
Bronze, épreuve posthume vers 1932
S.D. : Gaudier-Brzeska 1913
h. : 70 l. : 53 p. : 37
Aquis en 1943 de J. Ede
Leeds, City Art Gallery
Exp. : 1983-1984, Cambridge, Bristol, York, n° 34
Bibl. (tous tirages confondus) : Ede, 1930, pl. XXXII et liste des oeuvres de Gaudier ; Ede, 1931, face p. 232 ; Brodzky, 1933, face p. 51 ; Levy, 1965, pl. 76 ; Cork, 1976, p. 170 ; Cole, 1978, p. 69, n° 21; Secrétain, 1979, p. 140 ; Henri Gaudier-Brzeska par Ezra Pound, 1992, p. 253

20. Masque d'Horace Brodzky, 1913
Pierre
h. : 36 l. : 38 p. : 16
Anc. coll. J. Ede
Université deCambridge, fondation Kettle's Yard (Inv. HGB 132a)
Exp. : 1972, Edimbourg, Leeds, Cardiff, n° 18
Bibl. : Ede, 1930, liste des oeuvres de Gaudier ; Cole, 1978, p. 68 n° 20

21. Torse I, 1913
Moulage en epoxy, épreuve posthume vers 1970
h. : 24,5 l. : 9,5 p. : 7,5
Don de la fondation Kettle's Yard en 1977
Paris, Musée National d'Art Moderne (Inv. AM 1977-599)
Bibl. (tous tirages confondus) : Pound, 1916, pl. XII ; Ede, 1930, pl. XXXIX et liste des oeuvres de Gaudier ; Ede, 1931, face p. 256 ; Pound, 1957,
n° 6; Pound, 1960, pl. XIX ; Levy, 1965, pl. 68 ; Cork, 1976, p. 167 ;Cole, 1978, p. 78, n° 29 ; Henri Gaudier-Brzeska par Ezra Pound, 1992, p. 295

22. Torse II, 1913
Plâtre patiné
h. : 20 l. : 9 p. : 6,5
Dépôt du Musée National d'Art Moderne par l'intermédiaire du Musée du Louvre en 1956
Orléans, Musée des Beaux-Arts (Inv. D 75.1.1)
Bibl. (tous tirages confondus) : Ede, 1930, liste des oeuvres de Gaudier ; Brodzky, 1933, face p. 16 ; Pound, 1960, pl. XIX ; Cole, 1978, p. 79 n° 30; Henri Gaudier-Brzeska par Ezra Pound, 1992, p. 260

23. Torse II, 1913
Bronze sur socle en marbre, épreuve posthume non datée
h. : 25 l. : 10 p. : 8
Don de M. et Mme Elmhirst en 1964
Paris, Musée National d'Art Moderne (Inv. AM 1450 S)
Bibl. (tous tirages confondus) : Ede, 1930, liste des oeuvres de Gaudier ; Brodzky, 1933, face p. 16 ; Pound, 1960, pl. XIX ;Cole, 1978, p. 79 n° 30 ; Henri Gaudier-Brzeska par Ezra Pound, 1992, p. 260
Bibl. : Cork, 1976, p. 173 ; Cole, 1978 p. 87, n° 36 ; Collins, 1984, pl. 25

17

14

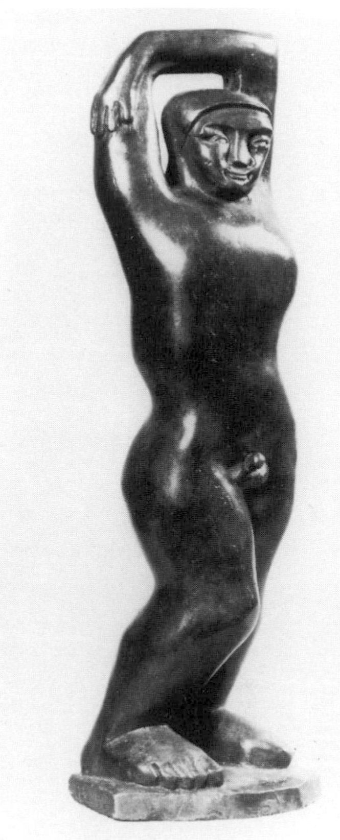

15

16

18

19

20

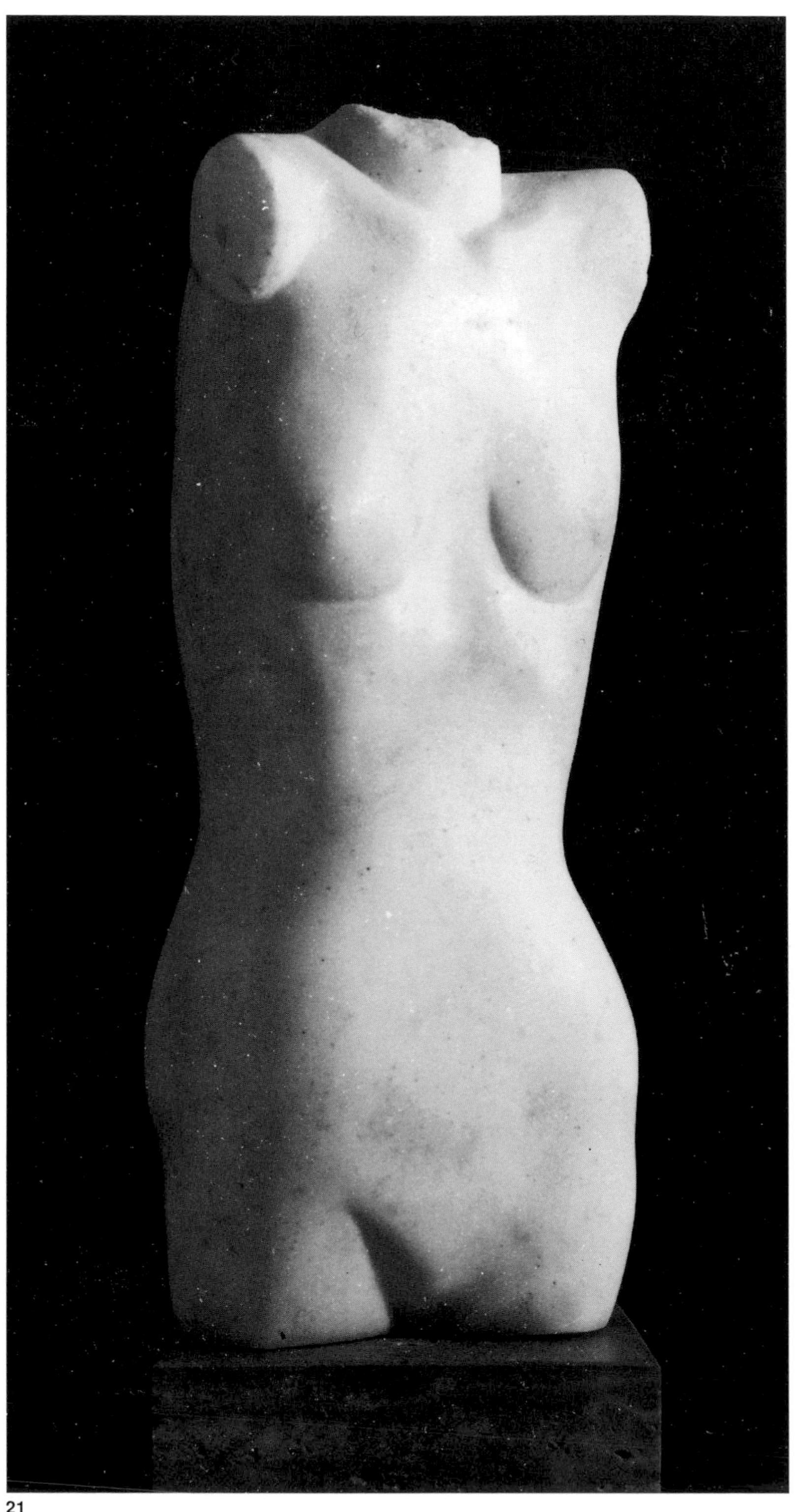

21

22

24

23

26

25

24. Danseuse, 1913
Bronze patiné vert, épreuve posthume de 1963
S.D.sur le côté gauche de la terrasse : H. Gaudier Brzeska 1913, I.: sous la signature : D. (barré)
h. : 79 l. : 18,5 p. : 18,5
Don de Sir Edward Beddington Behrens en 1965
Paris, Musée National d'Art Moderne (Inv. AM 1457 S)
Bibl. (tous tirages confondus) : Ede, 1930, pl. II, XL et liste supplémentaire des oeuvres de Gaudier ; Pound, 1960, pl. XV et XVI ; Levy, 1965, pl. 70 ; Cork, 1976, p. 176 ; Cole, 1978, p. 81 n° 32 ; Secrétain, 1979, p. 308 ; Henri Gaudier-Brzeska par Ezra Pound,
1992, p. 1-3

25. Plateau, 1913
Bois marqueté
d. : 71,5
Londres, Victoria and Albert Museum
Exp. : 1918, Londres, n° 102 ; 1974, Londres, Hayward Gallery, n° 136
Bibl. : Cork, 1976, p. 173 ; Cole, 1978 p. 87, n° 36 ; Collins, 1984, pl. 25

26. Chat, 1913-1914
Céramique
Monogrammé
h. : 11,5 l. : 11,2 p. : 6,2
Londres, D'Offay Gallery
Exp. : 1984, Londres, d'Offay Gallery, The Omega Workshops, Alliance and Enmitty in English art
Bibl. (tous tirages confondus) : Ede, 1930, liste supplémentaire des oeuvres de Gaudier ; Brodzky, 1933, face p. 125 ; Cork, 1976, p. 171 ; Cole, 1978, p. 88, n° 37 ; Collins, 1984, pl. 23

27. Sirène, 1913-1914
Marbre
h. : 12 l. : 29 p. : 20
Anc. coll. J. Ede
Université Cambridge, Fondation Kettle's Yard (Inv. HGB 2a)
Exp. : 1983-1984, Cambridge, Bristol, York n° 27
Bibl. (tous tirages confondus) : Ede, 1930, liste supplémentaire des oeuvres de Gaudier ;
Levy, 1965, pl. 77 ; Cole, 1978, p. 82-83 n° 33 ; Fauquembergue, Baude,1986, p.47;
Henri Gaudier-Brzeska par Ezra Pound,1992, p.263

28. Les Amants (dit aussi Samson et Dalila) 1913-1914
Marbre
h. : 55 l. : 19 p. : 14
Don Ezra Pound en 1967
Paris, Musée National d'Art Moderne (Inv. AM 1690 S)
Exp. : 1915, Londres, Doré Gallery; 1918, Londres, n° 39 ; 1981, Saint-Paul-de-Vence, fondation Maeght, Sculpture du XXe siècle : 1900-1945, n° 84 ; 1983-1984, Cambridge, Bristol, York, n° 77
Bibl. (tous tirages confondus) : Pound, 1916, pl. XV et XVI ; Ede, 1930, liste des oeuvres de Gaudier ; Pound, 1960, pl. XXIV ; Cole, 1978, p. 92, n° 41 ; Secrétain, 1979, p. 249 ; Fauquembergue,Baude, 1986, p. 77; Henri Gaudier-Brzeska par Erza Pound, 1992, p. 264-265

29. Scène amoureuse, 1913-1914
Marbre
h. : 23 l. : 40
Don en 1963
Doncaster, Museum and Art Gallery (Inv. Donmg : P480.63)
Exp. : 1918, Londres, n° 60(?) ; 1983-1984, Cambridge, Bristol, York,n° 52
Bibl. : Ede, 1930, liste des oeuvres de Gaudier ; Cole, 1978, p. 57, n° 10

30. Ornement de jardin 1 (dit aussi Bassin pour oiseaux), 1914
Bronze, épreuve posthume 2/4 1979
Monogrammé en bas et inscrit scale 1/6 th nat.size N. 2/4
h. : 26,7 l. 26,7 p. 26,7
Londres, Mercury Gallery
Bibl. (tous tirages confondus) : Cole, 1978, p. 107, n° 54 ; Fauquembergue, Baude, 1986, p.97; Henri Gaudier-Brzeska par Ezra Pound, 1992, p. 267

31. Ornement de jardin 2 (dit aussi Girl - Ram - Urn), 1914
Bronze, épreuve posthume 1/3 non datée
h. : 63,5 l. : 21 p. : 20
Anc. coll. J. Ede
Université de Cambridge, fondation Kettle's Yard (Inv. HGB 17)
Bibl. (tous tirages confondus) : Ede, 1930, liste supplémentaire des oeuvres de Gaudier sous le titre Garden Vase ; Cork, 1976, p. 446 ; Cole, 1978, p. 114 n° 60

32. Ornement de jardin 3, 1914
Bronze, épreuve posthume non datée
h. : 36 l. : 28 p. : 27,5
Don de la fondation Kettle's Yard en 1964
Paris, Musée National d'Art Moderne (Inv. AM 1455 S)
Bibl. (tous tirages confondus) : Ede, 1930, liste supplémentaire des oeuvres de Gaudier ; Cole, 1978 , p. 115 n° 61; Fauquembergue, Baude, 1986, p.95

33. Deux hommes portant une jatte, 1914
Plâtre original patiné façon terre cuite
h. : 30 l. : 20,5 p. : 13,7
Acquis en 1981
Orléans, Musée des Beaux-Arts (Inv. 81.7.1)
Bibl. (tous tirages confondus): Cole, 1978, p.112-113 n° 59 ; Secrétain, 1979, p. 229 ; Fauquembergue, Baude, 1986, p.93; Wilkinson, 1991, p. 444 ;
Henri Gaudier-Brzeska par Ezra Pound, 1992, p. 267

27

29

28

30

31

32

33

34

34. Caritas (dit aussi Maternité), 1914
Pierre de Portland
Monogrammé sur la pièce
h. : 48 l. : 26 p. : 22,5
Acquis de J. Ede en 1956
Orléans, Musée des Beaux-Arts (Inv. MO 137)
Exp. : 1914, Londres, Goupil Gallery (?); 1915, Londres, Doré Gallery, n° 156 ; 1943, Leeds, n° 76 ; 1956, Londres, Arts Council, n° 20 ; 1956, Orléans, n° 8 ; 1983-1984, Cambridge, Bristol, York, n° 59
Bibl. (tous tirages confondus) : Pound, 1916, pl. XVII ; Ede, 1930, liste des oeuvres de Gaudier ; Pound, 1960, pl. XVII ; Cole, 1978, n° 44 ; Secrétain, 1979, p. 267 ; Fauquembergue, Baude, 1986, p.127; Henri Gaudier-Brzeska par Ezra Pound, 1992, p. 268 et 269

35. Oiseau avalant un poisson, 1914
Bronze patiné brun, épreuve posthume ?/11non datée
h. : 31 l. : 61,5 p. : 29
Don de la fondation Kettle's Yard en 1964
Paris, Musée National d'Art Moderne (Inv. AM 1454 S)
Exp.: 1966, Arnheim Gewerbemuseum, exposition internationale de sculpture moderne, n° 81 repr. p. 73 ; 1977, château de Ratilly ; 1978, Paris, Grand Palais, Salon de la Société des Artistes Indépendants ; 1986, Venise, p. 304
Bibl. (tous tirages confondus) : Ede, 1930, liste supplémentaire des oeuvres de Gaudier ; Pound, 1960, pl. XX ; Levy, 1965, pl. 80 ; Cork, 1976, p. 439 ; Strachan, 1976, Towards sculpture, maquettes and drawings from Rodin to Oldenburg, Londres, Thames and Hudson, p. 181 ; Cole, 1978, p. 118, n° 66 ; Secrétain, 1979, p. 268 ; Fauquembergue, Baude, 1986, p.85 ; Henri Gaudier-Brzeska par Ezra Pound, 1992, p. 153 - 157, 159-160

36. Chien, 1914
Bronze patiné brun, épreuve posthume non datée
h. : 14,5 l. : 35,5 p. : 8
Don de la fondation Kettle's Yard en 1964
Paris, Musée National d'Art Moderne (Inv. AM 1451 S)
Exp. : 1977, château de Ratilly
Bibl. (tous tirages confondus) : Ede, 1930, pl. XXVIII ; Ede, 1931, face p. 84 ;Pound, 1960, pl. XVIII ; Cork, 1976, p. 433 ; Cole, 1978, p. 109, n° 56; Rhyne, 1978, p. 36 ; Fauquembergue, Baude, 1986, p.87

37. Canard, 1914
Marbre

38. Les lutteurs, 1914
Pierre (herculite), épreuve posthume non datée
Monogrammé b.c.
h. : 72 l. : 92
Leeds, collection Sherwin
Bibl. (tous tirages confondus) : Ede, 1930, liste des oeuvres de Gaudier ; Brodzky, 1933, face p. 98; Levy, 1965, p. 82 ; Cole, 1978, p. 93, n° 42 ; Fauquembergue, Baude, 1986, p.81 ; Henri Gaudier-Brzeska par Ezra Pound, 1992, p. 97-104

39. Tête hiératique d'Ezra Pound, 1914
Marbre, réplique de 1974 d'après l'original en marbre
h. : 90 l. : 58 p. : 41
Anc. coll. Ezra Pound
Venise, fondation Cini
Exp. : 1991, Bozen, Bolzano, Beauty is difficult. Hommage to Ezra Pound, n° 88
Bibl. (tout exemplaire confondu) : Pound, 1916, pl. XXI ; Ede, 1930, liste des oeuvres de Gaudier ; Pound, 1960, pl. XXIX ;Levy, 1965, pl. 78 ; Cork, 1976, p. 180-181 ; Cole, 1978, p. 102, n° 50 ; Fauquembergue, Baude, 1986, p.123 ; Henri Gaudier-Brzeska par Ezra Pound, 1992, p.121-136, 238

40. Portrait d'Ezra Pound, 1914
Bois
h. : 71,8 l. : 16,8
New-Haven, Yale University Art Gallery
Exp. : 1967, Cambridge,Fog; 1981-1982, Toronto, n° 84 ; 1983-1984, Cambridge, Bristol, York, n° 70 ; 1984-1985, New York, Détroit, Dallas, p. 449
Bibl. : Cole, 1978, p. 103, n° 51 ; Wilkinson, 1991, p. 449 ; Fauquembergue, Baude, 1986, p.121

41. Marteau de porte, 1914
Bronze, épreuve posthume non datée
h. : 17,5 l. : 8 p. : 2,8
Don de la fondation Kettle's Yard en 1964
Paris, Musée National d'Art Moderne (Inv. AM 1452 S)
Exp. : 1977, Château de Ratilly
Bibl. (tous tirages confondus) : Ede, 1930, liste des oeuvres de Gaudier ; Cork, 1976, p. 443 ; Cole, 1978, p. 116, n° 62 ; Secrétain, 1979, p. 230 ; Wilkinson, 1991, p. 446 ; Fauquembergue, Baude, 1986, p.119 ; Henri Gaudier-Brzeska par Ezra Pound, 1992, p. 271

:RRATUM

•our des raisons techniques, le *Portrait d'Ezra Pound*, (cat. n° 40), n'a pu être résenté à l'exposition

35

36

37

38

39

41

42

40

45

43

44

42. Torpille
(dit aussi Torpedo Fish), 1914-1915
Bronze doré, exemplaire posthume 1/9 de 1968
h. : 15,5 l. : 3,5 p. : 3
Don de M. Dermot Freyer en 1969
Paris, Musée National d'Art Moderne
(Inv. AM 1704 S)
Exp. : 1977, château de Ratilly
Bibl. (tous tirages confondus) : Pound, 1916, pl. XVIII ; Ede, 1930, liste des oeuvres de Gaudier ; Pound, 1960, pl. XVI ; Cork, 1976, p. 444 ; Cole, 1978, p. 117, n° 63 B ; Fauquembergue, Baude, 1986, p. 115 ; Henri Gaudier-Brzeska par Ezra Pound, 1992, p. 271

43. "Danseuse en pierre rouge", 1914
Bronze, épreuve posthume non datée
h. : 43 p. : 23
Anc. coll. J. Ede
Université Cambridge, Fondation Kettle's Yard
(Inv. HGB 24)
Bibl. (tous tirages confondus) : Pound, 1916, pl. V et VI ; Ede, 1930, pl. XXXVIII et liste des oeuvres de Gaudier; Pound, 1960, pl. XXI et XXII ; Levy, 1965, pl. 83 ; Cork, 1976, p. 174-175 ; Cole, 1978, p. 94-96 n° 43 ; Secretain, 1979, p. 193 ; Fauquembergue, Baude, 1986, p.99 ;
Henri Gaudier-Brzeska par Ezra Pound, 1992, p. 33-40

44. Cerfs, 1914
Albâtre veiné
Monogramme au revers sur la base
h. 39,4 l. 34,3
Don de Samuel Lustgarten
Chicago, Art Institute (Inv. 1953.22)
Exp. : 1914, Londres, Goupil Gallery, n° 112 ; 1918, Londres, n° 44 ; 1956, Londres, Arts Council, n° 26 ; 1972, Edimbourg, Leeds, Cardiff, n° 35 ; 1973, Londres, Arts Council, Pioneers of Modern Sculpture, n° 113; 1974, Londres, Hayward Gallery, n° 201 ; 1983-1984, Cambridge, Bristol, York, n° 64; 1985, Chicago, Art Institute, Chalk and Chisel : sculptor's drawing in the Art Institute of Chicago
Bibl. : Pound, 1916, pl. XXII ; Ede, 1930, pl. XLIII et liste des oeuvres de Gaudier; Brodzky, 1933, face p. 45 ; Pound, 1957, pl. 20 ; Pound, 1960, pl. XXV ; Cole, 1978, p. 104-105,
n° 52 ; Secrétain, 1979, p. 268 ; Henri Gaudier-Brzeska par Ezra Pound, 1992, p. 270

45. Femme assise, 1914
Plâtre original
D.d.g. en creux : 1914
h. : 30,5 l. : 20 p. : 24
Acquis en 1985
Orléans, Musée des Beaux-Arts (Inv. 85.9.1)
Bibl. (tous tirages confondus) : Pound, 1916, pl. XIX;Cheney, A Primer of modern Art, New-York, 1924, ill. p. 280 ; Inventory Co 1924 ; Catalogue de la John Quinn Collection of Paintings, Watercolors, Drawings and sculpture, Huntington, New-York, Pidgeon Hill Press, 1926, p. 196 ; Ede, 1930, pl. XLIV et liste des oeuvres de Gaudier ; Pound, 1957, pl. 5 ; Pound, 1960, pl. XXVII ; Cork, 1976, p. 448-449 ; Cole, 1978, p. 120-121, n° 67 ; Secrétain, 1979, p. 250 ; Ojalvo, 1986, n° 4-5, p. 336 ;
Fau quembergue, Baude, 1986, p.103 ;
Henri Gaudier-Brzeska par Ezra Pound, 1992, p. 217, 219 à 224

46. Femme assise, 1914
Marbre
h. : 48 l. : 34,5 p. : 28
Acquis en 1918 par John Quinn puis vendu en 1927 avec sa succession; don de la fondation Kettle's Yard en 1964.
Paris, Musée National d'Art Moderne
(Inv. AM 1461 S)
Exp. : 1918, Londres, n° 80 ; 1922, New-York, The Sculptor's Gallery, Seven English Modernists ; 1969, Vincennes, Fête de l'Humanité, Les origines de la sculpture contemporaine ; 1969-1970, Montréal, Musée des Beaux-Arts, Québec, Musée, Portraits et figures de France ; 1972, Edimbourg, Leeds, Cardiff, n° 43 ; 1974, Londres, Hayward Gallery, n° 217 ; 1978, Washington, Hirshorn Museum and Sculpture Garden, The Noble Buyer : John Quinn, Patron of the Avant-Garde, n° 26; 1981, Saint-Paul-de-Vence, fondation Maeght, sculpture du XXe siècle : 1900-1945, n° 85 ; 1981-1982, Toronto, n° 80 repr. p. 185 ; 1983-1984, Cambridge, Bristol, York, n° 89 repr. p. 56 ; 1987, Londres, Royal Academy of Arts, n° 59
Bibl. (tous tirages confondus) : Pound, 1916 pl. XIX; Cheney, A Primer of modern Art, New-York, 1924, ill. p. 280 ; Inventory Co 1924 ; Catalogue de la John Quinn Collection of Paintings, Watercolors, Drawings and sculpture, Huntington, New-York, Pidgeon Hill Press, 1926, p. 196 ; Ede, 1930, pl. XLIV et liste des oeuvres de Gaudier ; Pound, 1957, pl. 5 ; Pound, 1960,
pl. XXVII ; Cork, 1976, p. 448 - 449 ; Cole, 1978, p. 120 - 121, n° 67 ; Secrétain, 1979, p. 250 ; Fauquembergue, Baude, 1986, p. 103; La collection du Musée National d'Art Moderne, Paris, ed. du Centre Pompidou, 1987, p. 234, 235;
Henri Gaudier-Brzeska par Ezra Pound, 1992, p. 217, 219 à 224

Bois gravé pour impression

47. Femme assise
Bois gravé non daté
h. : 28,5 l. : 7,5 p. : 11
Acquis en 1956
Orléans,
Musée des Beaux-Arts
(inv. MO 164)

47

46

Catalogue des dessins

Dominique Forest

Liste des abréviations:
Anc. coll. : ancienne collection
Exp. : exposition
Bibl. : bibliographie
I. : inscrit
N. : numéroté
S. : signé
D. : daté
b. : bas
g. : gauche
d. : droite
c. : centre

Toutes les dimensions sont exprimées en centimètres

Dessins

48. Vue de Saint-Jean de Braye, (au verso tête de garçon), 1902

Pierre noire sur papier (recto et verso)
D. b. g. : 1902
I.b.g. en travers au crayon : vue prise de la fenêtre de sa chambre, I.b.c. au crayon: St.-Jean-de-Braye (Hameau de Grasdoux)
h. : 16,7 l. : 41
Acquis en 1956
Orléans, Musée des Beaux-Arts (Inv. MO. 143)

49. Grace and Speed or the Golden Eagle's Wing,1908

Plume et encre sur papier
S.D.b.d. : H. Gaudier 27 /12/ 08
I.b.d. : Grace and Speed or the Golden Eagle's Wing
h. : 23 l. :14
Anc. coll. J.Ede
Université Cambridge, Fondation Kettle's Yard (Inv. HGB 73)

50. Homme debout, (au verso tête de chien), 1910

Encre et mine de plomb sur papier (au verso fusain)
S.D.b.c. : Gérald 10
h. : 24 l. : 15,5
Don de J. Ede en 1956
Orléans, Musée des Beaux-Arts (Inv. MO.1348 et MO.1349)

51. Etude d'homme pour Prométhée (au verso étude pour Prométhée) 1910

Fusain et sanguine sur papier (au verso fusain sur papier)
S. D. b. g. : H. Gaudier, 1910
I.b.g. : l'homme (20) à la gauche
h. : 48 l. : 31
Don de Mme Baillet en 1956
Orléans, Musée des Beaux-Arts (Inv. MO. 123)

52. Deux études pour Prométhée, vers 1910

Encre et pierre noire sur papier
I.b.d. : PROMETHEE
h. : 23,4 l. : 36,4
Acquis de J. Ede en 1956
Orléans, Musée des Beaux-Arts (Inv. MO. 141)

53. Etude d'après la Porte de l'enfer, vers 1910

Encre de Chine et pierre noire sur papier
Quatre annotations illisibles autour de la sculpture :
h. : 37,6 l. : 31
Don de J. Ede en 1956
Orléans, Musée des Beaux-Arts (Inv. MO. 142)

54. Vue de l'atelier de sculpture de Rodin à Meudon, vers 1910

Pierre noire sur papier
h. : 25,5 l. : 38
Don de J. Ede en 1956
Orléans, Musée des Beaux-Arts (Inv. MO. 485)

55. Cahier de croquis, Etude d'après le Marchand de masques de Zacharie Astruc, vers 1910

Tampon encreur " L. Bourdillon, fabricant / 56 rue de Rennes/ 56/ (près le Boulevard de St.Germain) sur page de couverture
h. : 21,5 l. :17,6
Don de J. Ede en 1956
Orléans, Musée des Beaux-Arts (Inv. MO. 138)

56. Carnet de croquis, vers 1912

Mine de plomb sur papier à l'en-tête de "Northern télégraph"
h. : 23,3 l. : 17,7
Don de J. Ede en 1956
Orléans, Musée des Beaux-Arts (Inv MO. 468)

49

48

50

51

52

53

54

57. Carnet de croquis : médaillons, Middleton Murry, Katherine Mansfield, 1912
Encre sur papier de brouillon "scribbling book for the desk or the counter"
D.I. à l'encre : MCMXII / J.M. Murry, Fown of Rythm
h. : 21,5 l. : 14
Don de J. Ede en 1956.
Orléans, Musée des Beaux-Arts (Inv. MO 110)

58. Figure d'homme au chapeau, vers 1912
Encre sur papier
S. b. g. : H. Gaudier Brzeska
h. : 25 l. : 19
Don de J. Ede en 1956
Orléans, Musée des Beaux-Arts (Inv. MO. 134)

59. Figure d'homme, vers 1912
Encre de Chine, et pierre noire sur papier
h. : 23,7 l. : 17,6
Don de J. Ede en 1956.
Orléans, Musée des Beaux-Arts (Inv. MO. 1358)

60. Figure d'homme au chapeau, vers 1912
Encre de Chine et pierre noire sur papier
h. : 26 l. : 20,1
Don de J. Ede en 1956.
Orléans, Musée des Beaux-Arts (Inv. MO 511)

61. Figure d'homme à la moustache, vers 1912
Encre et pierre noire sur papier
h. : 26 l. : 20,2
Don de J. Ede en 1956
Orléans, Musée des Beaux-Arts (Inv. MO. 507)

62. Figure d'homme, vers 1912
Encre rouge et pierre noire sur papier
h. : 25,3 l. : 20
Don de J. Ede en 1956.
Orléans, Musée des Beaux-Arts (Inv. 1339)

63. Femmes et enfant marchant, vers 1912
Encre et pierre noire sur papier
I.h.g. au verso " £ 5 "
h. : 25,2 l. : 20
Don de J. Ede en 1956.
Orléans, Musée des Beaux-Arts (Inv. MO 1324)

64. Femme vue de dos (au recto et verso), vers 1912
Encre et pierre noire sur papier
h. : 21,2 l. : 14
Don de J. Ede en 1956
Orléans, Musée des Beaux-Arts (Inv. MO 116)

65. Femme avec un chien, vers 1912
Encre rouge et pierre noire sur papier
h. : 20 l. : 25
Don de J. Ede en 1956.
Orléans, Musée des Beaux-Arts (Inv. MO. 1344)

66.Homme au travail (au verso femme et enfant), vers 1912
Encre de Chine et pierre noire sur papier (au verso crayon)
h. : 24 l. : 17,5
Don de J. Ede en 1956
Orléans, Musée des Beaux-Arts (Inv. MO 1357)

67. Portrait présumé de Sophie Brzeska, juin 1912
Encre de Chine et pierre noire sur papier
D. b. d. au verso : Juin 1912
h. : 25,2 l. : 20,2
Don de J. Ede en 1956.
Orléans, Musée des Beaux-Arts (Inv. MO 500)

68. Portrait présumé de Sophie Brzeska, après 1912
Encre sur papier de la Maison Wulfserg
Imprimé h.g. : W. & Co .
h. : 28,5 l. : 22
Don de J. Ede en 1956
Orléans, Musée des Beaux-Arts (Inv. 512)

69. Figure d'homme à la pipe, vers 1912
Aquarelle et pastel sur papier
h. : 26 l. : 20,2
Don de J. Ede en 1956
Orléans, Musée des Beaux-Arts (Inv. MO. 513)

70. Figure de femme au chapeau, vers 1912
Aquarelle et pastel sur papier
h. : 22,7 l. : 17,5
Don de J. Ede en 1956.
Orléans, Musée des Beaux-Arts (Inv. MO. 515)

71. Figure d'homme au chapeau, vers 1912
Aquarelle et pastel sur papier
h. : 26 l. : 20,2
Don de J. Ede en 1956
Orléans, Musée des Beaux-Arts (Inv. MO. 516)

72. Figure d'homme au chapeau, vers 1912
Gouache sur papier
h. : 56,5 l. : 38,5
Don de J. Ede en 1956.
Orléans, Musée des Beaux-Arts (Inv. MO. 133)

57

57

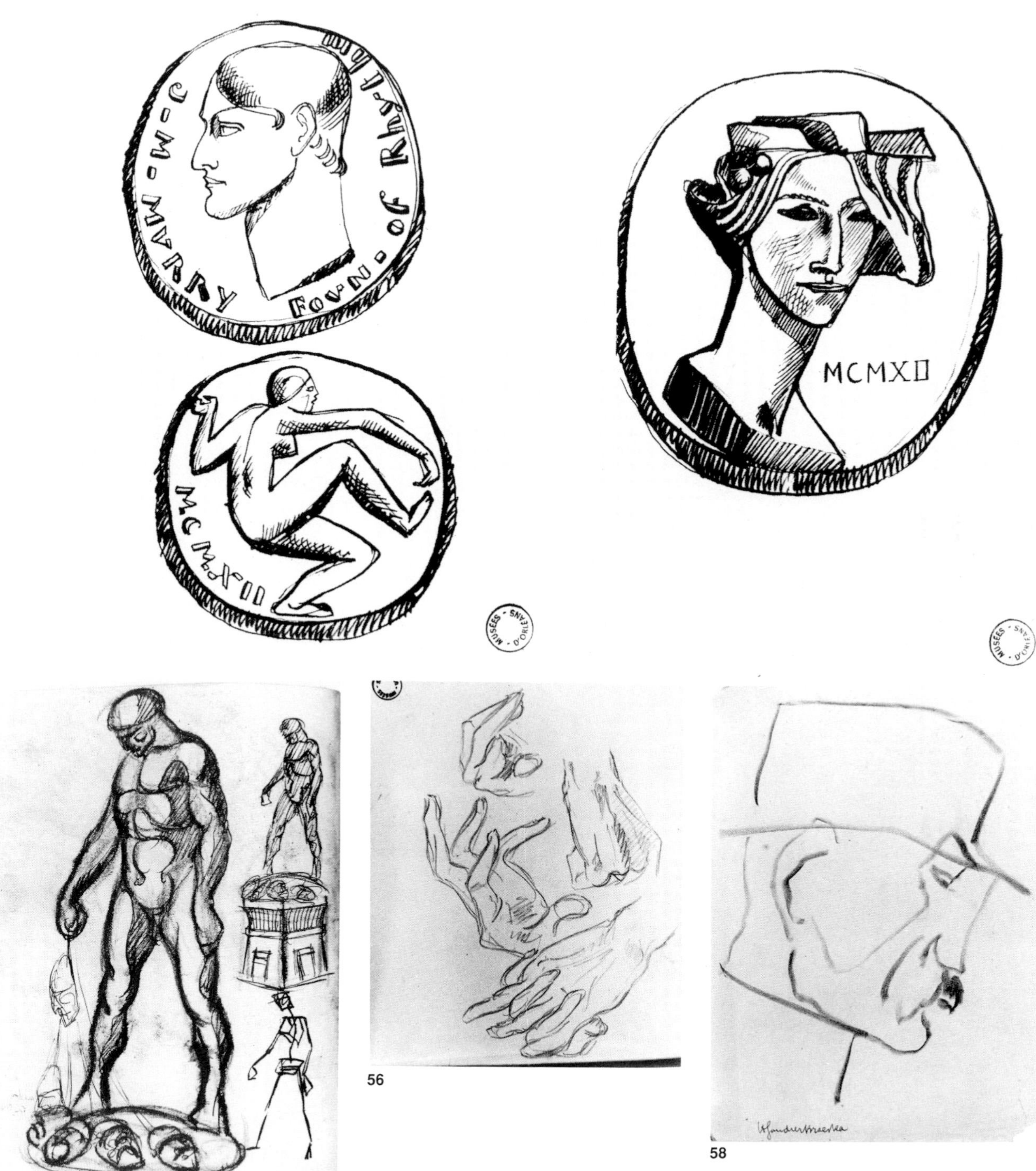

55

56

58

59

60

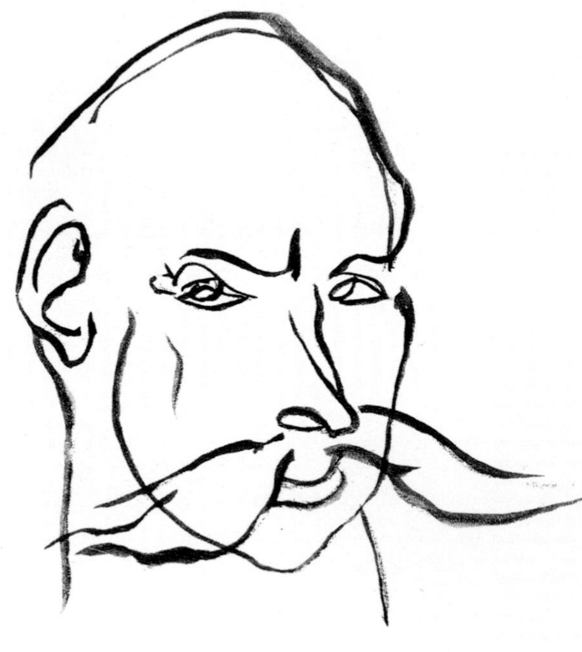

61

62

64

63

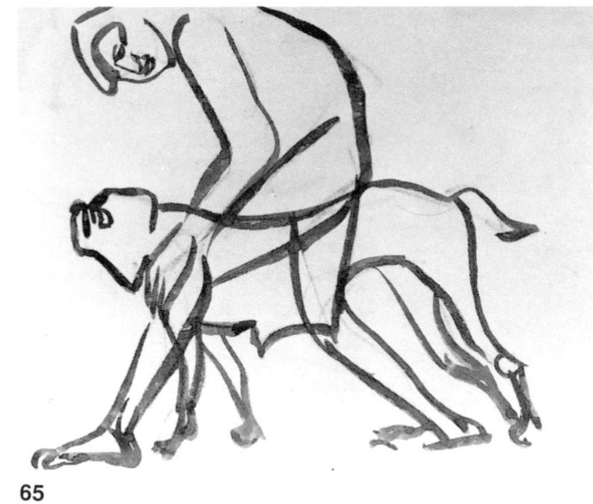

65

66

67

68

70

71

69. Figure d'homme à la pipe : ill. p. 162

73. Femme dansant, vers 1912
Craie et aquarelle sur papier collé sur carton
I. b. g. au crayon : C
h. : 45,5 l. : 38
Don de J. Ede en 1956
Orléans, Musée des Beaux-Arts (Inv. MO. 1320)

74. Vieil homme marchant avec une canne, vers 1912
Encre de chine sur papier
h. : 36,5 l. : 23,5
Anc. Coll. J. Ede
Paris, Collection particulière

75. Trois hommes nus debout, vers 1912
Encre sur papier
h. : 36,8 l. : 48,25
Paris, Galerie Marwan Hoss

76. Travailleurs, vers 1912-1913
Mine de plomb sur papier
h. : 21,5 l. : 17,3
Don de J. Ede en 1956.
Orléans, Musée des Beaux-Arts (Inv. MO. 424)

77. Portrait de Lovat Fraser, vers 1912-1913
Pastel sur papier
S. b. g. : H. Gaudier Brzeska
h. : 50,7 l. : 31,9
Acquis en 1957
Orléans, Musée des Beaux-Arts (Inv. MO.235)

78. Etude pour Tête religieuse,(cat. n° 14) vers 1912-1913
Pierre noire sur papier
h. : 25,1 l. : 20,1
Don de J. Ede en 1956
Orléans, Musée des Beaux-Arts (Inv. MO. 509)

79. Portrait d'Haldane Mac Fall (au verso portrait de femme), vers 1912-1913
Mine de plomb sur papier de la Maison Wulfserg
Imprimé h. d. : W. & Co .
h. : 22 l. : 15,5
Don de J. Ede en 1956.
Orléans, Musée des Beaux-Arts (Inv. MO 370)

80. La mort, vers 1913
Encre de Chine sur papier
h. : 38,5 l. : 25,7
Don de J. Ede en 1956
Orléans, Musée des Beaux-Arts (Inv. MO. 633)

81. Projet d'affiche pour un whisky, vers 1912-1913
Encre sur papier de la Maison Wulfsberg
Imprimé au verso : W. & Co.
h. : 28,3 l. : 22
Don de J. Ede en 1956.
Orléans, Musée des Beaux-Arts (Inv. MO 554)

82. Projet d'affiche (?), Vue des Ateliers Oméga (?),1912-1913
Mine de plomb sur papier
h. : 21,5 l. : 16,5
Don de J. Ede en 1956
Orléans, Musée des Beaux-Arts (Inv. MO. 445)

83. Projet d'affiche pour le whisky Black and White (au verso croquis d' homme), vers 1912
Mine de plomb sur papier
I. dans l'affiche : Brighanan's/Black and White Brand
h. : 22 l. : 17,8
Don de J. Ede en 1956.
Orléans, Musée des Beaux-Arts (Inv. MO. 453)

84. Chat, vers 1913
Pinceau et encre de Chine sur papier
h. : 22 l. : 29
Anc. Coll. J. Ede
Université Cambridge, Fondation Kettle's Yard (Inv. HGB 62)

72

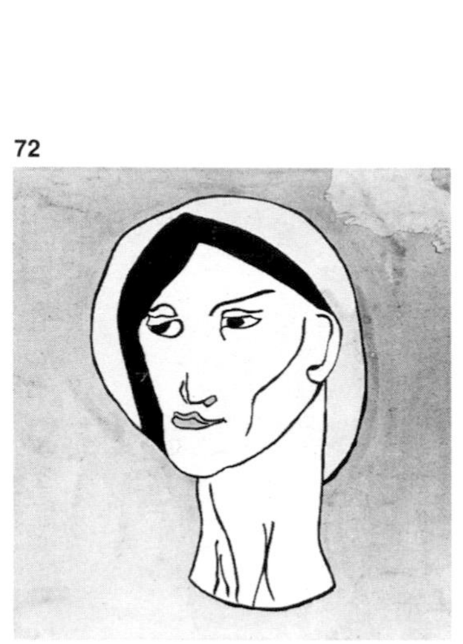

73

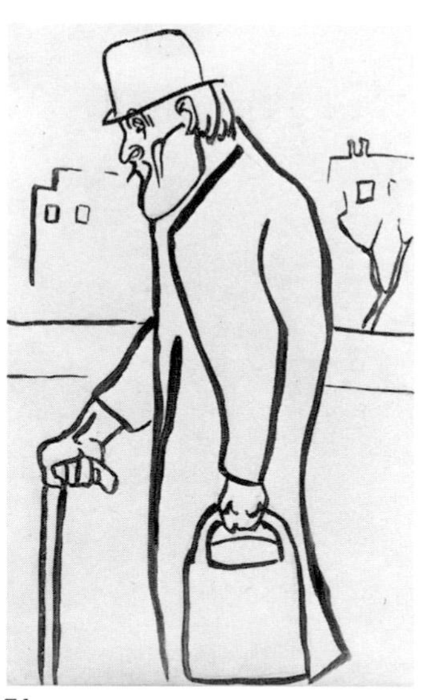

74

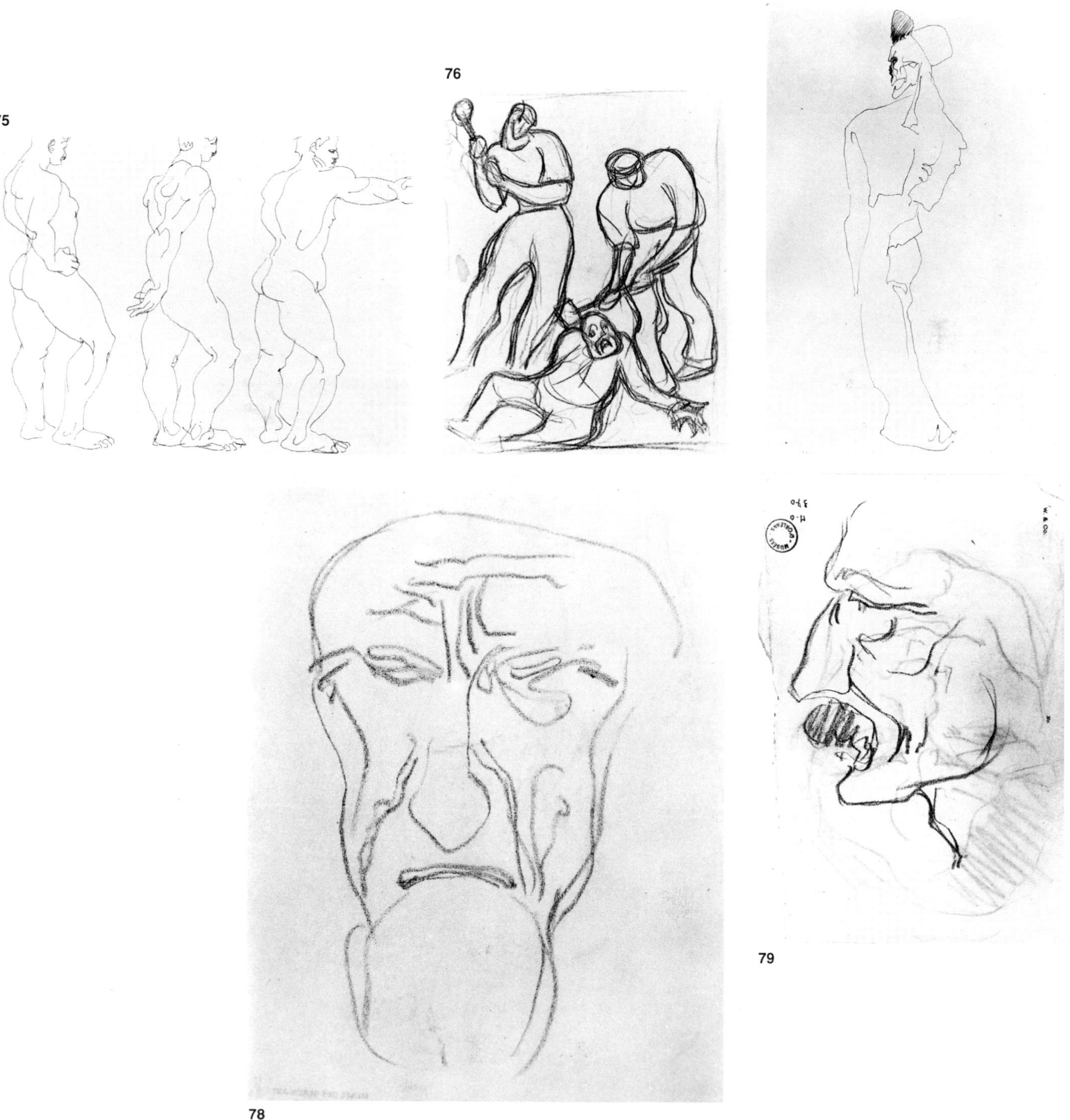

75

76

80

78

79

77. Portrait de Lovat Fraser: ill. p.163

84

81

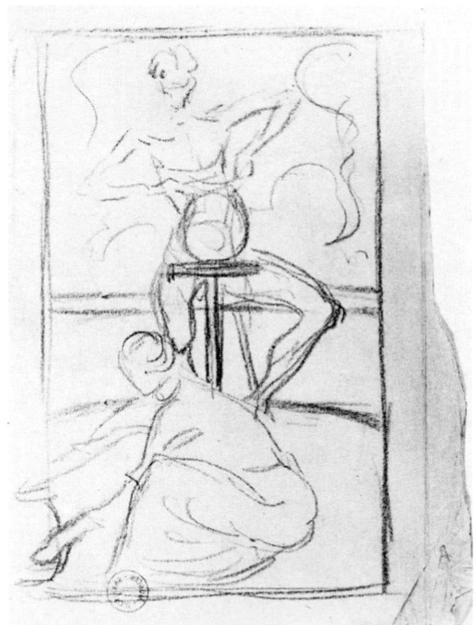

82

83

85. Etude pour le Chat en céramique des Ateliers Omega (cat n° 26) (au verso composition abstraite), vers 1913
Mine de plomb sur papier
h. : 22 l. : 29
Don de J. Ede en 1956.
Orléans, Musée des Beaux-Arts (Inv. MO. 687)

86. Etude pour Ornement de jardin 2 (cat n° 31), vers 1913
Encre verte et mine de plomb sur papier
N. au verso au crayon: 3
h. : 34,3 l. : 21,3
Don de J. Ede en 1956.
Orléans, Musée des Beaux-Arts (Inv. MO. 605)

87. Etude pour un vase, vers 1913
Mine de plomb sur papier
h. : 33 l. : 20,2
Don de J. Ede en 1956
Orléans, Musée des Beaux-Arts (Inv. MO. 589)

88. Etude pour un vase, vers 1913
Mine de plomb sur papier
N.b.d., à l'encre : 490
h. : 33 l. : 20,2
Don de J. Ede en 1956.
Orléans, Musée des Beaux-Arts (Inv. MO 590)

89. Etude pour un vase, vers 1913
Mine de plomb sur papier
N.h.g. à l'encre : 373
h. : 33 l. : 20,2
Don de J. Ede en 1956
Orléans, Musée des Beaux-Arts (Inv. MO 591)

90. Deux carnets de croquis, vers 1913
Mine de plomb sur papier d'agenda
I. barrée au verso de la page "C" de l'agenda : J Atkinson Ld Eonia Wks, Sthivik Parkid, SE
h. : 18,4 l. : 23 et h. : 19,5 l. : 23
Don de J. Ede en 1956.
Orléans, Musée des Beaux-Arts (Inv. MO. 466 et MO. 467)

91. Projet pour monument, vers 1913
Encre sur papier
h. : 38,5 l. : 25,6
Don de J. Ede en 1956.
Orléans, Musée des Beaux-Arts (Inv. MO. 486)

92. Nus de dos, vers 1913
Encre sur papier
h. : 38 l. : 50,7
Don de J. Ede en 1956
Orléans, Musée des Beaux-Arts (Inv. MO. 1306)

93. Etude de nu masculin, vers 1913
Encre sur papier
h. : 37,2 l. : 25,6
Don de J. Ede en 1956.
Orléans, Musée des Beaux-Arts (Inv. MO. 883)

94. Etude de nu masculin, (au verso figure), vers 1913
Encre sur papier
h. : 38 l. : 25
Don de J. Ede en 1956.
Orléans, Musée des Beaux-Arts (Inv. MO. 882)

95. Etude de nu masculin , (au verso figure), vers 1913
Encre sur papier
N.b.d.: 11293
h. : 38 l. : 25
Don de J. Ede en 1956.
Orléans, Musée des Beaux-Arts (Inv. MO. 1003)

96. Etude de nu masculin, vers 1913
Encre sur papier
h. : 38 l. : 25
Don de J. Ede en 1956
Orléans, Musée des Beaux-Arts (Inv. MO. 936)

97. Etude de nu masculin, vers 1913
Encre sur papier
h. : 38,3 l. : 25,4
Don de J. Ede en 1956
Orléans, Musée des Beaux-Arts (Inv. MO. 1014)

98. Etude de nu masculin, vers 1913
Encre sur papier
N.b.d. au recto et au verso : 9383
h. : 39 l. : 26
Don de J. Ede en 1956.
Orléans, Musée des Beaux-Arts (Inv. MO. 932)

99. Etude de nu masculin, vers 1913
Encre sur papier
h. : 38,5 l. : 25,4
Don de J. Ede en 1956.
Orléans, Musée des Beaux-Arts (Inv. MO. 874)

100. Etude de nu masculin, vers 1913
Encre sur papier
h. : 37,8 l. : 25,5
Don de J. Ede en 1956.
Orléans, Musée des Beaux-Arts (Inv. MO. 940)

86

85

87

88

89

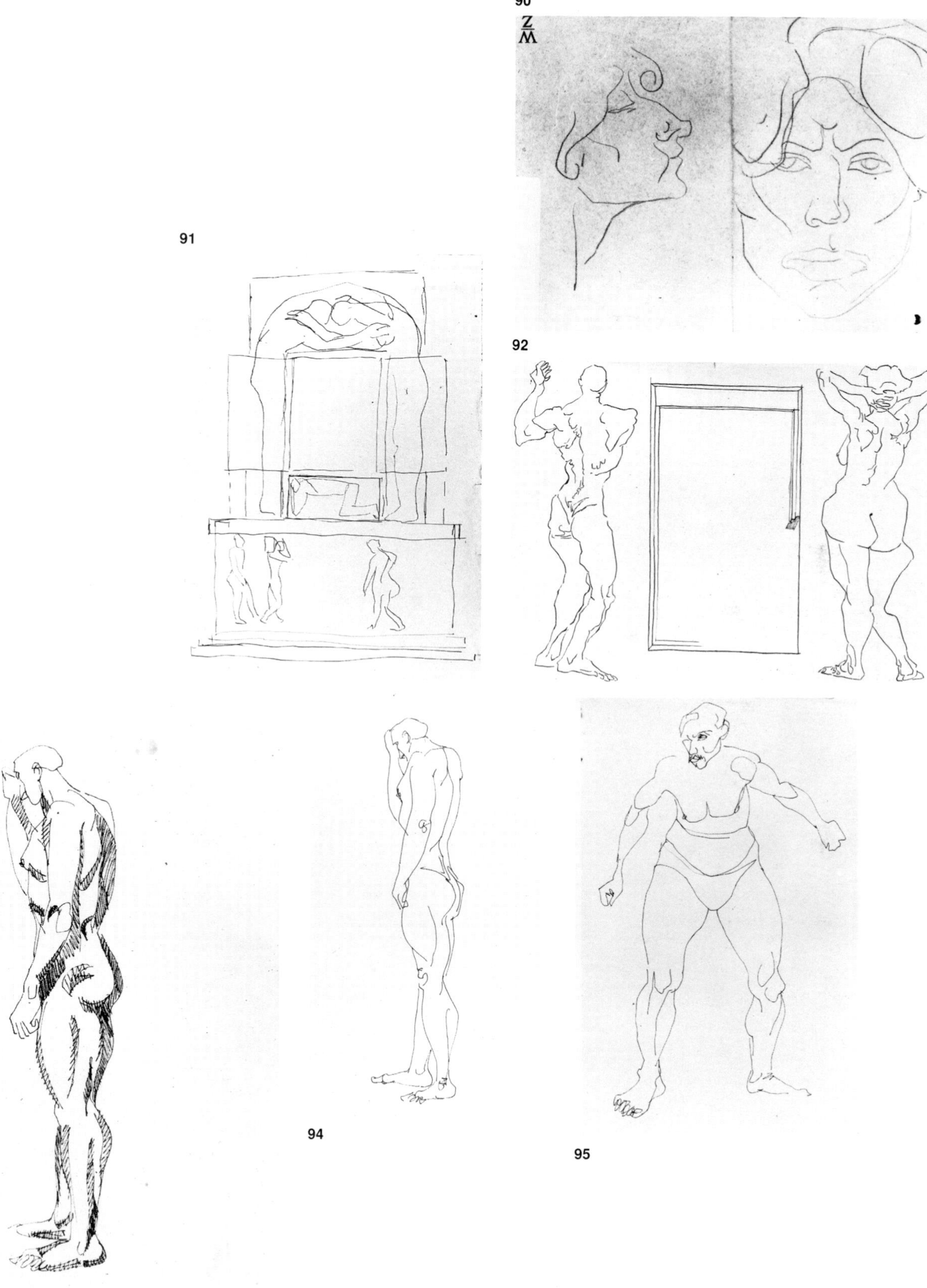

90

91

92

93

94

95

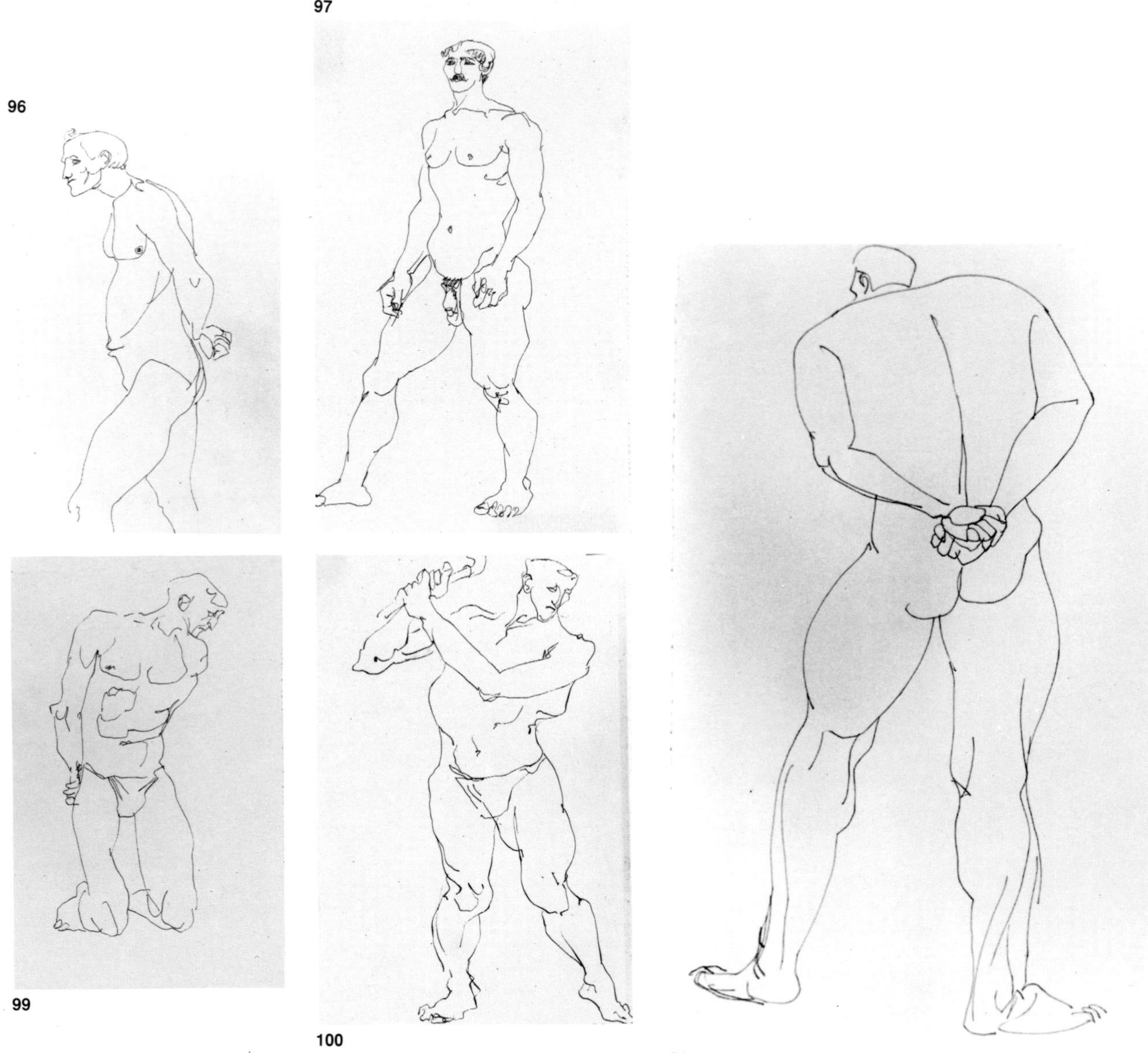

96

97

99

100

98

101. Homme nu debout, 1913
Fusain sur papier
h. : 50,8 l. : 37,8
Anc. Coll. E. Pound
Paris, Galerie Marwan Hoss

102. Homme nu debout, 1913
Fusain sur papier
h. : 50,8 l. : 35,9
Anc. Coll. E. Pound
Paris, Galerie Marwan Hoss

103. Homme nu debout, 1913
Fusain sur papier
h. : 50,8 l. : 35,2
Anc. Coll. E. Pound
Paris, Galerie Marwan Hoss

104. Homme nu debout, 1913
Fusain sur papier
h. : 50,8 l. : 36,5
Anc. Coll. E. Pound
Paris, Galerie Marwan Hoss

105. Portrait d'Horace Brodzky, 1913
Pastel sur papier
h. : 25 l. : 19,7
Londres, Arts Council

106. Etude de nu féminin, vers 1913
Encre sur papier
h. : 38,5 l. : 25,2
Don de J. Ede en 1956
Orléans, Musée des Beaux-Arts (Inv. MO. 1164)

107. Etude de nu féminin, vers 1913
Encre sur papier
h. : 37,5 l. : 25,5
Don de J. Ede en 1956
Orléans, Musée des Beaux-Arts (Inv. MO 1109)

108. Etude de nu féminin, vers 1913
Encre sur papier
h. : 38 l. : 25
Don de J. Ede en 1956
Orléans, Musée des Beaux-Arts (Inv. MO 1266)

109. Etude de nu féminin (au verso nu féminin), vers 1913
Encre sur papier
h. : 38,5 l. : 25
Don de J. Ede en 1956
Orléans, Musée des Beaux-Arts (Inv. MO. 1262 et MO. 1261)

110. Etude de nu féminin, vers 1913
Encre sur papier
N. b.d. à l'encre : 10383
h. : 38 l. : 25,5
Don de J. Ede en 1956
Orléans, Musée des Beaux-Arts (Inv. MO. 1272)

111. Femme nue debout, 1913
Fusain sur papier
h. : 50,8 l. : 38,2
Anc. Coll. E. Pound
Paris, Galerie Marwan Hoss

112. Femme nue assise, 1913
Fusain sur papier
h. : 50,2 l. : 37,5
Anc. Coll. E. Pound
Paris, Galerie Marwan Hoss

113. Femme nue debout, 1913
Fusain sur papier
h. : 50,5 l. : 36,2
Anc. Coll. E. Pound
Paris, Galerie Marwan Hoss

114. Femme nue de dos, 1913
Fusain sur papier
h. : 36,8 l. : 47,6
Anc. Coll. E. Pound
Paris, Galerie Marwan Hoss

115. Tête de lion, vers 1913
Encre sur papier
h. : 25,2 l. : 38,2
Don de J. Ede en 1956
Orléans, Musée des Beaux-Arts (Inv. MO. 559)

116. Etude d'oiseaux "ils s'embrassent"(au verso deux hommes avec une charrue), vers 1913
I. b. d. : ils s' embrassent
Crayon gras sur papier (au verso encre sur papier)
h. : 21,2 l. : 34,2
Don de J. Ede en 1956
Orléans, Musée des Beaux-Arts (Inv. MO. 778 et MO. 779)

117. Etude de lionne, vers 1913
Encre sur papier
h. : 25,6 l. : 38,2
Don de J. Ede en 1956
Orléans, Musée des Beaux-Arts (Inv.MO.731)

118. Etude de lionne, vers 1913
Encre sur papier
N. h. d. à l'encre : 2583
h. : 25,5 l. : 38,5
Don de J. Ede en 1956
Orléans, Musée des Beaux-Arts (Inv. MO. 726)

101

102

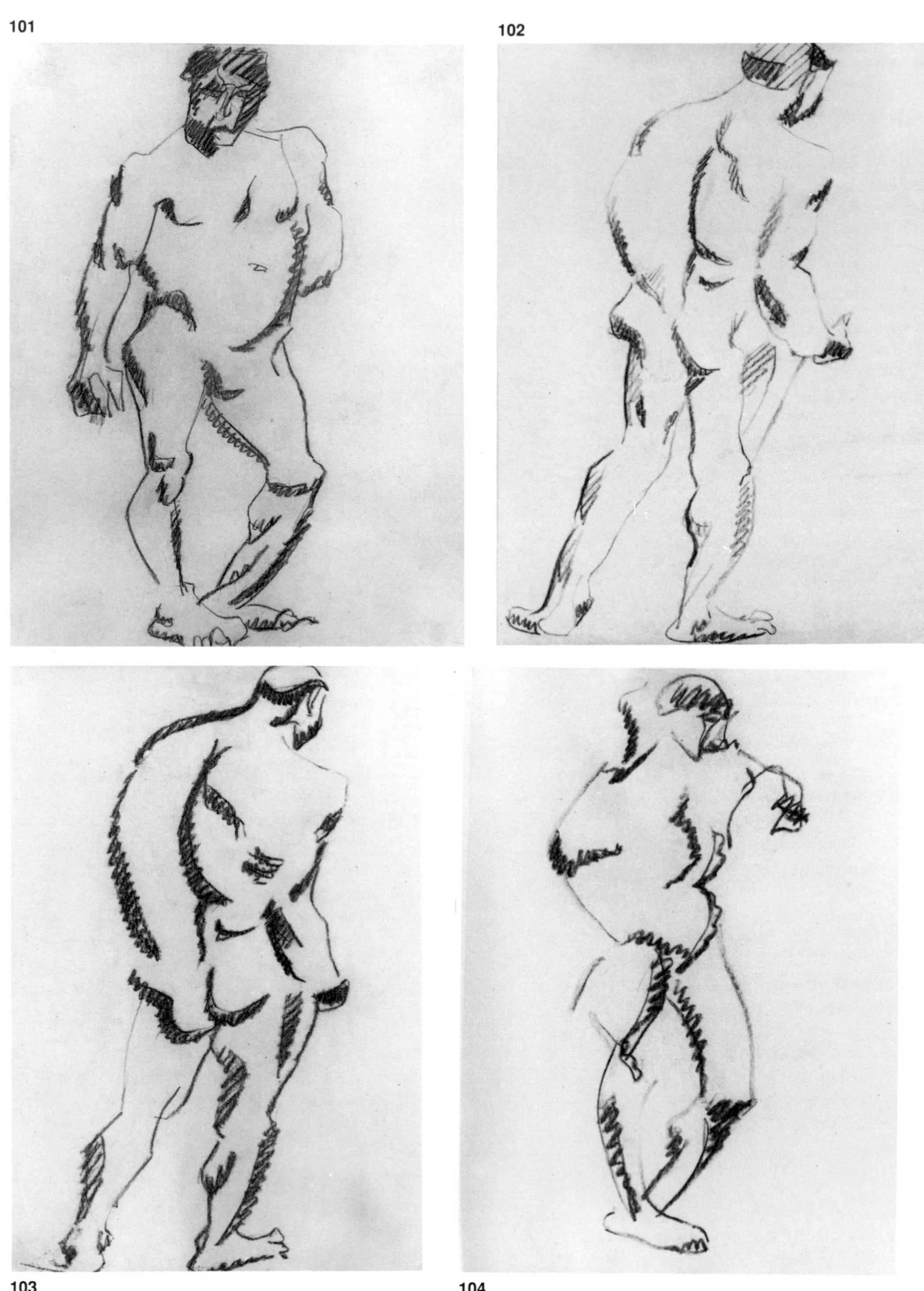

103

104

105. Portrait d'Horace Brodzky, 1913: ill. p. 166

106

107

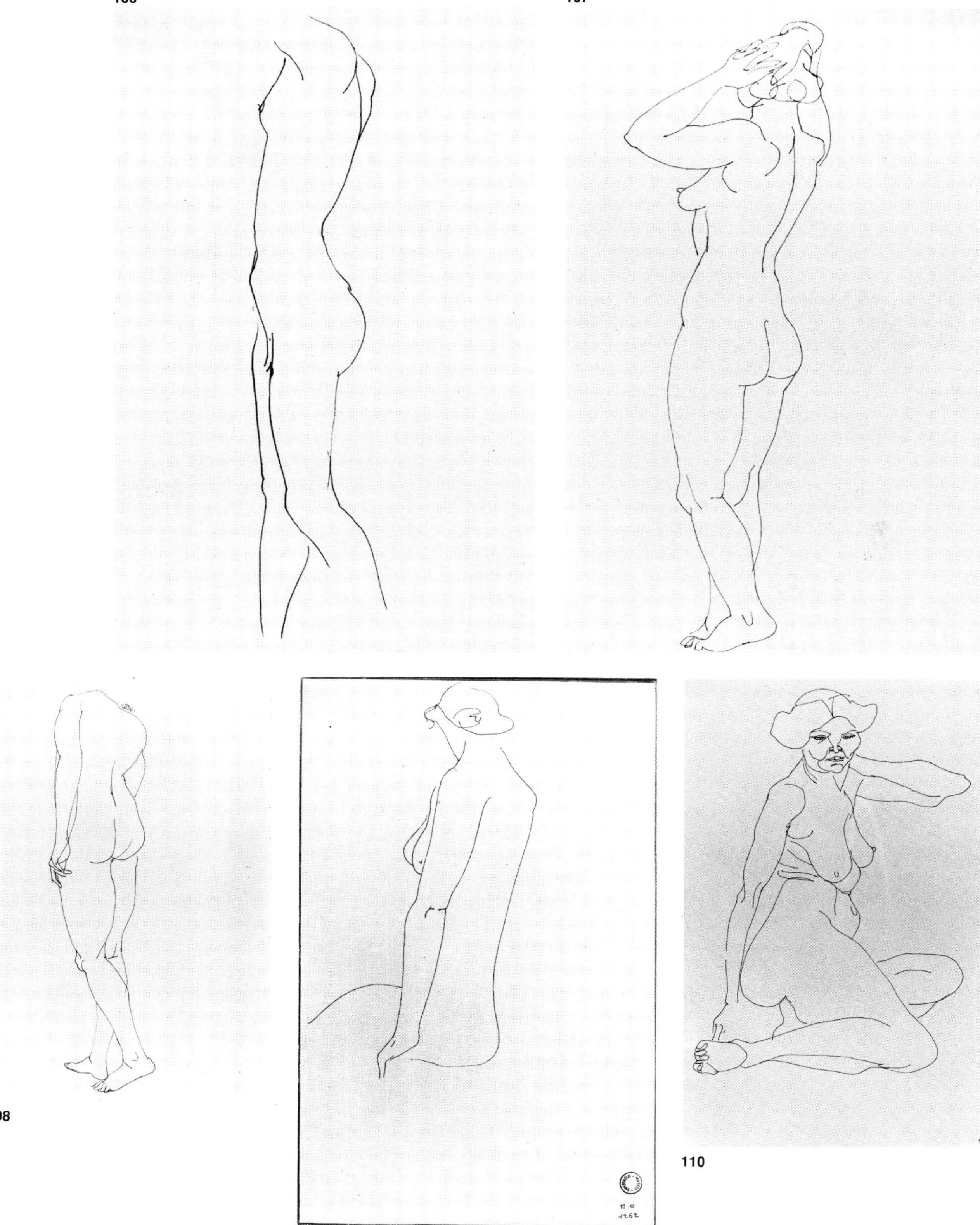

108

109

110

112

111

113

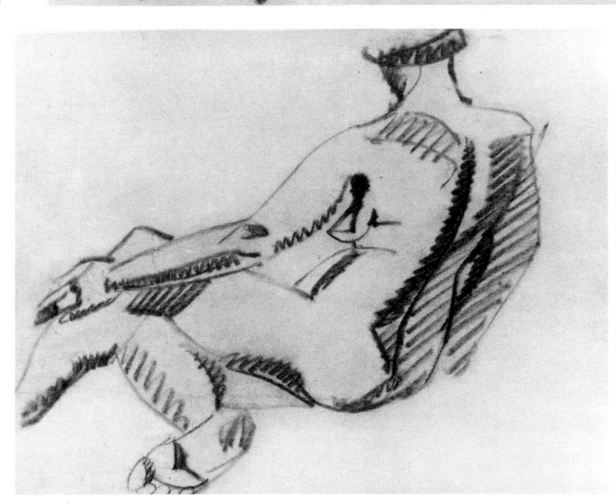

114

115
116
117
118

120

119

121

123

122

119. Etude de cheval
(au verso étude de cheval), vers 1913
Mine de plomb sur papier
h. : 34,3 l. : 21,2
Don de J. Ede en 1956
Orléans, Musée des Beaux-Arts
(Inv. MO. 764 et MO 765)

120. Etude de canard, vers 1913
Encre sur papier
h. : 21,6 l. : 34,5
Don de J. Ede en 1956
Orléans, Musée des Beaux-Arts (Inv. MO. 773)

121. Etude de canard, vers 1913
Encre sur papier
l. h. g. au verso au crayon : 20
h. : 21,6 l. : 34,5
Don de J. Ede en 1956
Orléans, Musée des Beaux-Arts (Inv. MO. 774)

122. Etude de bovidé, vers 1913
Encre sur papier
h. : 21,2 l. : 32,8
Don de M. Schiff en 1957
Orléans, Musée des Beaux-Arts (Inv. MO. 246)

123. Etude de vautour, vers 1913
Encre sur papier collé sur carton
l. au verso au crayon : CAS 38
h. : 40 l. : 27
Don de J. Ede en 1956.
Orléans, Musée des Beaux-Arts (Inv. MO. 788)

124. Autoportrait, vers 1913
Plume et encre sur papier
h. : 24 l. : 18
Anc. coll. J. Ede
Université Cambridge, Fondation Kettle's Yard
(Inv. HGB 76)

125. Etude pour le portrait d'Horace Brodzky (recto et verso), vers 1913
Crayon sanguine sur papier
l.b.g. au crayon brun : Voilà à peu près le profil de la face à l'état d'ébauche. J'espère pouvoir amener beaucoup plus d'expression par la suite
h. : 21 l. : 12,7
Don de J. Ede en 1956.
Orléans, Musée des Beaux-Arts
(Inv. MO. 517 - MO. 518)

126. Portrait présumé de Lovat Fraser (au verso portrait d'homme au chapeau), vers 1913
Mine de plomb sur papier
h. : 22 l. : 14
Don de J. Ede en 1956
Orléans, Musée des Beaux-Arts (Inv. MO. 360)

127. Portrait de Sophie, vers 1913
Pierre noire sur papier
h. : 38 l. : 25,5
Don de J. Ede en 1956.
Orléans, Musée des Beaux-Arts (Inv. MO. 553)

128. Autoportrait de l'artiste, vers 1913
Mine de plomb sur papier
S. b. d . à l'encre : Brzeska of himself ; N .h.d. au crayon : 3 ; l. h .g . au verso : himself, l. b.g. à l'encre: W (initiale présumée de Wolmark)
h. : 35,6 l. : 24,6
anc. coll. Wolmark (?)
Acquis de M. Granville en 1957
Orléans, Musée des Beaux-Arts (Inv. MO. 96)

129. Tête de profil Mme Banks 1913
Fusain et encre rouge sur papier
h. : 26 l. : 23
Anc. Coll. J. Ede
Paris, Galerie Marwan Hoss

130. Portrait d'homme, vers 1913
Pierre noire sur papier
h. : 38,5 l. : 25
Don de J. Ede en 1956.
Orléans, Musée des Beaux-Arts (Inv. MO. 543)

131. Etude, vers 1913
Mine de plomb sur papier (recto et verso)
h. : 21 l. : 16,5
Don de J. Ede en 1956.
Orléans, Musée des Beaux-Arts (Inv. MO. 658)

132. Deux hommes luttant, vers 1913
Crayon et encre sur papier
h. : 47 l. : 35
Anc. Coll. J. Ede
Université Cambridge, Fondation Kettle's Yard
(Inv. HGB. 37)

133. Lutteurs, 1913-1914
Encre de Chine sur papier
h. : 38 l. : 25,50
Don de la Fondation Kettle's Yard en1964
Musée National d'Art Moderne, Paris
(Inv. AM 3372 D)

134. Deux lutteurs, 1914
Mine de plomb sur papier
h. : 16 l. : 21
Anc. Coll. J. Ede
Université Cambridge, Fondation Kettle's Yard
(Inv. HGB 118)

124

125

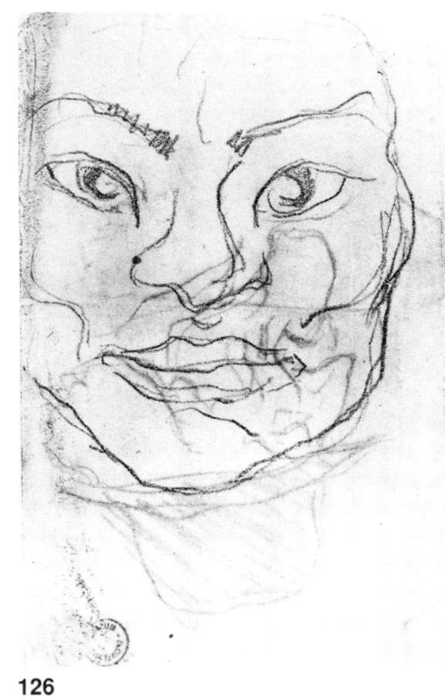

126

127

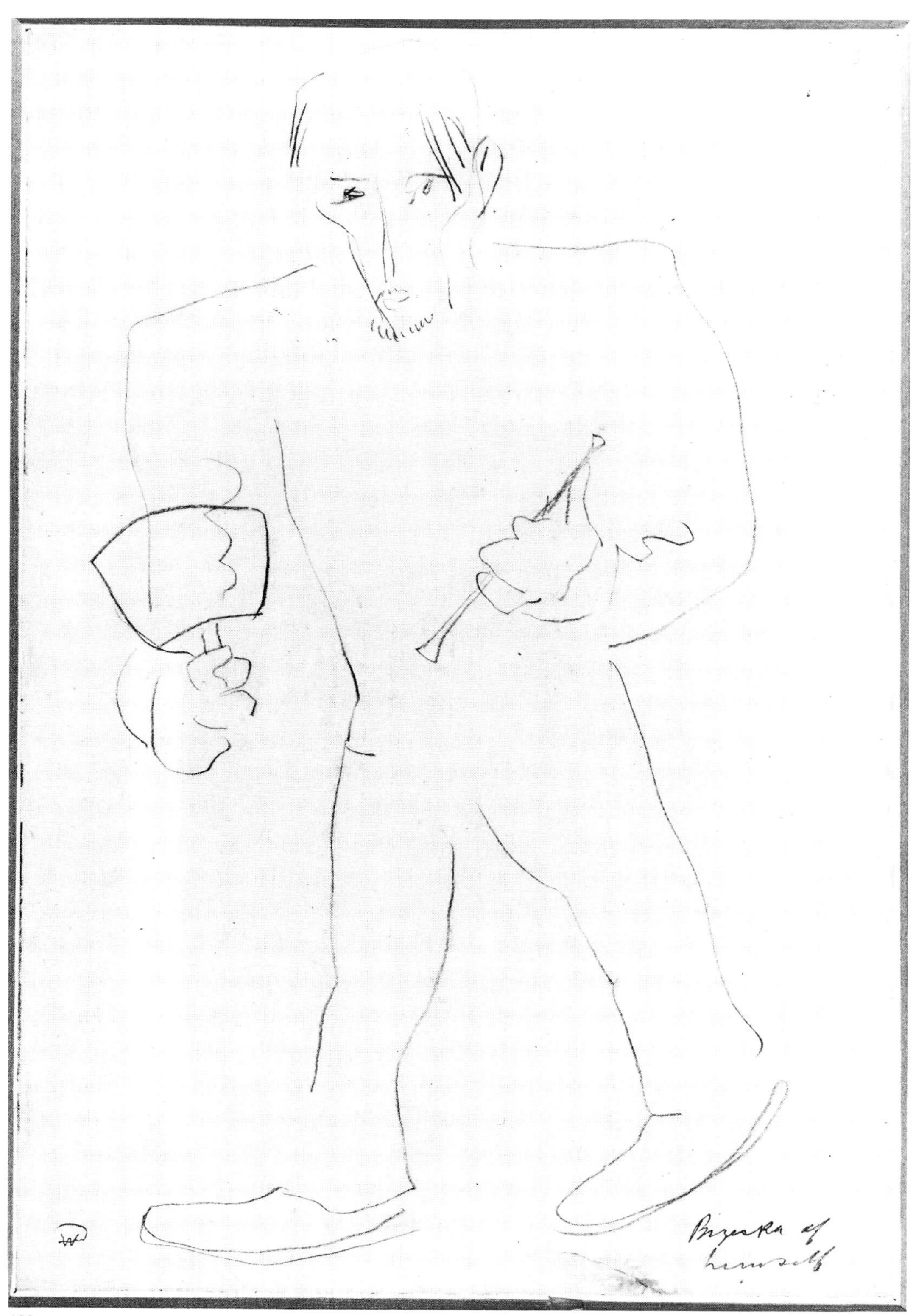

128

130

134

132

131

133

129.Tête de profil Mme Banks 1913: ill. p.167.

135. Etude pour la Tête hiératique d'Ezra Pound (cat n°39) 1913-1914
Encre de Chine sur papier
h. : 26 l. : 38
Don d'Ezra Pound en 1967
Paris, Musée National d'Art Moderne
(Inv. AM. 3593 D)

136. Etude pour la Danseuse en pierre rouge (cat n°43) 1913-1914
Encre de Chine sur papier
h. : 38,50 l. : 25
Don de la Fondation Kettle's Yard en 1964
Paris, Musée National d'Art Moderne
(Inv. AM. 3380 D)

137. Oiseau avalant un poisson (verso : tête de femme), vers 1914
Mine de plomb sur papier
h. : 14 l. : 21,3
Don de la fondation Kettle's Yard, en1966
Paris, Musée National d'Art Moderne
(Inv. AM. 3486 D)

138. Oiseau avalant un poisson, vers 1914
Crayon sur papier
h. : 32 l. : 48
Anc. Coll. J. Ede
Université Cambridge, Fondation Kettle's Yard
(Inv. HGB. 29)

139. Etude pour Oiseau avalant un poisson (cat n° 35) 1914
Mine de plomb sur papier
h. : 17 l. : 50
Don de J. Ede en 1956
Orléans, Musée des Beaux-Arts (Inv. MO. 661)

140. Etude pour Oiseau avalant un poisson (cat n° 35) 1914
Mine de plomb sur papier
h. : 16,70 l. : 50
Don anonyme
Paris, Musée National d'Art Moderne
(Inv. AM 4627 D)

141. Composition abstraite, vers 1914
Pastel sur papier
h. : 48 l. : 31
Don de J. Ede en 1956
Orléans, Musée des Beaux-Arts (Inv. MO. 130)

142. Signals, vers 1914
Pastel sur papier
h. : 48 l. : 31,5
Don de la Fondation Kettle's Yard en 1964
Paris, Musée National d'Art Moderne
(INV. AM. 3375 D)

143. Homme et cheval, vers 1914
Encre, lavis d'encre et aquarelle sur papier
h. : 48 l. : 31
Don de la Fondation Kettle's Yard en 1964
Paris, Musée National d'Art Moderne
(Inv. AM. 3371 D)

144. Femme dansant, vers 1914
Aquarelle et fusain sur papier
h. 48 l. 31
Don de la Fondation Kettle's Yard en 1965
Paris, Musée National d'Art Moderne,
(Inv. AM. 3385 D)

145. Nu féminin, vers 1914
Crayon et encre
h. : 37 l. : 12
Anc. coll. J. Ede
Université Cambridge, Fondation Kettle's Yard
(Inv. HGB. 39)

146. Femme assise, 1914
Mine de plomb sur papier
h. : 20 l. : 12
Anc. coll. J. Ede
Université Cambridge, Fondation Kettle's Yard
(HGB. 126)

147. Figure, 1914
Mine de plomb sur papier
h. : 34 l. : 21
Don de la fondation Kettle's Yard en 1964
Paris, Musée National d'Art Moderne
(Inv. AM. 3367 D)

148. Etude pour Chat (cat n°16) (au verso chat), vers 1914
Mine de plomb sur papier
h. : 21,4 l. : 34,4
Don de J. Ede en 1956
Orléans, Musée des Beaux-Arts (Inv. MO.760)

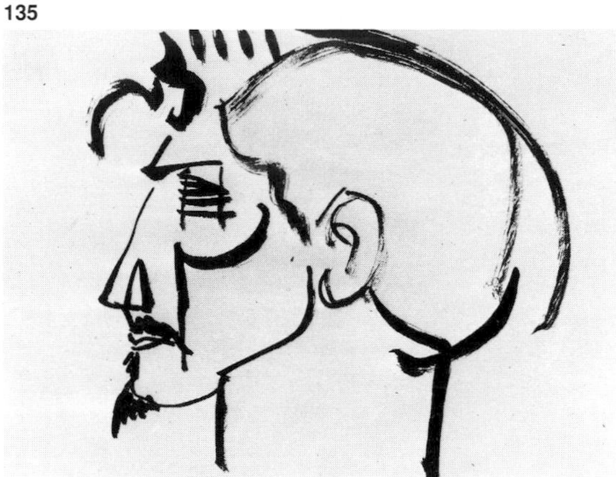
135

136

137

143

138

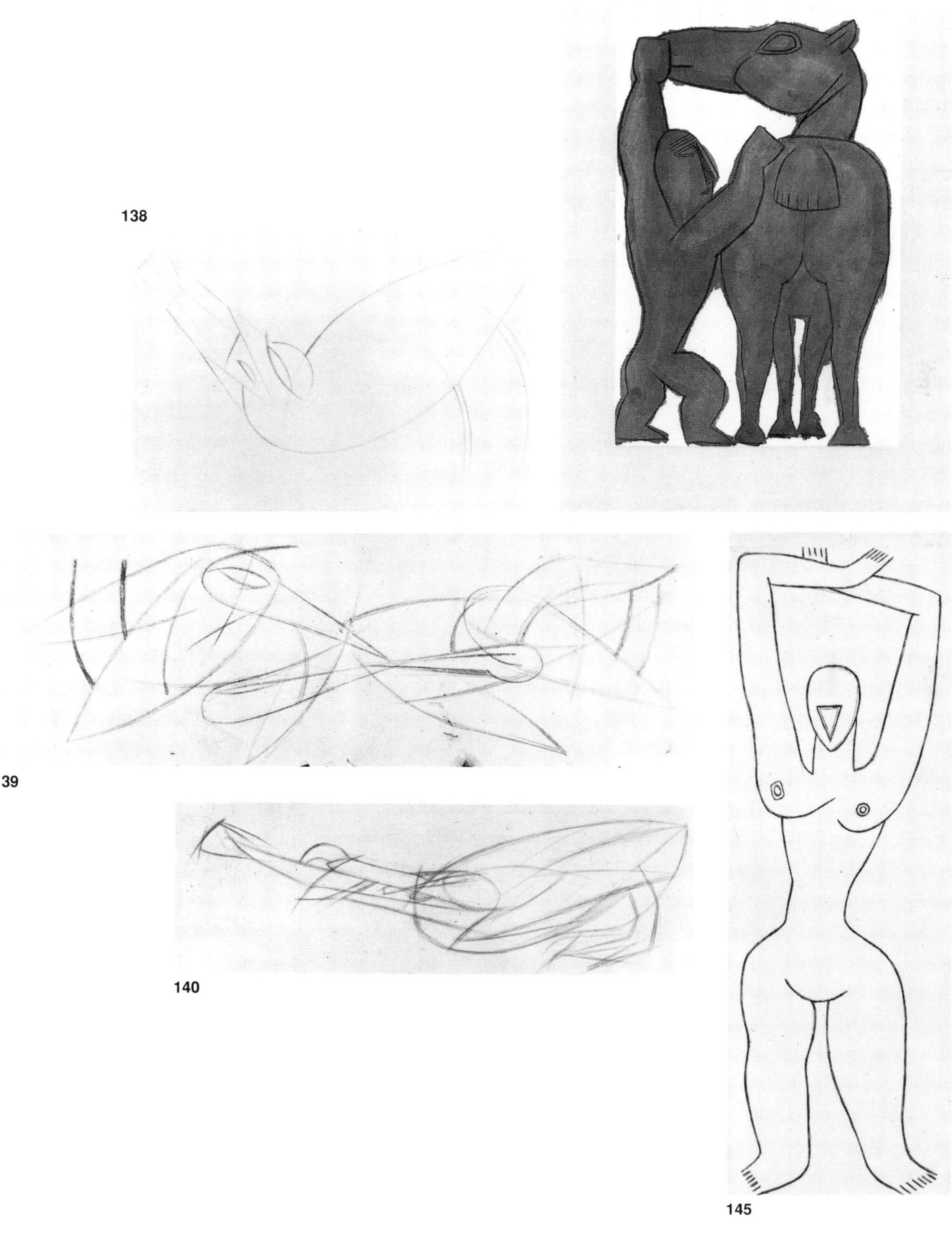

139

140

145

141. Composition abstraite: ill. p. 170
144. Femme dansant: ill. p. 171

146

142

147

148

149. Etude pour le Marteau de porte (cat n°43) (au revers figure abstraite), vers 1914
Pastel sur papier
h. : 31 l. : 48
Don de J. Ede en 1956
Orléans, Musée des Beaux-Arts (Inv. MO. 665 et MO. 664)

150. Etude pour le Marteau de porte (cat n°43), vers 1914
Pierre noire sur papier
S.l. verso à l'encre : Brzeska Drawing for a knocker
h. 33 l. 21
Acquis de J. Ede en 1956
Orléans, Musée des Beaux-Arts (Inv.MO.107)

151. Etude pour le Marteau de porte (cat n°43), vers 1914
Pinceau et encre de Chine
h. : 33 l. : 21
Anc. coll J. Ede en 1956
Université Cambridge, Fondation Kettle's Yard (Inv. HGB. 63)

152. Etude pour Charité (cat n° 34), 1914
Encre et mine de plomb sur papier
h.: 38,1 l.: 25,5
Don de J. Ede en 1956
Orléans, Musée des Beaux-Arts (Inv. MO. 137 B)

153. Etude pour Charité (cat n° 34) (au verso Etude), vers 1914
Mine de plomb sur papier
h. : 21 l. : 34
Don de J. Ede en 1956
Orléans, Musée des Beaux-Arts (Inv. MO. 659)

154. Etude pour Charité (cat n° 34), 1914
Mine de plomb sur papier
h. : 47 l. : 30
Anc. coll. J. Ede
Université Cambridge, Fondation Kettle's Yard (Inv. HGB. 66)

155. Cheval géométrique, vers 1914
Encre de Chine sur papier
h. : 14,2 l. : 21,7
Don de J. Ede en 1956
Orléans, Musée des Beaux-Arts (Inv. MO. 144)

156. Etude, vers 1914
Encre verte sur papier chamois
h. : 13 l. : 21
Anc. coll. J. Ede
Université Cambridge, Fondation Kettle's Yard (Inv. HGB. 64)

157. Composition vorticiste (au verso femme debout), vers 1914
Encre de chine sur papier (au verso mine de plomb sur papier)
h. : 14 l. : 22,1
Don de J. Ede en 1956
Orléans, Musée des Beaux-Arts (Inv. MO. 650)

158. Composition vorticiste (au verso personnage debout), vers 1914
Encre noire sur papier (au verso mine de plomb sur papier)
h. : 14 l. : 21,4
Don de J. Ede en 1956
Orléans, Musée des Beaux-Arts (Inv. MO. 646 et MO. 645)

159. Composition vorticiste (au verso homme debout), vers 1914
Encre de Chine sur papier (au verso mine de plomb sur papier)
h. : 14 l. : 21,5
Don de J. Ede en 1956
Orléans, Musée des Beaux-Arts (Inv. MO. 652)

160. Composition vorticiste (au verso femme debout), vers 1914
Encre de Chine sur papier (au verso mine de plomb sur papier)
h. : 14 l. : 22,7
Don de J. Ede en 1956
Orléans, Musée des Beaux-Arts (Inv. MO. 653 et MO.654)

161. Composition vorticiste (au verso portrait de femme), vers 1914
Encre de Chine sur papier (au verso mine de plomb sur papier)
h. : 14 l. : 21
Don de J. Ede en 1956
Orléans, Musée des Beaux-Arts (Inv. MO. 520)

149

150

151

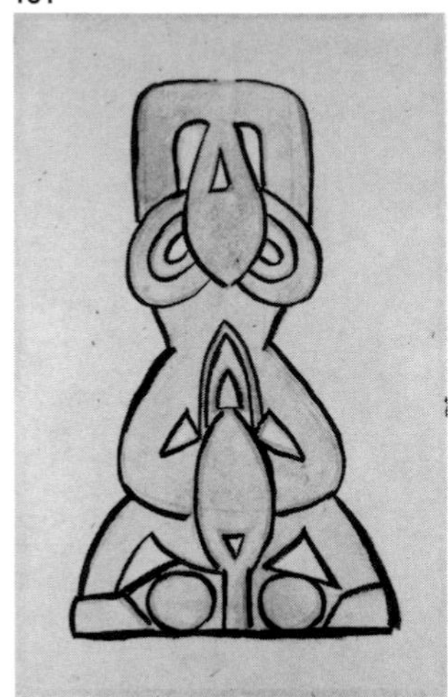

152

153

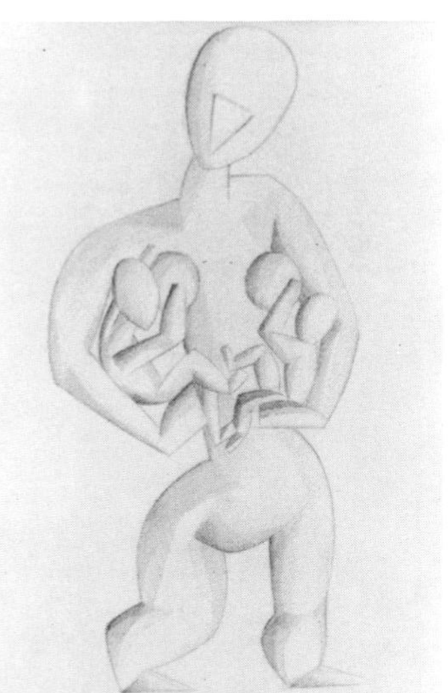

154

155

156

157

159

160

158

161

162

163

164

165. Composition vorticiste, vers 1914: ill. p 171

162. Composition vorticiste, vers 1914,
Encre verte sur papier
(au verso mine de plomb sur papier)
h. : 14 l. : 22,5
Don de J. Ede en 1956
Orléans, Musée des Beaux-Arts (Inv. MO. 649 et MO. 648)

163. Composition vorticiste (au verso portrait d'homme), vers 1914
Encre rouge sur papier (au verso mine de plomb)
h. : 14 l. : 21
Don de J. Ede en 1956
Orléans, Musée des Beaux-Arts (Inv. MO. 641 et MO. 642)

164. Composition vorticiste (au verso femme de profil), vers 1914
Encre rouge sur papier (au verso mine de plomb)
h. : 14 l. : 21,6
Don de J. Ede en 1956
Orléans, Musée des Beaux-Arts (Inv. MO. 651)

165. Composition vorticiste (au verso femme debout), vers 1914
Encre rouge sur papier (au verso mine de plomb)
h. : 21 l. : 14
Don de J. Ede en 1956
Orléans, Musée des Beaux-Arts (Inv. MO. 647)

166. Figure vorticiste, 1914
Encre sur papier
h. : 21,6 l. : 14
Anc. Coll. Gilian Jason Gallery
Paris, Galerie Marwan Hoss

167. Composition abstraite, vers 1914
Mine de plomb sur papier
h. : 28,5 l. : 22,1
Don de J. Ede en 1956
Orléans, Musée des Beaux-Arts (Inv. MO. 663)

168. Composition abstraite (recto et verso), vers 1914
Mine de plomb sur papier
h. : 20,4 l. : 12,5
Don de J. Ede en 1956
Orléans, Musée des Beaux-Arts (Inv. MO. 638)

169. Composition abstraite (au verso femme portant une jatte), vers 1914
Mine de plomb sur papier
h. : 20,4 l. : 12,4
Don de J. Ede en 1956
Orléans, Musée des Beaux-Arts (Inv. MO. 637)

170. Figures, vers 1914
Encre sur papier
h. : 19 l. : 12,7
Don de J. Ede en 1956
Orléans, Musée des Beaux-Arts (Inv. MO. 655)

171. Homme machine, vers 1914
Encre sur papier
h. : 32 l. : 12
Don de J. Ede en 1956
Orléans, Musée des Beaux-Arts (Inv. MO. 660)

172. Homme machine, vers 1914
Fusain sur papier
h. : 48 l. : 31
Don de la Fondation Kettle's Yard en 1964
Paris, Musée National d'Art Moderne (Inv. AM. 3370 D)

173. Mère et enfant (projet de sculpture), 1914
Crayon et encre sur papier
h. : 23,5 l. : 13
Anc. Coll. Anthony Ralph Gallery
Paris, Galerie Marwan Hoss

174. Figure abstraite, vers 1914
Mine de plomb sur papier
h. : 34 l. : 21
Don de la fondation Kettle's Yard en 1964
Paris, Musée National d'Art Moderne, (Inv. AM. 3368 D)

175. Dessin abstrait (tête cubiste ?), vers 1914
Pierre noire sur papier
h. : 47 l. : 32
Anc. coll. J. Ede
Université Cambridge, Fondation Kettle's Yard (Inv. HGB. 36)

176. Etude pour la tête d'Ezra Pound, 1914
Mine de plomb sur papier
h. : 33 l. : 20,4
Don de J. Ede en 1956
Orléans, Musée des Beaux-Arts (Inv. MO. 666)

177. Quatre figures, 1914
Mine de plomb sur papier
h. : 34 l. : 21
Don de la Fondation Kettle's Yard en 1964
Paris, Musée National d'Art Moderne (Inv. AM. 3369 D)

166

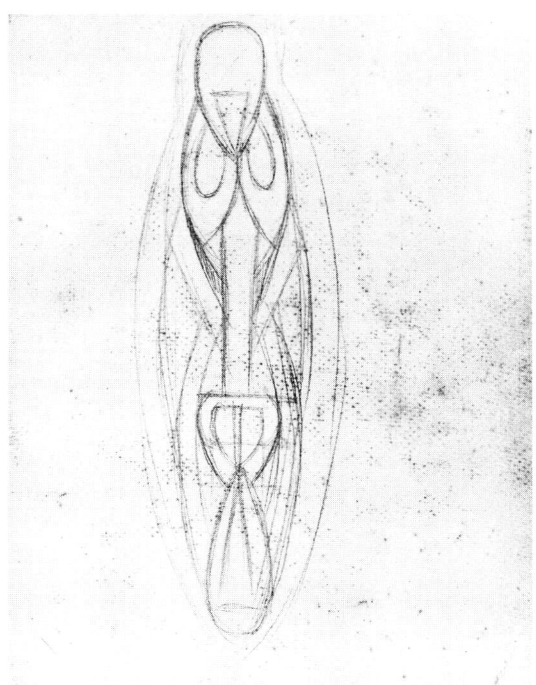

167

168

169

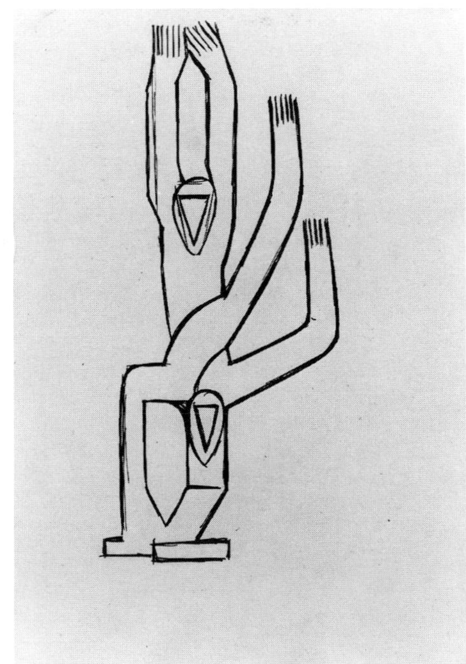

170

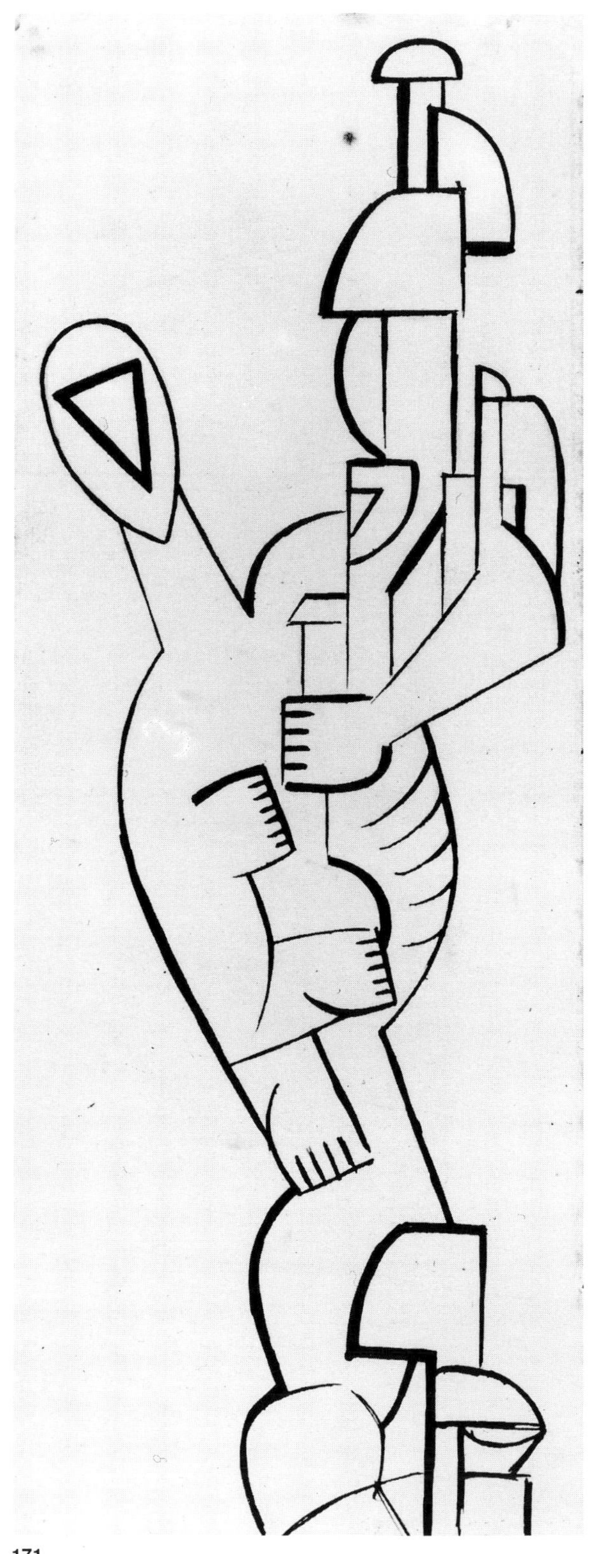

171

69

77

173

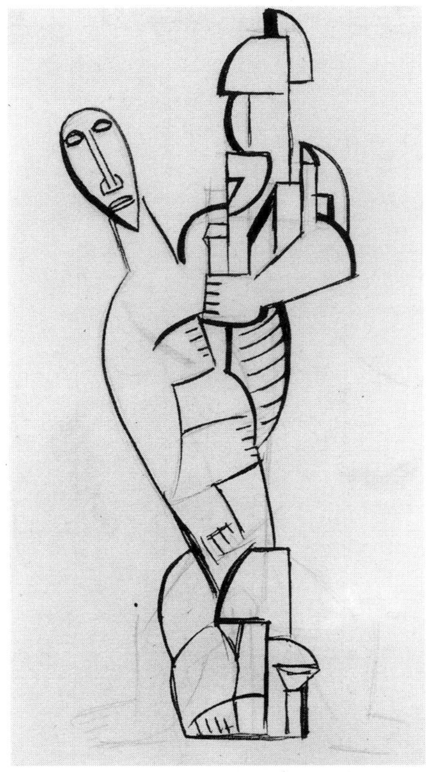

172

174

176

175

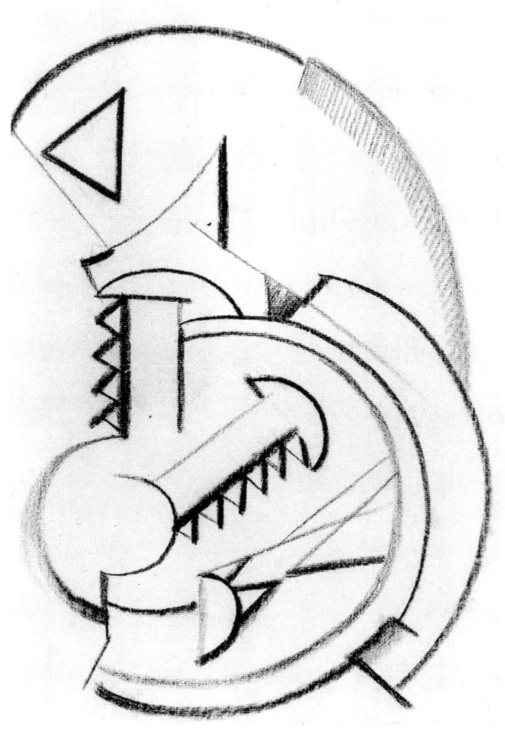

177

105

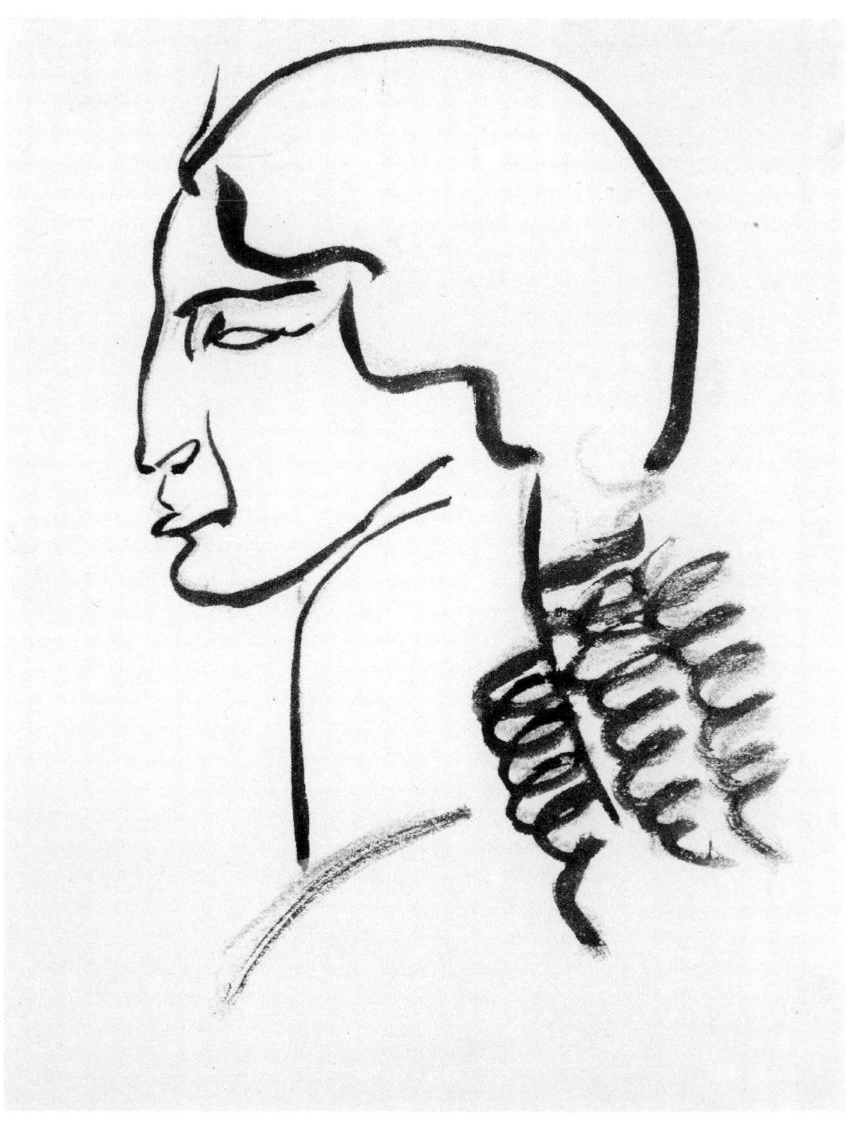

129

178

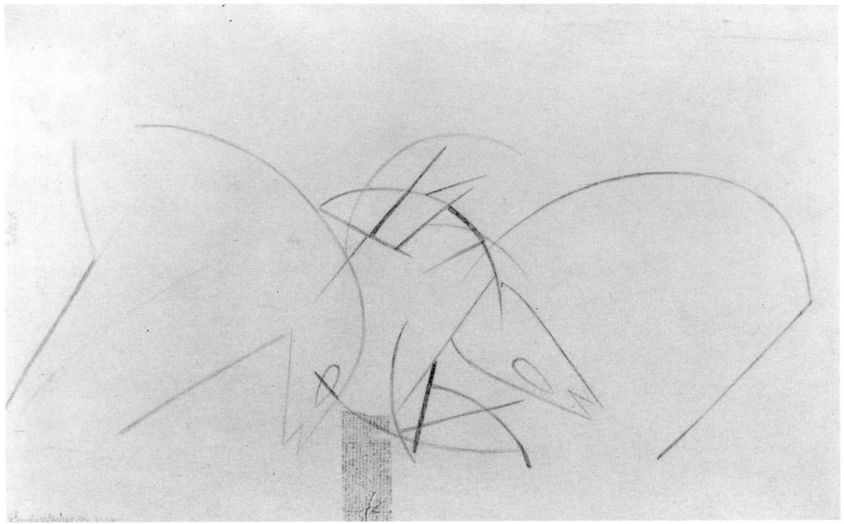

180

179

178. Etude pour Les Cerfs (cat n°44) 1914
Mine de plomb sur papier
h. : 21 l. : 33,70
S.D.b.g.: H. Gaudier Brzeska, 1914
I. h. g. au verso : Stags
Don de J. Ede en1977
Paris, Musée National d'Art Moderne
(Inv. AM. 1977-598)

179. Coq,1914
Mine de plomb sur papier
h. : 24 l. : 16
Don de la Fondation Kettle's Yard en 1964
Paris, Musée National d'Art Moderne,
(Inv. AM. 3366 D)

180. Coq cubiste, vers 1914
Crayon sur papier
h. : 24 l. : 15
Anc. coll. J. Ede
Université Cambridge, Fondation Kettle's Yard
(Inv. HGB 49)

181. Deux têtes de vaches, vers 1914 ?
Craie noire sur papier
h. : 30 l. : 45
Mine de plomb sur papier
Anc. coll. J. Ede
Université de Cambridge, Fondation Kettle's Yard (Inv. HGB. 107)

182. One of our shells exploding, 1915
Crayon gras sur papier pelure
h. : 22 l. 28,5
S.b.g.: H. Gaudier Brzeska
I.b.d.: one of our shells exploding
Don de la Fondation Kettle's Yard en 1964
Paris, Musée National d'Art Moderne
(Inv. AM 3373 D)

Gravure

183. Les lutteurs,1914
Linogravure, tirage 12/50
I.S.b.c. à l'encre : "Wrestlers" linoleument by Gaudier Brzeska
N. b. g. : 12/50 Brodzky imp.
h. : 22,5 l. : 28
Don H. Brodzky en 1956
Orléans, Musée des Beaux-Arts (Inv. MO. 135)

141

144

165

181

182

183

185

.Journal de Sophie Brzeska,
vers 1911-1920,
105 pages manuscrites,
Don de Michel Secrétain en 1992
Orléans, Musée des Beaux-Arts,
(Inv. 93.2.1)

Publications

.Blast, N° 1, Londres, John Lane,
20 Juin 1914
Paris, Musée National d'Art Moderne

.Blast, N° 2, Londres, John Lane,
Juillet 1915 ; reprint Santa Barbara,
Black Sparrow Press, 1981
Meaux, collection particulière

. Haldane Macfall
The Splendid Wayfaring, Simpkin, Marshall,
Hamilton, Kent & co, 1913
St.-Jean-de-Braye, Bibliothèque du Lycée Gaudier-Brzeska

Annexes

Dominique Forest

Manuscrits

.Lettre manuscrite de Gaudier à Sophie Brzeska au verso d'une photographie d'une sculpture de Jacob Epstein (Euphenia Lamb),
Janvier 1911
Orléans, Musée des Beaux-Arts (Inv. 92.6.1)

ill.184. **.Lettre manuscrite de Gaudier à sa soeur Renée, 28 Décembre 1911**
2 pages,
Don de Mme Baillet en 1956
Orléans, Musée des Beaux-Arts
(Inv. MO 118)

.Lettre manuscrite de Gaudier à Sophie Brzeska au verso d'une copie d'un dessin d'Hokusaï,
non daté.
Don de J. Ede en 1956
Orléans, Musée des Beaux-Arts
(Inv. MO. 1308)

.Carte postale d'Hélène Gaudier à son frère, alors à Bristol, 1908
Orléans, collection particulière

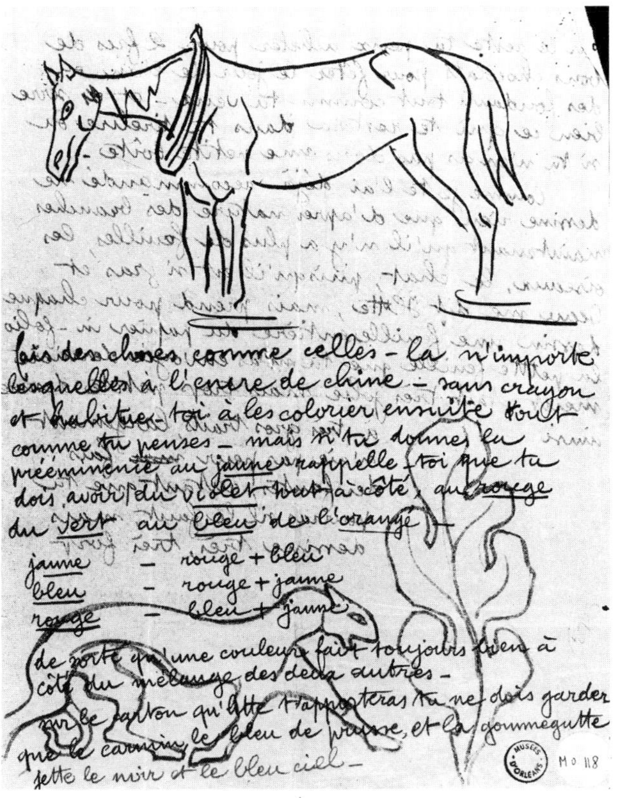
fais des choses comme celles-là n'importe
lesquelles à l'encre de chine - sans crayon
et habitue-toi à les colorier ensuite tout
comme tu penses - mais si tu donnes la
prééminence au jaune rappelle-toi que tu
dois avoir du violet tout à côté, au rouge
du vert au bleu de l'orange -
jaune - rouge + bleu
bleu - rouge + jaune
rouge - bleu + jaune
de sorte qu'une couleur fait toujours bien à
côté du mélange des deux autres -
sur le carton qu'Otto t'apportera tu ne dois garder
que le carmin, le bleu de prusse, et la gommegutte
jette le noir et le bleu ciel -

184

. Ezra Pound
Gaudier-Brzeska a memoir, Londres, John Lane ; New -York, John Lane Company,1916,
Orléans, Musée des Beaux-Arts
(Inv. 92-12-2938)

.Harold S. Ede
A life of Gaudier-Brzeska, Londres, William Heineman Ltd, 1930
Orléans, Musée des Beaux-Arts
(Inv. 92.12.2940)

.Horace Brodzky
Drawings, Londres, Faber and Faber, 1946
Orléans, Musée des Beaux-Arts
(Inv. 92.12.29.36)

.Horace Brodzky
Henri Gaudier-Brzeska 1891-1915
Londres, Faber and Faber, 1933
Orléans, Musée des Beaux-Arts
(Inv. 92.12.2939)

.Harold S. Ede
Savage messiah, Londres Heinemann, New-York, the Litterary Guild, 1931
Orléans, Musée des Beaux-Arts
(Inv. 84.8.1193)

Portraits

.Alfred Wolmark
(Warsaw, 1877 - Londres, 1961)
Portrait de Gaudier, vers 1913 **ill.185.**
Huile sur toile, h.:183,5 l.: 114
Acquis en 1956
Orléans, Musée des Beaux-Arts
(Inv. MO.109)

.Benington,
Photographie de Gaudier devant la Tête hiératique d'Ezra Pound en cours d'achèvement, fin 1913 début 1914,
(retirage, Ezra Pound, 1916, pl. I)
Orléans, Documentation du Musée des Beaux-Arts

.Benington,
Photographie de Gaudier sculptant la tête hiértique d'Ezra Pound, vers 1914
(retirage, Ede, 1930, pl XLI)
Orléans, Documentation du Musée des Beaux-Arts

.Benington,
Photographie de Gaudier devant la Tête hiératique d'Ezra Pound en cours d'achèvement, vers 1914
(retirage, Ezra Pound, Gaudier-Brzeska a memoir, Londres John Lane, New -York John Lane company, 1916, planche IV)
Orléans, Documentation du Musée des Beaux-Arts

.Benington,
Photographie de Gaudier derrière Oiseau avalant un poisson, vers 1914
(retirage, Ezra Pound, 1916, pl. XXVI)
Orléans, Documentation du Musée des Beaux-Arts

.Benington,
Photographie de Gaudier devant Femme assise, vers 1914
(retirage, Ede, A life of Gaudier-Brzeska, Londres. William Heinemann Ltd, 1930, pl. XL II)
Orléans, Documentation du Musée des Beaux-Arts

.Anonyme,
Photographie d'Alfred Wolmark à côté de son buste par Gaudier, non daté,
retirage de la Mayor Gallery de Londres

.Benington,
Photographie de Sophie Brzeska,
non daté, retirage,
(Ede, Savage Messiah, Londres, Heinemann, 1931, face p. 18)
Orléans, Documentation du Musée des Beaux-Arts

Souvenirs personnels de Gaudier

.Six outils de Gaudier-Brzeska
(une râpe, un rifloir, trois râpes à pierre, un marteau)
Provenance inconnue
Orléans, Musée des Beaux-Arts
(Inv. 93.3.1)

.Médaille militaire de Gaudier-Brzeska
Provenance inconnue
Orléans, Musée des Beaux-Arts
(Inv. 92.11.1)

Les signatures d'Henri Gaudier-Brzeska

Bernard Fauquembergue

Les dessins de jeunesse sont tous signés et datés avec soin, d'une griffe qui se cherche ou d'initiales naïvement ostentatoires (carnets de croquis de 1907, 1908 et 1909 conservés au Musée Nationald'Art Moderne de Paris, ou à la Fondation Kettle's Yard de l'Université de Cambridge).

Par la suite, la signature est rare, le plus souvent absente des dessins d'étude ou des croquis d'observation. Elle s'affirme néanmoins dès 1911 en un graphisme rapide et élégant, sujet à des variations multiples. Elle est parfois visiblement rajoutée après, comme si certains dessins avaient été signés en série, peut-être au moment du départ pour la guerre.

Même désinvolture pour les sculptures dont la plupart ne sont pas signées. C'est à partir de 1912 qu'il utilise le monogramme, plus facile à graver (*Femmes portant des sacs*, plâtre, 1912, collection privée, cat. n°7), et qu'il décline subtilement par d'infimes modifications de détail, sur la pierre, l'argile, le papier, au crayon , au pastel.
Attitude paradoxale que celle d'Henri Gaudier-Brzeska négligeant le plus souvent de signer ses oeuvres mais apportant une grande attention à ce geste dès qu'il décide de le faire : variations, dédicaces, emplacements.

1907

Signature du jeune homme pendant son voyage en Europe.

Croquis d'insecte. Collection privée.
Même signature sur *Tête de tigre*, in Ede, *A life of Gaudier-Brzeska*, Londres, Heinemann, 1930, p.5

1908

Recherches de signatures, essais divers, initiales avec dessins d'oiseaux

Grace and speed or the golden eagle's wing, plume et encre, Fondation Kettle's Yard de l'Université de Cambridge

Médaillon de Minerve, terre cuite, Musée des Beaux-Arts d'Orléans

Etude pour un héron, plume et encre, carnet de croquis, Musée National d'Art Moderne de Paris

Etudes pour martin-pêcheurs, carnet de croquis,encre, Musée National d'Art de Paris

Illustrations pour le Rubayat d'Omar Khayyàm, aquarelle et encre, Musée des Beaux -Arts d'Orléans

1909

Mêmes jeux : signatures recherchées, voire mystérieuses.

Blason aux troix hiboux, *Carte inédite* adressée à un certain M Guillaume de Nurember.

Monogramme aux trois hiboux, *Page de garde d'un livre ayant appartenu à Henri Gaudier*, collection particulière

Wisdom or the barn-owl, plume et encre, carnet de croquis, Musée National d'Art Moderne de Paris.

Initiales annonçant le monogramme définitif de 1913.

Hut Harmonie, encre, British Museum de Londres

Hiboux, carnet de croquis, Musée National d'Art Moderne

1910

Pseudonyme "Gérald" utilisé à Paris pour les dessins humoristiques placés au *Charivari* et au *Rire*

(Lettre au Dr Uhlemayer du 4 octobre 1910 citée par Roger Cole, Burning to speak, Oxford, Phaidon, 1978, p.14).

Dessin humoristique, encre et lavis, Mercury Gallery.

1911

La signature d'artiste s'affirme, elle coïncide avec la signature privée.

Carte à son père, 9 septembre 1911.

1912-1915

La signature se fixe et s'allonge avec Brzeska. Elle est déclinée de différentes façons

Cavalier, plume et encre, 1913, Tate Gallery de Londres.

Sophie jeune fille, plume et encre, non daté, Tate Gallery de Londres.

Elan, plume et encre, 1913,fondation Kettle's Yard de l'Université de Cambridge

Enfants, plume et encre, 1913, reproduit in Ede, 1930,op. cit., planche 50

Garçon à la colonne, fusain, non daté, fondation Kettle's Yard de l'Université de Cambridge. (signature à l'encre vraisemblablement ultérieure).

Le monogramme est clairement dérivé des initiales de 1909, il s'est arrondi et enrichi du B de Brzeska. Son aspect énigmatique est entretenu par les multiples variations et changements d'orientation qui ajoutent mystère et confusion. Horace Brodzky le caractérise de phallique: il raconte que Gaudier-Brzeska l'avait peint en grosses lettres noires de deux mètres de haut sur les portes intérieures de l'atelier de Putney (Brodzky, Henri Gaudier-Brzeska, Londres, Faber and Faber, 1933, p. 130).

Autoportrait, pastel, 1913,City Art Gallery de Southampton

Buste d'Alfred Wolmark, plâtre, 1913, Walker Art Gallery de Liverpool

Portrait, encre, 1913, in Ede, 1930,op. cit, planche 49

Nu allongé, encre rouge, 1913, National Gallery d' Ottawa

Caricature, lavis d'encre, non daté, Norfolk

Les Lutteurs, plâtre, 1914, Museum of Fine Arts Boston

La Caritas, pierre, 1914, Musée des Beaux-Arts d'Orléans (même monogramme pour *La Danseuse en pierre rouge* et *Ornement de jardin 1*)

Bibliographie Gaudier-Brzeska

Bernard Fauquembergue

Articles du vivant de l'artiste

Horace Brodzky
."The Lewis-Brzeska-Pound Troupe ", dessin, *The Egoist*, Londres, 15 juillet 1914

Henri Gaudier-Brzeska
.Cinq dessins de Gaudier, *Rhythm*, Londres, septembre 1912
."Lettre ouverte", *The Egoist*, Londres, 16 mars 1914
."The Allied Artists' Association, Holland Park Hall", *The Egoist*, Londres, 15 juin 1914
."Vortex 1", *Blast n° 1*, Londres, John Lane, 20 juin 1914 (le journal sortit en fait le 2 juillet). Réédition en fac-similé, Santa-Barbara, Black Sparrow Press, 1981
."Vortex 2", *Blast n°2, War number*, Londres, John Lane, juillet 1915. Réédition en fac-similé, Santa-Barbara,Black Sparrow Press, 1981

T.E. Hulme
."Modern Art 3, The London Group", *New Age*, 26 mars 1914

Wyndham Lewis
."The London Group, mars 1915", *Blast* n° 2, juillet 1915

Ezra Pound
."L'artiste sérieux", *The New Free Woman*, Londres, 15 octobre 1913, 1er novembre 1913, 15 novembre 1913
."The New Sculpture", *The Egoist*, Londres, 16 février 1914, pp 67-68, (avec en illustration trois sculptures de Gaudier-Brzeska: *Enfant au lapin, Chanteuse, Figure sépulcrale*).
."Exhibition at the Goupil Gallery", *The Egoist*, Londres, 16 mars 1914, p. 10
."Hommage to Blunt", *Poetry*, Londres, mars 1914
."Vorticism", *Fortnightly Review*, Londres, 1er septembre 1914, pp. 46-71
."Affirmations: Gaudier-Brzeska", *New Age*, Londres, 4 février 1915, pp. 409-11
."Affirmations: Analysis of the Decade", *New Age*, Londres, 11 février 1915
." Mort pour la patrie", *Blast n°2*, Londres,John Lane juillet 1915.

Ouvrages et articles posthumes

Stephan Bann
.Introduction au *catalogue de l'exposition Henri Gaudier-Brzeska, 1891-1915 : Sculptures and Drawings*, New-York, Grunebaum Gallery, 1977

Horace Brodzky
."Henri Gaudier-Brzeska", *Art Review*, mai, juin, juillet 1922
.*Henri Gaudier-Brzeska* 1891-1915, Londres, Faber and Faber, 1933
.*Gaudier-Brzeska, drawings*, Londres, Faber and Faber, 1946.

Alan Bowness
.Introduction au *Catalogue de l'exposition à la Victor Waddington Gallery*, Londres, 1966

Humphrey Carpenter
.*Ezra Pound, biographie*, traduction de J.P. Mourlon, Paris, Belfond, 1992, pp. 248 - 319

Bernard Cassat
.*La Caritas, une oeuvre de Gaudier-Brzeska*, Orléans, L' Editeur Felix, 1992

Stanley Casson
Some modern sculptors, Londres, Oxford University Press, 1928

Roger Cole
.Introduction au *Catalogue de l'exposition Henri Gaudier-Brzeska, sculptures, au Scottish National Gallery of Modern Art*, Edimbourg, 1972
.*Henri Gaudier-Brzeska 1891-1915, A man burning to speak*, Londres, Mercury Graphics, 1977
.*Burning to speak, The life and art of Henri Gaudier-Brzeska*, Oxford, Phaidon, 1978
."A Gaudier-Brzeska sculpture rediscovered, Figure", *The Burlington Magazine*, Londres, décembre 1990, p. 874
.Introduction au *Catalogue de l'exposition Memorial exhibition of the work of Henri Gaudier-Brzeska, Mercury Gallery*, Londres, 1991

Judith Collins
.*The Omega Workshops*, préface par Quentin Bell, Londres, Secker and Warburg, 1984

Richard Cork
.Notices et commentaires, *Catalogue de l'exposition Vorticisme and its Allies à la Galerie Hayward*, Londres, 1974
.*Vorticism and abstract art in the first Machine Age*, Londres, Gordon Fraser, 2 volumes, 1976
.*Henri Gaudier and Ezra Pound, a friendship,* Londres, Anthony d'Offay, 1982
. "Blast" , "Vorticisme", *Futurisme et Futurismes*, Paris, Le Chemin Vert, 1986

John Cournos
."Henri Gaudier-Brzeska", *The Egoist*, 2 août 1915
."Henri Gaudier-Brzeska Art", *The Egoist*, 1er septembre 1915

Philippe Dagen
."Dessins de pierre, Gaudier-Brzeska", Le Monde, Paris, 17 septembre 1991.
."L'ange fusillé", Le Monde, Paris, 20 novembre 1992

Roald Dahl,
."Neck", *Someone like You*, Londres, 1948. Traduction française *Bizarre, Bizarre*! Paris, Gallimard, Folio N°395, 1962, pp. 149-170

Yves Di Manno
."Ezra Pound entre deux tourmentes ou de Gaudier à Mussolini", *Art Press*, Paris, novembre 1992, n°174, pp. 60 à 64

Jacques Dubanton
.Mémoire de maîtrise non publié, *Retour sur Henri Gaudier-Brzeska: le vorticisme et la sculpture anglaise de 1910 à 1915*, Paris, Université de Paris 1, 1988

Harold. S. Ede
.A life of Gaudier-Brzeska, Londres, Heinemann, 1930
.*Savage Messiah*, Londres, Heinemann, 1931. New-York, The Litterary Guild, 1931. Rééditions: Londres, Gordon Fraser, 1971 et réimpression 1979; New-York, Outerbridge and Lazard, 1971
."Un grand artiste méconnu", *Le Jardin des Arts*, Paris, novembre 1955
.*Kettle's Yard, a way of life et Kettle's Yard, an illustrated guide,* Cambridge, University of Cambridge, 1980.

Albert Elsen
.*Origins of Modern Sculpture* : *Pionners and Premises*, New-York, Braziller, 1974

Jacob Epstein
. *Let there be the sculpture*, Londres, Readers Union, 1940, p. 44

Serge Fauchereau
."Gaudier-Brzeska, artiste animalier", *Catalogue de l'exposition Henri Gaudier-Brzeska sculptor* Cambridge, York, Bristol,1983-1984, pp. 7 -20
."Le Chien et L'Oiseau avalant le poisson de Gaudier-Brzeska", *Sculpture du 20ème siècle: l'animal.* Paris, CNDP, 1984, pp. 42 à 45, avec deux diapositives
."Gaudier-Brzeska, la caricature, les futurismes", *Pittura e scultura, journal de l'exposition Futurisme et Futurismes*, Venise, 1986, p 56
."Gaudier-Brzeska", *Futurisme et Futurismes*, Paris, Le Chemin Vert, 1986

Bernard Fauquembergue et Laurent Baude,
Henri Gaudier-Brzeska vu et raconté par les élèves du Lycée professionnel de saint-Jean-de-Braye, Saint-Jean-de-Braye,Lycée Gaudier-Brzeska, 1986

Roger Fry
."Gaudier-Brzeska", article nécrologique, *The Burlington Magazine*, Londres, août 1916, pp. 209-212

Rémy de Gourmont
."Un maçon", *La France*, Paris, 14 juillet 1915

Peter Groth
.*Der Vortizismus in Literatur, Kunst und Wissenschaft*, Hambourg, Editions Helmut Buske

Charlotte Haenlein
."Henri Gaudier-Brzeska, drawings, pastels and watercolours", introduction au *Catalogue de l'exposition à la Maltzahn Gallery*, Londres, octobre 1974

Nina Hamnett
.*The Laughing Torso*, New-York, Long and Smith, 1932

Ford Maddox Hueffer
."Henri Gaudier", *English Review*, Londres, 29 octobre 1919

Richard Humphreys
."Demon Pantechnicon Driver: Pound in the London Vortex, 1908-1920",catalogue de l'exposition *Pound's Artists, Ezra Pound and the Visual Arts in London, Paris, and Italy,*The Tate Gallery, Londres,1985, pp. 13-80

Joyce Kilmer
."How the war changed a vorticist sculptor", *New-York Times Magazine*, 25 juin 1916

Francine A. Koslow
."The evolution of Henri Gaudier-Brzeska "Wrestlers' Relief", *Bulletin of the Museum of Fine Arts*, Boston, 1981
."Gaudier-Brzeska and Ezra Pound" *The Print Collector's Newsletter*, New-York, novembre-décembre 1985
."Gaudier-Brzeska's nudes", *The Print Collector's Newsletter*, New-York, juillet-août 1986
." Biographie", *Gaudier-Brzeska par Ezra Pound*, Auch, Tristram, 1992, pp. 274-283

André Laurenceau
."Un artiste de chez nous, insoumis et patriote, Henri Gaudier-Brzeska", *Bulletin municipal de Saint-Jean-de-Braye*, décembre 1968, n°5, pp19-26

Gérard-Georges Lemaire
.*Un thé au Bloomsbury*, Paris, éditions Veyrier, 1988

Mervyn Levy
.*Gaudier-Brzeska, drawings and sculpture*, Londres, Cory, Adams and Mackay, 1965

Wyndham Lewis
."Le Messie Sauvage est tué", *Blasting and Bombardiering*, Londres, Wyndham Lewis Estate, 1937.
.Traduction de Gérard-Georges Lemaire sous le titre *Mémoires de feu et de cendres*, Paris, Christian Bourgois, 1990, pp.148-153
."Introduction", *Catalogue de l'exposition Wyndham Lewis and Vorticism*, Tate Gallery, Londres, juillet-août 1956

Jeremy Lewison
." A note on chronology", Catalogue de l'exposition *Henri Gaudier-Brzeska sculptor, 1891-1915,*, Cambridge, York, Bristol, 1983-1984, pp.29-31
."Gaudier-Brzeska's Weeping Woman", *The Burlington Magazine*, Londres, avril 1987, n°1009, pp. 243-245

François Marchand
Saint-Jean-de-Braye par ses rues et lieux-dits, Saint-Jean-de-Braye, 1986, pp.131-134

Herbert Maryon
.*Modern Sculpture*, Londres, Isaac Pitman, 1933, pp. 158-161

Thimothy Materer
."Ezra Pound and Gaudier-Brzeska: Sophie's Diary", *Journal of Modern Literature*, New-York, avril 1977, pp. 315-321
.*Vortex. Pound, Eliot and Lewis*, Ithaca et Londres, Cornell University Press, 1979, pp. 63-106

Mady Menier
."La salle Gaudier-Brzeska au Musée National d'Art Moderne", *La Revue du Louvre*, Paris, 1965, n°3, pp. 137-148
."La brève vie de sculpteur d'Henri Gaudier-Brzeska", *Henri Gaudier-Brzeska par Ezra Pound*, Auch, Tristram, 1992, pp. 242-271

Henry Moore / Ph James
.*Henry Moore on sculpture*, Londres, MacDonald, 1966

Christopher Neve
."The short fuse to Vorticism, Gaudier-Brzeska drawings", *Country Life*, Londres, n° 4086, 23 octobre 1975, pp. 1072-73
."A Bursting Shell, Gaudier-Brzeska's sculpture, 1912-1914", *Country Life*, Londres, n° 4162, avril 1977, p. 853

Anthony d'Offay
.*Abstract Art in England, 1913-1915*, introduction au catalogue de l'exposition à la d'Offay Couper Gallery, Londres, 1969

David Ojalvo
."Deux sculptures modernes", *La Revue du Louvre*, Paris, octobre 1986, n°4/5, pp. 335-337

Marjorie Perloff
." The portrait of the artist as collage-text : Pound's Gaudier-Brzeska", *The dance of the intellect*, Cambridge University Press, 1985, pp. 33-73

Jerôme Peignot
."Cinquante ans après sa mort, le tragique prophète de la sculpture moderne, Gaudier-Breska, entre enfin dans les musées français", *Connaissance des Arts*, Paris, mai 1965, n°159, pp. 65-72

Michèle Poli
."Blast", *Blast* n°3, Santa Barbara, Black Sparrow Press, 1984, pp. 51 et suivantes

Ezra Pound
.*Gaudier-Brzeska, a memoir*, Londres et New-York, John Lane The Bodley Head, 1916. Nouvelles éditions: Londres, Laidlaw and Laidlaw, 1939 ; Milan, Scheiwiller, 1957; Hessle, East Yorkshire, Marvell Press, 1960; New-York, New Directions, 1961, 1970
.Préface au *Catalogue de l'exposition A memorial exhibition of the work of Henri Gaudier-Brzeska,* Leicester Galleries, Londres, 1918
.*Henri Gaudier-Brzeska avec un manifeste vorticiste*, Milan, Scheiwiller, insegna del Pesce d'Oro,1957.
.*Catalogue de l'Exposition Gaudier-Breska* , galerie Apollinaire, Milan, 1957.
.*Gaudier-Brzeska par Ezra Pound*, traduction du *Memoir*, par Claude Minière et Margaret Tunstill, Auch, Tristram, 1992

E.H. Ramsden
.*Twentieth Century Sculpture*, Londres, Pleiades Books, 1949, pp. 28-31

Brice Rhyne
."Henri Gaudier-Brzeska, the process of discovery", *Artforum*, New-York, mai 1978, pp. 32-37

Sarah Shalgosky, Rod Brookes, Jane Beckett
."Henri Gaudier : art history and the Savage Messiah", *Catalogue de l'exposition Henri Gaudier-Brzeska sculptor,1891-1915,* Cambridge, Bristol, York,1983-1984, pp. 21-28

Roger Secretain
.*Un sculpteur maudit, Gaudier-Brzeska*, Paris, Editions du Temps, 1979

Evelyn Silber
.*The sculptures of Epstein*, Oxford, Phaidon, 1986

René Varin et Jacqueline Auzas-Pruvost
.Préface et introduction au Catalogue *Henri Gaudier-Brzeska sculpteur orléanais*, Orléans,Musée des Beaux-Arts, 1956

Michael Weaver
."Pound et Gaudier-Brzeska", *Ezra Pound*, Paris, Les Cahiers de l'Herne, 2 volumes, 1965, pp. 660-666

Wees
.*Vorticism and the English Avant-Garde*, Toronto, University of Toronto Press, 1972

Ulrich Weisner
.Introduction au catalogue *Henri Gaudier-Brzeska 1891-1915,Kunsthalle ,Bielefeld*, 1969

R. H. Wilenski
.*The meaning of Modern Sculpture*, Londres, Faber and Faber, 1932, pp. 91 à fin

Alan G. Wilkinson
." Gaudier-Brzeska", Catalogue de l'exposition *Gauguin to Moore: Primitivism in Modern Sculpture*, Art Gallery of Ontario, Toronto, 1981, pp. 182-194
."Modigliani, Lipchitz, Epstein et Gaudier-Brzeska", *Le Primitivisme dans l'art du 20e siècle*, Paris, Flammarion, 1991, pp. 443-449

J. Wood Palmer
."Henri Gaudier-Brzeska", *The Studio*, Londres, 1957, juin, pp. 176-179
.Introduction au catalogue *Henri Gaudier-Brzeska*, Londres, ArtsCouncil of Great Britain, 1956.

B. Wright
." Gaudier-Brzeska", *Arts Review*, Londres, 17 oct 1975, p. 590

Harriet Zinnes
.*Ezra Pound and the Visual Arts*, New-York, 1980

Port-folios

.*Henri Gaudier-Brzeska*, port-folio de 20 dessins sur papier bible, Londres, Ovid Press, 1919

.*Gaudier-Brzeska, bestiaire*, 2 port-folios de 15 fac-similés de dessins d'animaux, Orléans, Société des Amis du Musée d'Orléans, 1986

.*Oeuvres de Gaudier* ,Walter Benington, Londres, 1918, port-folio de 53 photographies des oeuvres exposées pour la plupart à la Leicester Galleries en 1918. Reédition, Londres, Tate Gallery, 1987, (avec seulement 50 photographies, 3 n'ayant pas été retrouvées).
C'est à Benington que l'on doit les rares photographies de Gaudier dans son atelier, prises en 1914.

Manuscrits

Henri Gaudier-Brzeska
.*Premier vortex*, 1914, Bibliothèque de l'Université de Princeton
.*Liste de ses oeuvres*, 9 juillet 1914, Cambridge, Kettle's Yard. Reproduite in Ede,*A life of Gaudier-Brzeska*, Londres, Heinemann, 1930
.*Lettres à Sophie*, 1911-1915, Colchester, Bibliothèque de l'Université d'Essex

Sophie Brzeska
.*Journal*, vers 1911-1920, Orléans, Musée des Beaux Arts
.*Journa*l, 1911-1915, Colchester, Bibliothèque de l'Université d'Essex
.*Notes pour son roman Matka*, Université de Cambridge, Fondation Kettle's Yard.

Films, pièces de théâtre, radios

Arthur Cantrill
.*Redstone Dancer*, 16mm, sonore, noir et blanc, 5', Londres, Production Firebird Film, 1968
.*Henri Gaudier-Brzeska*, 16mm, sonore, noir et blanc et couleur, 30', Londres, Production Firebird Film, 1968

Douglas Cleverdon
.*Vortex Gaudier-Brzeska, a radio Portrait of Henri Gaudier-Brzeska in commemoration of his death*, par Mervyn Levy avec interview de Kitty Smith, BBC, 5 juin 1965

Maurice Leitch
.*Real Life Love Stories n°3 : Savage Messiah*, BBC, 25 juin 1974.

Elisabeth Mackintosh (Gordon Daviot)
.*The lauphing woman*, Londres, 1934, pièce jouée au New Theatre

Georges Paumier
.*Gaudier-Brzeska, une oeuvre, une vie*, 16mm, sonore, couleur, 45'. Paris, Production Antenne 2, 1979

Ken Russell
.*Le Messie Sauvage*, scénario de Christofer Logue, 35mm, sonore, couleur, 45'. Londres, Production Ken Russell, 1972, diffusion MGM

Zosbreen
.*Brzeska*, Londres, 1987, pièce jouée au Canal Café Theatre

Expositions Henri Gaudier-Brzeska

Bernard Fauquembergue

Expositions du vivant de l'artiste

1912
Londres, Librairie Dan Rider, St Martin's Court, (3 sculptures : Oiseau de feu, Portrait du Major Smythies, Tête d'idiot.)

1912-1913
Londres, Bedib's Cabinet, (dépôt régulier de peintures, dessins et sculptures).

1913
Londres, Albert Hall, *Allied Artists' Association,* juin-juillet (dessins et 6 sculptures : Portrait d'Horace Brodzky, Lutteur, Portrait de Haldane Macfall, Madone, Oiseau de feu, Portrait d'Alfred Wolmark).

1913
Bath, *Royal West of England Academy*, octobre, (Madone).

1913
Londres, Grosvenor Gallery, *International Society of sculptors, painters and gravers.* novembre.

1914
Londres, Alpine Gallery, *Grafton Group*, janvier, (5 numéros : Aiguière, Chat, Danseuse en pierre rouge, Faon accroupi, Garçon, Torse de femme).

1914
Londres, Goupil Gallery, *London Group Exhibition*, février, (5 numéros : Cerfs, Danseuse en pierre rouge , Enfant au lapin, Maternité, Torse de femme).

1914
Londres, Whitechapel Art Gallery, *Twentieth Century Art*, 8 mai - 20 juin, (Chat, Faon, Faon endormi, Figure, Maternité, Oiseau de feu, Tête hiératique d'Ezra Pound, dessins).

1914
Londres, Holland Park Hall, *Allied Artists 'Association*, juin, (Amulette, Enfant au lapin, Insecte,Marteau de porte (2 exemplaires), Oiseau avalant un poisson).

1915
Londres, Goupil Gallery, *London Group*, mars (Chanteuse triste, Lutin, 2 dessins envoyés du front : Un de nos obus explosant et Mitrailleuse en action).

1915
Londres, Doré Gallery, *Vorticist Exhibition*, mai (Amulette, Caritas, Chanteuse triste, Danseuse en pierre rouge, Enfant au lapin, Faon, Presse-papiers, Samson et Dalila).

Expositions et rétrospectives

1916
Londres, *Allied Artists 'Association* , juin, (2 sculptures).

1917
New-York, Penguin Club, *Vorticists* , janvier.

1918
Londres, The Leicester Galleries, *A Memorial Exhibition of the Work of Henri Gaudier-Brzeska* , mai - juin, (retrospective de 103 numéros dont 46 sculptures, 1 plateau, catalogue préfacé par Ezra Pound).

1931
Leeds, Temple Newsam, *Gaudier-Brzeska, Sculpture and Drawings* , 29 juin - 29 août.

1931
Londres, J et E Bumpus, *Gaudier-Brzeska, Drawings and Statues*, 27 avril - 23 mai.

1935
USA, Collège Art Association, *An exhibition of two sculptors: Mestrovic and Gaudier-Brzeska.*

1943
Leeds, Temple Newsam, *Roy de Maistre, Henri Gaudier-Brzeska*, 26 juin - 29 août, (49 numéros dont 26 sculptures).

1953
Cardiff, Cardiff Gallery, *Paintings and Drawings by Gaudier-Brzeska*, 24 juillet - 8 août (14 sculptures, 2 huiles sur toile, dessins).

1956
Orléans, Musée des Beaux-Arts, *Henri Gaudier, sculpteur orléanais*, mars - avril 1956, (97 numéros dont 15 sculptures).

1956
Londres, The Arts Council of Great Britain, *Henri Gaudier-Brzeska*, (109 numéros dont 31 sculptures).

1956
Londres, Tate Gallery, *Wyndham Lewis and Vorticism*, juillet-août .

1957
Milan, Galleria Apollinaire, *Gaudier-Brzeska*, décembre.

1961
Miami Beach, Meridian Avenue, *Henri Gaudier-Brzeska, Drawings.*

1962
Londres, The Leicester Galleries, *Drawings and Pastels by Henri Gaudier-Brzeska*, (46 numéros).

1964
Londres, Folio Society, *Gaudier-Brzeska 1891 - 1915*, 27 avril - 21 mai (68 numéros).

1965
Londres, Marlborough Gallery, *Gaudier-Brzeska*, février, (100 numéros dont 9 sculptures).

1965
Paris, Musée National d'Art Moderne, *Ouverture de la salle Gaudier-Brzeska*, 30 juin.

1965
Manchester, Tib Lane Gallery, *Jacob Epstein, Henri Gaudier-Brzeska*, 4 octobre-30 octobre, (18 numéros Epstein dont 7 sculptures, 17 numéros Gaudier-Brzeska dont 3 sculptures).

1966
Londres, Victor Waddington Gallery, *Gaudier-Breska, Drawings*, 22 novembre-17 décembre, (48 numéros).

1968
Londres, Mercury Gallery, *Gaudier-Brzeska, Drawings*, 12 mars - 6 avril, (31 numéros) .

1969
Bielefeld, Kunsthalle, *Henri Gaudier-Brzeska*, 1891 - 1915, (171 numéros dont 14 sculptures).

1969
Londres, Offay Couper Gallery, *Abstract Art in England*, 1913-1915, 11 novembre - 5 décembre, (1 pastel et un fusain de Gaudier-Brzeska).

1970
Londres, Mercury Gallery, *Gaudier-Brzeska, Drawings*, 29 septembre - 24 octobre, (44 numéros).

1972
Edimbourg, Scottish National Gallery of Modern Art, *Henri Gaudier-Brzeska*, 12 août-10 septembre, (74 numéros dont 45 sculptures).
Exposition reprise ensuite à Leeds, 22 septembre-22 octobre et à Cardiff, 27 octobre-26 novembre.

1974
Londres, Hayward Gallery, *Vorticism and its Allies*, 27 mars-2 juin, (26 numéros Gaudier-Brzeska dont 17 sculptures).

1974
Londres, Maltzahn Gallery, *Henri Gaudier-Brzeska, Drawings, Pastels and Watercolours*, octobre, (36 numéros).

1975
Londres, Mercury Gallery, *Sixty Drawings by Henri Gaudier-Brzeska*, 15 octobre-15 novembre.

1977
Londres, Mercury Gallery, *Gaudier-Brzeska, Sculpture and Drawings*, 15 mars-16 avril, (18 sculptures, 20 dessins).
Exposition reprise ensuite à Middlesbrough: Museum and Art Gallery; Eastbourne :Towner Art Gallery; Edimbourg:Scottish Gallery; Sheffield:Mappin Art Gallery ; Bradford: Art Gallery.

1977
New-York, Gruenebaum Gallery, *Henri Gaudier-Brzeska, Sculpture and Drawings.*

1978
Toronto, Waddington Galleries, *Gaudier-Brzeska.*

1978
Londres, Mercury Gallery, *Exhibition, Summer 78*, (8 numéros Gaudier-Brzeska) .

1980
Londres, Anthony d'Offay Gallery, *Gaudier-Brzeska, Drawings and Pastels from the Ezra Pound Collection.*

1981
Sidney, Australie, Galerie Rudy Kamon, *Henri Gaudier-Brzeska*, août.

1981
Toronto, Art Gallery of Ontario, *Gauguin to Moore, Primitivism in Modern Sculpture*, 7 novembre 1981- 3 janvier 1982, (7 numéros dont 3 sculptures).

1983
Cambridge, Kettle's Yard, *Henri Gaudier-Brzeska, sculptor*, 1891-1915, 15 octobre-20 novembre, (130 numéros dont 50 sculptures).
Exposition reprise ensuite à Bristol, Museum and Art Gallery, 26 novembre 1983-7 janvier 1984 et à York, City Art Gallery, 14 janvier-19 février 1984.

1983
Londres, Anthony d'Offay Gallery, *Henri Gaudier-Brzeska.*

1984
Edimbourg, Mercury Gallery, *Henri Gaudier-Brzeska.*

1984
Lugano, Galerie Pieter Coray, *Henri Gaudier-Brzeska,* septembre-octobre,
(41 numéros dont 6 sculptures) .

1984
New-York, Museum of Modern Art, *Primitivism in the 20th Century art,* septembre 1984 - 15 janvier 1985 Exposition reprise à Detroit, Institute of Art, 23 février - 19 mai et Dallas, Museum of Fine Art, 15 juin - 8 septembre

1985
Cambridge, Kettle's Yard, *Pound's Artists, Ezra Pound and the Visual Arts in London*, Paris, and Italy. 14 juin-4 août.
Exposition reprise à Londres, Tate Gallery, 11 septembre-10 novembre.

1986
Orléans, Musée des Beaux Arts, *Henri Gaudier-Brzeska, dessins,* 17 mai-26 juin.

1986
Venise, Palazzo Grassi, *Futurismo e Futurismi,* 4 mai-12 octobre, (9 numéros Gaudier-Brzeska dont 4 sculptures).

1986
Paris, Musée National d'Art Moderne, *Qu'est-ce que la sculpture moderne ?* 3 juillet-13 octobre, (Une sculpture: La Danseuse rouge en pierre rouge).

1987
Londres, Royal Academy of Arts, *Bristish Arts in the 20th century,* 15 janvier-5 avril.

1987
Londres, Mercury Gallery, *Gaudier-Brzeska,* 6 mai-6 juin, (38 numéros).

1988
Cracovie, Pologne, Galerie Centrum, *Henri Gaudier-Brzeska,* mai.

1991
Londres, Mercury Gallery, *Henri Gaudier-Brzeska, an Exhibition of Sculpture and Works on paper to mark the Centenary of the Artist's Birth,* 25 septembre-26 octobre, (76 numéros dont 20 sculptures).

1991
Paris, Galerie Marwan Hoss, *Gaudier-Brzeska, dessins,* septembre - octobre.

Cet ouvrage, composé en Helvetica et New Century, a été tiré sur Royal Impression mat et achevé d'imprimer
en Juin 1993
sur les presses de l'Imprimerie Union
à Paris.